Titre
Le concert apprivoisé
de Léon Renard

NIRO MARKOFF ASISTENT

AVEC PAUL DUFFY

Comment je me suis guérie du sida

L'histoire d'une femme et de son étonnante guérison.

Les techniques qu'elle utilise pour aider les autres.

Editions Vivez Soleil

L'IMPRESSION EN COULEUR

Nous avons choisi d'imprimer les textes de nos livres
avec une encre de couleur, malgré le surcoût
que cela représente, dans le but d'éviter
la surintellectualisation qu'entraîne
le noir-blanc et favoriser l'harmonie
entre le cerveau gauche
(responsable de la logique rationnelle)
et le cerveau droit
(facultés intuitives et imaginatives).
Nous voulons ainsi faciliter une lecture
plus globale et plus gaie
tout en contribuant à développer
votre potentiel de santé
physique et psychique.

Titre original : *Why I survive Aids*
Traduction : Béatrice Petit
Photocomposition : Thiong-Toye & Associés
Graphisme : François Martinoli
Photographie de couverture : Joice Ravid
Onyx enter prises Inc., Los Angeles

32 av. Petit Senn - CH -1225 Chêne-Bourg / GENEVE
ISBN : 2-88058-080-3

Introduction de l'Editeur

Les médias propagent tant d'informations catastrophiques concernant le sida que si l'on détient des données différentes, c'est un devoir de les faire connaître au plus grand public possible. Voilà pourquoi les Editions Vivez Soleil ont déjà publié sur ce sujet *Sida Espoir*, *Du Sida à la Santé* et *Nature contre Sida*.

Avec le livre de Niro Asistent, c'est un nouveau document de grande valeur qui vous est proposé. Il s'agit non seulement d'un témoignage marquant, mais aussi d'un véritable manuel d'autoguérison. S'il s'adresse en priorité aux malades du sida, en fait, tout un chacun peut y trouver les éléments nécessaires pour résoudre les problèmes de sa vie.

Niro Asistent ne se contente pas d'écrire, il faut savoir qu'elle porte « à bout de bras » son message, parcourant le monde pour proposer des séminaires permettant de passer de l'écrit à l'expérience directe.

Ainsi que l'explique le Docteur Christian Tal Schaller dans son livre, *Mes secrets de Santé-Soleil*, également paru aux Editions Vivez Soleil :

« Si les technologies chimiques, chirurgicales et radiothérapiques ont connu un essor prodigieux, les grands principes des médecines traditionnelles ont été oubliés par la médecine orthodoxe moderne. Il y a deux écoles de pensée en présence : les partisans du virus pensent que cette 'méchante petite bête' est la cause de l'immunodéficience, alors que ceux qui se relient aux grands courants des médecines traditionnelles de tous les pays pensent que 'le virus n'est rien, c'est le terrain qui est tout', comme le disait Claude Bernard.

« Qu'est-ce-que le terrain ? L'être humain n'est pas composé d'un corps physique seulement, mais aussi d'un corps émotionnel, d'un corps mental et d'un corps spirituel. Le terrain, c'est donc l'ensemble des parties d'un individu : ses composantes matérielles et aussi toutes ses énergies subtiles, tous ces champs de conscience qui font qu'un être humain est beaucoup plus qu'un corps physique seulement. La médecine technologique moderne ne s'occupe que du corps physique, elle croit que les maladies viennent de l'extérieur, qu'on les 'attrape' et que l'individu n'a aucune responsabilité dans ce qui lui arrive. C'est faux !

« Tous les malades du sida ne meurent pas, il y a des survivants, qui sont passés de l'état de victime à celui de vainqueur. De plus, de très nombreux séropositifs ont appris à vivre d'une manière qui les met à l'abri du sida. Certains d'entre eux sont même redevenus séronégatifs. »

Que le livre de Niro Asistent vous conforte donc, Amis lecteurs, dans cette manière de voir si radicalement confiante en la vie, et qui ramène l'optimisme parmi nous.

Les Editions Vivez Soleil

Sommaire

A Nado
A Osho
et... à Amitabh

Pour dire oui, il vous faut transpirer,
Remonter vos manches
et plonger les deux mains dans la vie
jusqu'aux coudes.
Il est facile de dire non,
même si dire non signifie mourir.

Jean Anouilh
Antigone

Remerciements

A tous mes clients et participants à mes séminaires. Merci pour votre courage infini et la volonté que vous mettez à découvrir une nouvelle façon de vivre et de mourir. Vous êtes le vent sous mes ailes.

A mon éditeur, Barbara Gess, si compréhensive. Merci de m'avoir offert cette opportunité formidable, qui a été pour moi à la fois un grand défi et un merveilleux cadeau.

A Geraldine. Merci d'avoir été là quand j'ai eu besoin de toi. A Manahar et Joan, merci pour votre assistance éditoriale.

A ma famille. Merci, Ivan, Taty, Anny et Nadine pour votre amour et votre soutien constants. Merci à toi, Papa, pour l'arc-en-ciel infini d'inspiration que tu as apporté dans ma vie, et à toi, Maman. L'amour et l'amitié que nous avons aujourd'hui les uns pour les autres prouvent concrètement que les miracles sont possibles.

Aux hommes de ma vie. Merci, Vasant, Gawain, George, Doudou, Paul Lowe, Amitabh et Jeru, mes maîtres et amis. Namasté.

Aux femmes de ma vie, Aurora, Delphine, Patricia, Mradula et Masha. Merci d'avoir ri, pleuré et célébré l'énergie de la déesse avec moi.

A mes chers enfants, Tanguy et Barbara. Vous êtes mes vrais maîtres. Merci de m'avoir soutenue et d'avoir toujours cru en moi.

Et pour finir, à toi, Paul. Sans toi ce livre n'aurait pas été possible. Je te remercie d'être dans ma vie. Merci, mon ami.

Préface

C'est vraiment un honneur pour moi d'écrire ces quelques mots d'introduction au livre de Niro Markoff Asistent. C'est un ouvrage remarquable non seulement pour les patients atteints de sida, mais aussi pour tout être humain désireux de regarder en lui-même et de croître, c'est-à-dire de se débarrasser du passé et de commencer une nouvelle vie libérée des anciens traumatismes, des conditionnements périmés et des restes de cicatrices et de souffrances - de tout ce qui n'est plus nécessaire à sa survie.

Ce livre a réveillé en moi d'anciens problèmes que je pensais avoir résolus, mais sur lesquels j'ai encore besoin de travailler. Même si certaines techniques très familières à Niro, habituée à méditer, ne sont sans doute pas la tasse de thé de tout le monde, peut-être est-il temps pour nous de goûter une nouvelle marque de thé !

L'histoire de Niro et de sa découverte du sida, ainsi que de son combat - étape par étape - est, pour des millions de personnes, un fanal dans l'obscurité. En effet, ce n'est pas un livre qui dit « voici comment manger », ni une « recette » de guérison ; c'est le simple récit d'une vie remarquable pleine de souffrances, de blessures, de frustrations, d'espoirs, puis de la lente prise de conscience de la manière dont on peut changer sa vie, non pas avec un remède miracle ou des « instruments » extérieurs, mais en découvrant toutes ses ressources *intérieures* et ses dons *innés*. Ce que Niro dit sur le pardon et le piège du Nouvel Age est d'un grand intérêt - il est tout à fait inutile de culpabiliser les patients en les accusant de créer leurs propres maladies (y compris le cancer).

Voici un grand livre, un phare et un guide pour des millions de nos malades du sida, leur montrant une fois de plus que cette maladie n'est pas nécessairement fatale, mais qu'elle peut être une porte donnant sur une vie nouvelle, plus saine et plus heureuse.

A la vie !

Docteur Elisabeth Kübler-Ross

Elisabeth Kübler-Ross, médecin psychiatre d'origine suisse, est une autorité mondialement connue et appréciée dont les nombreux ouvrages, devenus best-sellers, sont traduits dans presque toutes les langues.

Ses travaux, rejetés pendant de nombreuses années par le monde médical, ont peu à peu été reconnus et acceptés par toutes les universités occidentales.

Grâce à son travail de pionnière, des groupes d'accompagnement des mourants se sont constitués dans un très grand nombre d'hôpitaux et de maisons pour personnes âgées. Ceux qui arrivent à la fin de leur vie ne sont plus isolés ni abandonnés, mais reçoivent un soutien psychologique et affectif pour que leur transition vers l'au-delà puisse être vécue dans la sérénité et l'acceptation.

Elisabeth Kübler-Ross a largement contribué à faire prendre conscience du fait que la mort n'est plus une ennemie à combattre mais une naissance dans une nouvelle dimension de la vie.

1

MON VOYAGE

1

Une invitation

Je m'appelle Niro. J'ai traversé une expérience très intense qui a transformé ma vie. En novembre 1985, je fis le test de dépistage du virus HIV, test qui s'est révélé positif et les médecins posèrent le diagnostic de « syndrome apparenté au sida » (ARC). J'avais été contaminée par mon partenaire, Nado, qui ne se savait pas porteur du virus.

Je me révoltais totalement contre mon état et pourtant les symptômes de cette maladie très actuelle ravageaient mon corps depuis au moins un an déjà. En réaction au diagnostic, je suis passée d'une hébétude profonde à une rage extrême. Pour finir, je me rendis et acceptai l'inacceptable : la mort. Je ne pouvais nier plus longtemps que j'étais responsable de l'état de mon organisme. Je serai toujours reconnaissante envers mon médecin d'avoir admis son impuissance, car son honnêteté m'a forcée à prendre ma vie en main.

Je me rendis compte que j'avais un nombre fini de jours à vivre - environ cinq cents, avec de la chance. Chacun d'eux devint alors très précieux ; je modifiai donc l'ordre de mes priorités et me mis en tête sur ma liste. Jusque-là, j'avais toujours nié mes besoins, jouant le rôle de support pour mes parents, mon mari, mes enfants et même mon maître spirituel. N'ayant plus rien à perdre, je décidai d'utiliser ma maladie comme une dernière occasion d'apprendre et de croître, au lieu de me laisser transformer en victime par elle. Je m'embarquai dans un voyage à la découverte de moi-même, de ma véritable essence, et non de ma relation avec le monde extérieur. Ce fut le commencement du voyage le plus important de ma vie.

En mai 1986, je ne présentais plus aucun symptôme. La maladie était en pleine rémission. A ma grande surprise, le sérodiagnostic se révéla même négatif - ce qu'il est resté depuis.

J'ai l'impression d'avoir vécu un miracle et suis encore profondément reconnaissante envers ce mystère. **Mais le véritable miracle de ma guérison est que je n'ai jamais essayé de guérir.** En 1985, avec l'hystérie des médias et de la communauté médicale, un diagnostic d'ARC était potentiellement une condamnation à mort. D'après moi, c'est parce que j'avais totalement accepté de mourir et commencé à vivre dans l'instant présent que je suis toujours en vie aujourd'hui.

Poussée par cette expérience, je créai la Fondation pour l'Expérimentation de l'Autoguérison en Rapport avec le Sida (S.H.A.R.E. - Self Healing AIDS-Related Experiment) pour partager mon vécu et contribuer à changer la croyance limitée selon laquelle le sida est fatal à cent pour cent. Je savais dans mon cœur que si j'avais été capable de me guérir, d'autres l'étaient aussi, et je voulais me consacrer à faire de mon expérience « rare » une chose banale. Heureusement, de plus en plus de gens aujourd'hui comprennent que le sida est une maladie chronique et une occasion majeure de transformation personnelle et planétaire.

La première partie de ce livre est l'histoire de mon laborieux voyage, qui fut un véritable apprentissage : il me fallait apprendre à faire confiance à ce que je savais et ce que je ne savais pas sur la guérison. Tout au long du chemin, je suis souvent retombée dans le doute et le désespoir. Parfois je retombe encore, comme nous risquons tous de le faire durant notre propre voyage. Un tel parcours connaît des hauts et des bas, des virages à gauche et à droite, de grandes prises de conscience et de profonds doutes, dans le mouvement ininterrompu de l'auto-guérison.

La seconde partie du livre, basée sur mon travail de thérapeute, est inspirée par les individus humbles et courageux avec lesquels j'ai eu le privilège de travailler. Il ne s'agit ni d'une formule magique, ni d'un assortiment de règles draconiennes, ni d'un régime de guérison strict ; c'est plutôt un partage d'aperçus, de leçons et d'instruments qui peuvent vous aider à découvrir votre guérisseur intérieur, et à lui faire confiance. Il connaît mieux que personne la direction de votre chemin de guérison.

Souvent, lorsque nous sommes confrontés au défi d'une maladie mettant notre vie en danger, nous avons du mal à envisager la réalité de notre guérison. C'est un voyage fait de désespoir et d'espoir, de peur et de confiance, de colère et de vulnérabilité, et même de la rage que nous éprouvons parfois envers Dieu et les autres parce qu'ils nous « abandonnent ». Pourtant le processus de guérison, comme beaucoup d'entre vous s'en sont déjà aperçu, ne peut être forcé. Au cours de mon voyage, j'ai découvert un paradoxe :

La guérison est une permission, non un faire, et pourtant il nous faut faire tout notre possible sur les plans physique, émotionnel, mental et spirituel pour pouvoir s'ouvrir à cette permission.

La permission est l'abandon et la suspension de ce que nous pensons être ou ne pas être possible. La guérison survient quand nous lâchons le passé, acceptons le présent et nous ouvrons au mystère du futur. La vie devient alors une aventure excitante, une passionnante occasion d'apprendre et une source de grande expansion. Pourtant, avant de pouvoir véritablement connaître cette expansion, nous devons dire oui à notre résistance et à notre contraction. En acceptant notre contraction, en disant oui à notre non, nous acceptons simplement ce qui est ; nous allons au-delà de la dualité pour percevoir la danse entre la contraction et l'expansion. Il n'y a pas d'autre moyen de dépasser cette dualité - d'abord être conscient du non, puis l'accepter. Il faut pour cela une très grande confiance, un passage de l'esprit rationnel à l'intuition.

C'est grâce à mon intuition que j'ai pris conscience du rapport entre le corps physique et les émotions - rapport que de nombreux médecins découvrent maintenant à travers une science nommée psychoneuroimmunologie. En explorant mes souffrances émotionnelles et mes peurs, je découvrais non seulement la source du déséquilibre qui avait abouti à ma maladie, mais aussi ce que je devais faire pour favoriser ma guérison. En nous harmonisant avec la source du lien entre l'esprit et le corps, nous offrons à ce dernier la possibilité de répondre. Pour certains, la réponse peut être une guérison sur le plan physique ; pour d'autres, ce sera une guérison sur le plan émotionnel, les préparant à un accomplissement dans la mort.

Mon intuition me dit aussi que mon problème de santé était mon « appel au réveil ». Je pouvais choisir entre répondre au message ou me tourner pour me rendormir. Je choisis de me réveiller. Toute crise - maladie, conséquences d'une dépendance ou perte d'un être cher - nous offre l'opportunité de nous réveiller. Une telle crise est comparable à un tremblement de terre : la vie nous secoue pour nous tirer de notre sommeil. Dans mon cas, elle me frappa au visage avec tant de force que je ne pus échapper au choc de la réalité. Je répondis par l'hébétude, la colère, le désespoir et finalement par une quête spirituelle.

En me posant des questions sur ma vie, je m'aperçus que j'étais restée endormie la plus grande partie du temps. J'avais oublié qui j'étais et pourquoi j'étais ici. J'avançais dans la vie, inconsciente, comme un robot sophistiqué. Ma maladie fut un puissant instrument pour m'aider à examiner les limitations dues à mon conditionnement.

Je n'avais jamais pris le temps de me poser des questions sur mon conditionnement précoce et sur la personnalité que je m'étais bâtie sur cette base. Il était temps d'examiner ces choses honnêtement, en gardant ce qui pouvait encore servir et en abandonnant ce qui n'était plus approprié. Je commençai à prendre la responsabilité de ma vie en main et, dans cette nouvelle perspective, à passer ainsi du laxisme de la victime à l'intégrité du maître.

Les personnes confrontées à une crise similaire s'aperçoivent rarement que l'acceptation de l'appel envoyé par leur corps est un véritable cadeau. Nous allons chez le médecin, qui nous donne des analgésiques pour calmer la douleur, et chez le psychiatre, qui nous donne des pilules pour modifier notre humeur. Nous allons voir le prêtre, qui nous promet le salut, et le gourou, qui nous montre le chemin de l'illumination. Nous sommes anesthésiés pendant le miracle de l'accouchement, nous réprimons les symptômes du rhume, qui sont en fait la manière dont notre corps se nettoie, et nous nous adonnons à toutes sortes de distractions pour échapper à notre solitude et à notre désespoir. Nous lisons des livres et participons à des séminaires de développement personnel, méditons pour transcender l'obscurité et vivre dans la lumière. Nous ferions n'importe quoi pour éviter l'inconfort de notre souffrance physique et émotionnelle, même si cela signifie nier ce que nous sommes. Dans notre société, on ne trouve pas « naturel » que quelqu'un ne se sente pas bien.

Par exemple, essayez cet exercice. Joignez les mains en entrelaçant les doigts : c'est un geste naturel qui ne demande aucun effort. Puis séparez vos doigts, faites passer une main derrière l'autre et entrelacez-les de nouveau. Maintenant observez ce que vous ressentez. Cela vous paraît-il bizarre et inconfortable ? Vous surprenez-vous en train de vous demander combien de temps il vous faudra maintenir cette position et à quel moment vous pourrez à nouveau laisser vos doigts retrouver leur position « naturelle » ? Souvent, ce que nous jugeons naturel est simplement ce que nous sommes habitués à faire et ce qui nous paraît confortable. Nous confondons le naturel avec le familier. La guérison exige la volonté d'abandonner le « naturel » de ce qui est familier et de dire oui à l'inconfort de ce qui est nouveau.

Depuis que j'ai commencé mon propre voyage de guérison, j'ai travaillé comme thérapeute avec des centaines de personnes et je me suis aperçue que nous avons tous une chose en commun : nous risquons, à un moment ou un autre, d'être confrontés à un aspect inconfortable de notre état. Deux éventualités se présentent alors. L'une consiste à construire un mur de résistance, de dénégation, d'opposition, avec toutes ses souffrances et ses sentiments effrayants. Je vous invite, en lisant ce livre, à aborder votre guérison d'un point de vue nouveau, qui ne vous est pas familier, mais qui peut être beaucoup plus naturel que ce que vous croyez.

C'est là l'essence de la guérison : apprendre à dire oui aux choses telles qu'elles sont, au lieu de nous efforcer de les rendre telles que nous aimerions qu'elles soient. Je vous invite à vous poser des questions sur votre état et à découvrir ce qu'il peut vous apprendre avant d'essayer de vous en débarrasser. Souvent, lorsque nous avons accepté la leçon que notre maladie ou notre état était venu nous donner, le maître s'en va.

Ce livre est une invitation à aller au-delà de ce qui vous paraît agréable et confortable, tout en prenant soin de vous. Créez un environnement dans lequel vous vous sentez bien et en sécurité. Participez pleinement aux procédés de la seconde partie du livre. Ils ont pour but de vous aider à vous voir différemment et à aborder autrement votre vie et votre maladie - ce qu'ils ont déjà réussi à faire pour des centaines de personnes ayant participé à mes séminaires.

Je vous invite à accueillir votre état comme un appel au réveil, un instrument parfait pour vous permettre d'atteindre votre potentiel maximum. Un jour peut-être, si ce n'est pas déjà le cas aujourd'hui, vous lui serez reconnaissant de vous avoir donné cette possibilité. Je vous invite à dire oui à votre état. A dire oui à qui vous êtes. A dire oui à la guérison.

Dans l'amour et la lumière
nous guérissons,

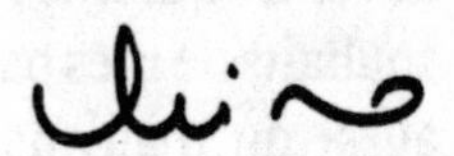

2

Prélude à mon chemin

Le cheminement compliqué et sinueux qui m'a conduite à mon voyage de guérison est unique, tout comme le vôtre. Il débuta en Belgique, en 1945, lorsque je naquis Yvette Markoff chez Pierre Markoff, élégant Russe blanc de souche aristocratique, et Christianne de Rode, jolie femme de la classe moyenne supérieure belge. En grandissant, je pris conscience de la différence entre ma mère, personne conservatrice comme sa famille, et mon père, homme profond et toujours en recherche (contraint de fuir la Russie pendant la révolution, il ne revit jamais sa famille). Je ne m'identifiai jamais avec le prénom belge Yvette et, à treize ans, je le changeai en Masha, nom que je sentais mieux correspondre à ma nature russe profonde.

Ma mère consacra sa vie à son brillant et exigeant mari, qu'elle ne comprenait pas très bien. Son rêve était de donner naissance au fils qu'il désirait et mes parents espéraient tous les deux que je serais un garçon. Mais je fus la troisième de trois filles. Cette attente déçue donna le ton à ce qui devait devenir le thème majeur de ma vie : le rejet. Par rapport aux souhaits de mes parents, je fus du mauvais sexe (adulte, je fus aussi du mauvais sexe pour mon amoureux bisexuel). Je grandis avec le sentiment de ne pas être acceptée pour ce que j'étais. J'avais souvent des difficultés à m'affirmer et à dire non aux demandes des autres, même quand cela allait contre mon sens de l'intégrité.

Le monde que j'ai connu enfant était un matriarcat opprimé dans lequel toutes les femmes - ma mère, ma grand-mère, ma tante et mes sœurs - consacraient leur vie à satisfaire les besoins de leurs maris. Le service de la famille et des hommes qui la faisaient vivre était tellement enraciné en nous que je ne pouvais imaginer qu'il pût en être autrement. Aujourd'hui encore, j'ai un profond respect pour cette attitude. Je crois sincèrement que si davantage de gens se consacraient au service, dans un but universel et non pas seulement par intérêt personnel, la planète serait un lieu plus chaleureux.

J'ai toujours poursuivi une recherche spirituelle. Enfant, j'étais très mystique et m'éloignai rapidement des adultes conventionnels qui m'entouraient. Pendant l'adolescence, alors que j'étudiais le catéchisme catholique, je me mis à avoir des expériences psychiques. J'avais sur la théologie un point de vue autre que l'interprétation superficielle imposée par mes maîtres. Je considérais ma relation avec Dieu comme personnelle et vivais directement le lien qui m'unissait à ce que je savais être la Source de l'Amour Infini.

Je découvris très tôt que je pouvais utiliser la maladie comme instrument pour manipuler mon entourage. Si j'étais malheureuse ou ne voulais pas aller à l'école, j'effrayais mes parents par une paralysie des jambes ou une autre maladie infantile. C'était le moyen de fuite parfait et cela l'est toujours.

Chaque fois que j'étais malade, ma mère me choyait : elle me préparait de la limonade, me permettait de lire mes livres favoris et passait du temps seule avec moi. Lorsque je m'aperçus que je ne recevais son affection que dans ces moments-là, je reconnus le pouvoir de la maladie. En fait, tous les membres de ma famille me témoignaient davantage d'affection quand je n'étais pas bien ; je jouai donc le rôle de l'enfant malade pendant des années.

Je n'avais pas découvert par moi-même l'utilisation de la maladie comme instrument de manipulation. Ma mère et mon père furent malades durant presque toute mon enfance. Mon père avait été diagnostiqué maniaco-dépressif et prit des médicaments chimiques pendant la majeure partie de sa vie. Ma mère fut atteinte de fièvre rhumatismale et passa onze mois couchée quand j'avais neuf ans. La maladie devint pour moi un outil majeur de survie parce que, profondément en moi, j'avais compris que je devais lutter pour recevoir l'attention de mes parents. S'ils avaient cessé de s'occuper de moi parce qu'ils étaient trop malades ou parce que je n'étais « pas assez bien » (c'est-à-dire parce que j'étais du mauvais sexe), ou pour quelque autre raison, je serais littéralement morte. Je ne veux pas dire par là que mes parents aient eu la moindre intention de m'abandonner, mais cette peur de l'abandon venue de l'enfance me poursuit encore aujourd'hui.

Grandissant en Belgique peu après la Seconde Guerre mondiale, je fus élevée pour me conformer à l'étiquette sociale de notre culture. A l'adolescence, j'étais devenue un élégant robot. Depuis mon enfance, je voulais « être au service du monde ». J'étudiai les sciences sociales avec l'intention de travailler avec des enfants du tiers monde, mais ma famille me l'interdit. A la place, je travaillai avec des enfants brutalisés de mon propre pays et en tant que volontaire au Service Civil International, équivalent européen du Peace Corps.

J'échappai à la prison de ma vie familiale par une grossesse imprévue et un mariage avec Nicholas Steinbach, un jeune homme de la jet-société qui était aussi violent que charmant. Bien que je ne regrette pas de l'avoir épousé, je vois maintenant que ce fut une décision néfaste pour tous les deux. Nous étions trop jeunes pour prendre la responsabilité d'être parents ou pour comprendre le véritable engagement du mariage. Notre fragile amour ne put résister à la pression constante dans laquelle nous vivions à cause de notre sentiment de frustration et d'insécurité. Nicholas craignait de ne pouvoir être un bon soutien pour sa famille bourgeonnante et s'emprisonnait dans ce rôle. Quant à moi, j'étais prisonnière de la manière dont « les choses devaient être » et me sentais perpétuellement frustrée. J'aimais vraiment Nicholas à l'époque, mais notre relation n'était pas saine. Nous nous emportions l'un contre l'autre pour les raisons les plus triviales. Ce fut une parfaite illustration de la manière dont une relation peut mourir parce que deux êtres sont incapables de communiquer réellement l'un avec l'autre. La seule bonne chose qui en sortit fut mes deux beaux enfants. Quatre insupportables années de mariage me laissèrent physiquement et émotionnellement épuisée. Je finis par quitter Nicholas, craignant pour ma santé d'esprit et le bien-être de mes enfants. Je sais maintenant que si j'étais restée, je serais morte depuis longtemps, de sa main ou de la mienne.

En tant que mère seule, je fus terriblement stressée, essayant de jouer à la fois le rôle de père et de mère, de faire vivre la famille et de tenir la maison. Même si je « portais le pantalon », la petite fille en moi aspirait à trouver un homme que je puisse servir et qui prendrait soin de moi. N'y parvenant pas, je me fermais.

J'oubliai ce que j'attendais véritablement de la vie, outre procurer ce qu'il y avait de mieux à mes enfants et suivre les principes de base d'une vie « normale ». Une partie de moi se sentait tellement peu sûre d'elle que, mettant le masque de membre de la jet-société, je tombai dans le piège du « snobisme » pour trouver l'estime de moi-même. La petite fille en moi croyait qu'en faisant toutes les choses fascinantes et excitantes que montraient les magazines et la télévision, je signais mon « succès » personnel.

Je me lançai dans une vie basée sur l'exploration de mes rapports avec les hommes et appréciai de me laisser chouchouter par mes admirateurs, ce qui était une nouveauté pour moi. Je n'étais pas encore consciente de ce que me coûtait le jeu qui consistait à manipuler ma beauté physique pour combler mes besoins matériels. A l'époque, de l'extérieur, tout paraissait bien aller. J'étais avec les gens qu'il fallait au moment qu'il fallait, aux endroits qu'il fallait, portant les vêtements qu'il fallait - et pourtant, en dessous, j'étouffais de toute cette superficialité. Dans ce monde-là, le succès matériel était une religion et l'argent était respecté comme le veau d'or. J'avais l'impression de me dessécher à cause du terrible manque d'amour spirituel. Comme je doutais du style de vie de la jet-société, je me sentais encore moins sûre de moi et pensais que quelque chose n'allait pas en moi. Au lieu de faire confiance à ce que je croyais au plus profond de mon cœur (que la vie me poussait à chercher en moi les réponses), je niais mon flot naturel et devenais une personne ennuyeuse, ne cherchant qu'à répondre aux attentes des autres.

Finalement, mon vide intérieur me devint insupportable. Je renonçai à ma « vie de snob » et, comme tant de générations d'Européens avant moi, émigrai vers l'Amérique. Je m'installai à New York et trouvai un travail de gérante dans un restaurant d'alimentation saine appartenant à un ami. Ce dernier m'introduisit au « training est », méthode qui eut un grand impact sur ma vie car elle m'apprit à accéder à un autre niveau d'intégrité. Je me mis rapidement à faire des interventions en tant que responsable de séminaires et me mis à travailler pour leur organisation, même si cela ne comblait pas vraiment le vide spirituel que je ressentais.

Un autre ami m'avait parlé de son maître spirituel, mais pendant des mois je n'y prêtai pas attention. Un soir, il m'invita à la projection d'une vidéo de ce maître réalisé et illuminé. Par curiosité, je décidai d'y aller. Je n'oublierai jamais la première fois que je vis Osho, un petit Indien au regard profond et intense. Mon cœur s'ouvrit et immédiatement je sus que je deviendrais sa disciple. Je suivis ses enseignements et sa guidance, qui furent le point de départ d'un voyage à la découverte de moi-même. Quelques mois plus tard, je me rendis à son ashram principal (communauté où les gens vivent et pratiquent les enseignements d'un maître spirituel) sur la côte ouest, pour être dans son « champ d'énergie de Bouddha ». Le jour de mon arrivée, alors qu'il passait à côté de moi en voiture, il me regarda dans les yeux, dans mon âme, et ce vide spirituel que j'avais ressenti toute ma vie fut comblé. J'avais l'impression d'être enfin « à la maison ». Le lendemain, je devins sa disciple, ou « sannyasin », et reçus le nom d'Anand Niro, mots sanscrits signifiant « Eau de Félicité ».

A l'ashram d'Osho, je suivis une formation de thérapeute, qui comprenait la gestalt, la thérapie primale et la respiration, ainsi que diverses techniques de méditation et d'équilibrage des énergies. Les méditations actives qu'Osho destinait à l'homme occidental moderne me permirent non seulement de libérer mon énergie émotionnelle bloquée depuis des années et refoulée à l'intérieur de mon corps physique, mais ouvrirent mon cœur. J'utilise toujours plusieurs de ces méditations dans les séminaires que je dirige et, comme je le raconterai plus loin, la présence de mon maître dans ma vie joua un rôle majeur dans mon voyage de guérison.

Comme je ne pouvais pas me rendre régulièrement à l'ashram principal, je décidai de rester reliée à son énergie en créant mon propre centre de méditation dans mon appartement. Plusieurs de mes compagnons sannyasins se joignaient à moi pour des méditations et des satsang du soir (réunions pendant lesquelles nous écoutions les paroles du maître, puis chantions et dansions en guise de célébration). Certains sannyasins qui se rendaient à l'ashram principal ou en revenaient passaient la nuit chez moi. D'autres restaient plusieurs jours, voire semaines, pour « être dans l'énergie ». Mon appartement devenant trop petit, nous louâmes une maison à proximité de la ville. Il y avait de la place pour vingt-cinq résidents, mais nous fûmes bientôt soixante. Pour finir, nous déménageâmes dans un magnifique château, dans le New Jersey : notre centre de méditation était né.

Je vivais l'un de mes rêves d'enfance. J'étais l'heureuse directrice de l'un des plus grands centres de méditation de la côte est. Je vivais avec d'autres chercheurs spirituels comme moi, que j'aimais pour la plupart. Je menais une « vie de service » en tant que thérapeute spirituelle et j'élevais mes deux enfants dans une atmosphère ouverte d'amour.

Mes conditions de vie correspondant à mes images d'enfant, il m'était difficile de reconnaître qu'une partie de moi n'était pas encore comblée. Je méditais chaque jour, je m'étais abandonnée à mon maître bien-aimé et avais renoncé au monde matérialiste superficiel, et pourtant je ressentais encore des « émotions négatives » telles que la solitude et le désespoir.

J'employais une énorme quantité d'énergie à essayer de cacher ou d'éliminer mes noirs sentiments. Je méditais encore davantage pour atteindre la félicité intérieure ou utilisais les diverses techniques thérapeutiques à ma portée pour échapper à la souffrance. J'avais accompli mon rêve, mais il ne m'apportait pas ce à quoi mon âme aspirait : trouver mon âme sœur et me fondre en elle.

C'est alors que je rencontrai Nado.

Notre relation ne peut être qualifiée que d' « écrite ». La première fois que je posai les yeux sur lui, ce fut à une réunion de sannyasins. Son énergie était intense et, bien qu'intéressée par lui, je préférai ne pas lui adresser la parole. Quelques jours après, je fus invitée à une soirée de méditation à Brooklyn. Lorsque j'entrai dans l'appartement et que l'hôte me salua, j'eus l'agréable surprise de m'apercevoir que c'était Nado. Le lien entre nous était évident, mais nous nous rendions compte qu'il provenait d'un sentiment profond de reconnaissance plutôt que d'une attraction amoureuse.

Après la méditation, Nado se précipita vers moi et me demanda avec rudesse pourquoi j'avais changé de coiffure et adopté cette longueur et cette couleur sombre. Je crus d'abord que je l'avais connu quand j'étais plus jeune, alors que mes cheveux étaient longs et blonds ; mais il m'expliqua rapidement que nous ne nous étions effectivement jamais rencontrés (dans cette vie tout au moins), mais que, entre cinq ans et dix-sept ans, il avait souvent fait un rêve dans lequel j'avais de longs cheveux blonds. Me voir en chair et en os dans son appartement ce soir-là lui avait franchement fait perdre la tête.

Durant nos premières journées ensemble, nous découvrîmes que nous avions beaucoup de choses en commun. Comme il était Hollandais, nous partagions non seulement notre origine européenne, mais aussi le sentiment d'être coupés de notre histoire et de notre patrie par l'immensité de l'océan Atlantique. Il avait aussi étudié les sciences sociales et politiques à l'université et nos goûts artistiques étaient pratiquement identiques. Nous partagions une passion pour le peintre surréaliste Magritte, le chorégraphe Béjart et le génial compositeur Bach. Notre lien le plus important était notre recherche de la vérité et un même amour profond pour notre maître Osho.

Notre attirance l'un pour l'autre n'était pas un coup de foudre dans le sens romantique du terme. Nado était marié à l'une de mes amies et, bien qu'ils fussent séparés à l'époque, je ne le considérai pas comme un partenaire possible. Un jour, au centre, une autre amie observa en passant que notre relation naissante semblait plus que platonique. Elle faisait allusion à la manière dont Nado tournait autour de moi, me servant le thé et m'apportant des fleurs. Je suppose qu'à ce moment-là j'étais aveugle à ces signaux, trop occupée à m'occuper d'une myriade de détails.

Mon anniversaire approchait et je décidai d'organiser une réception. Je me demandais qui inviter et, à ma grande surprise, je m'aperçus que la seule personne avec qui j'avais envie de fêter mon anniversaire était Nado. Ce soir-là, il arriva avec un grappe d'orchidées blanches à la main. Nous nous regardâmes d'un air complice et échangeâmes un tendre baiser, en gloussant innocemment comme deux enfants à un premier rendez-vous. C'était la pleine lune de juillet ; nous passâmes ce qui allait devenir la première de nombreuses nuits ensemble. Le lendemain matin, avant qu'il ne parte travailler, je lui proposai de venir habiter avec moi. Le fait qu'il était encore légalement marié et que, selon certaines rumeurs, il était homosexuel, n'influençait aucunement les sentiments d'amour vrai que j'avais pour lui.

Lorsque je suggérai que la vie en commun pourrait être une première étape vers une vieillesse partagée, il me rétorqua aussitôt : « Ne compte pas sur moi, je ne serai pas là. » Croyant qu'il envisageait de me quitter, je me sentis blessée. Il perçut ma contraction et m'expliqua qu'il ne serait pas là pour connaître le grand âge parce qu'il mourrait à quarante-deux ans. Je fus surprise par le sérieux de son intonation et demandai davantage d'explications. Il me répondit qu'il savait intuitivement depuis son enfance qu'il mourrait dans sa quarante-deuxième année.

Au début, Nado eut avec moi des relations sexuelles tendres et passionnées, ce qui dissipa tous les doutes de mon esprit naïf : il était hétérosexuel à cent pour cent. Au bout de plusieurs mois, cependant, la lune de miel pâlit et il ne m'exprima plus son affection physiquement. Pour ne pas me sentir rejetée, je rationalisais sa soudaine prise de distance en l'attribuant à un besoin d'espace créatif (c'était un poète et un danseur brillant). Mais profondément en moi, je savais que la raison était ailleurs. Il se mit à m'éviter dans d'autres domaines. Chaque fois que j'abordais le sujet de la sexualité et de la distance croissante entre nous, il quittait la pièce.

Après quelques mois, nous commençâmes à pratiquer la « sexualité sans risque », parce qu'elle était préconisée par notre maître. Osho fut un pionnier dans ce domaine. En 1984, à l'ashram, tout le monde était tenu de la pratiquer. Nous utilisions non seulement des préservatifs, mais aussi des gants en caoutchouc. La plaisanterie courante entre sannyasins était : « Comment vont tes gants ? » Le « baiser français » n'était plus autorisé. Pouvez-vous imaginer combien il était difficile et frustrant, après avoir eu des relations normales avec son amoureux, de ne plus pouvoir s'embrasser sur la bouche ? Cela demandait une confiance totale et inconditionnelle en notre maître, ainsi que beaucoup de volonté.

Je crois que Nado se ferma à notre brève et fragile relation à cause de sa propre peur du rejet et qu'il s'en servit pour protéger son secret. Je compris rapidement que son conflit à propos de son identité sexuelle et sa peur de l'intimité étaient des sujets tabous. Au lieu d'en parler d'une manière saine, ouverte, j'intériorisais notre conflit et cachais ma souffrance permanente, due à la résistance et à la distance que je ressentais désormais entre nous.

Dans l'espoir de sauver notre relation, je réprimais mes sentiments et supportais le rejet de Nado, même lorsque celui-ci évita tout contact sexuel avec moi pendant plusieurs semaines. Comme notre lien était très fort et mon engagement total, je ne pouvais envisager de le quitter. Je m'étais fait le vœu à moi-même que, puisque nous étions des âmes sœurs, nous passerions notre vie ensemble jusqu'à ce que la mort nous sépare, même si je devais être en manque émotionnellement et sexuellement.

J'étais d'ailleurs aussi en manque physiquement. Bien qu'à l'époque je fusse une végétarienne « stricte », mon alimentation consistait presque exclusivement en baguettes, café et chocolat belge, avec beaucoup de glaces Häagen-Dazs comme dessert (je m'y connaissais en cuisine végétarienne internationale !). Bien que l'on servît au centre des repas végétariens délicieux et nutritifs, je préférais affamer mon corps en nourrissant mon laisser-aller.

Ma faiblesse pour les chocolats belges - dépendance que je combats encore aujourd'hui - remonte à mon enfance, quand je recevais de mon père une ration quotidienne de chocolat en signe d'approbation. Cette mauvaise alimentation était une réaction à mon impression d'être trop stressée mais insuffisamment nourrie (c'était en fait une nourriture émotionnelle que je recherchais) et, en outre, elle contribuait réellement à ma dépression. Je finis par prendre douze kilos en moins d'un mois, suite à la perte d'intérêt de Nado pour moi. Au moins, si je devenais obèse, il aurait une raison valable !

Je me rends compte maintenant que j'étais cruelle envers moi-même. Comme les femmes de ma famille qui refoulaient leur individualité par respect pour leur mari, j'étais en train de renier ce que j'étais au profit d'une idée romantique de la relation amoureuse. Après avoir été une femme vivante, expressive et extravertie, je devenais une petite fille refoulée, réservée et honteuse, convaincue de n'être plus désirable. Je m'en voulais parce que je n'arrivais pas à créer un espace sûr permettant à Nado d'exprimer sa lutte intérieure et que je m'attribuais l'échec de notre relation. C'était comme si mon rêve le plus cher - Nado et moi partageant notre vie comme deux âmes sœurs - m'échappait. Il était dangereusement perché, en perte d'équilibre très haut au-dessus de moi, et les circonstances de ma vie me poussaient dans une direction telle que mon rêve était destiné à s'effondrer et à se briser en mille morceaux.

3

Etranges symptômes, rêves brisés

En mai 1984, mon corps répondit au stress et à la perte émotionnelle que je ressentais en tombant gravement malade. Je savais qu'il m'arrivait quelque chose de très important, mais j'ignorais quoi. Les symptômes étaient étranges et déroutants. Tous les après-midi vers quatre heures, mon corps se raidissait et se mettait à trembler. J'étouffais et ma température montait à 40°. J'avais tantôt une fièvre élevée, tantôt des frissons accompagnés de transpiration, et je me réveillais toutes les nuits dans des draps trempés de sueur. Ces troubles persistèrent pendant des semaines.

L'un des symptômes les plus pénibles était une douleur lancinante dans le cou, les bras et les jambes. Par moments, elle était si intense que tout mon corps se contractait. Je retenais mon souffle et attendais qu'elle passe pendant ce qui me semblait des heures. Heureusement, mon travail de thérapeute m'avait appris que, si je retenais ma respiration, je retenais aussi ma douleur ; je me forçais donc à fermer les yeux et à respirer profondément. Tandis que j'inspirais et expirais consciencieusement, mon corps tremblait avec violence comme pour laisser partir la douleur physique. A certains moments, celle-ci me surprenait pendant que je conduisais et je devais me rabattre sur le bord de la route pour attendre que les tremblements passent.

Plus mes symptômes s'accentuaient, plus j'étais fatiguée. Les poussées de fièvre me laissaient complètement épuisée. Le médecin de l'équipe du centre de méditation, incapable de poser un diagnostic, m'envoya passer d'autres examens. La seule chose que l'on trouva fut une infection urinaire grave, pour laquelle on me prescrivit des antibiotiques. Les symptômes persistèrent pendant des mois. Pour finir, je m'habituai aux frissons de fièvre et aux états semi-comateux dans lesquels je sombrais toutes les nuits.

Il me restait très peu d'énergie pendant la journée pour accomplir mes tâches de coordinateur du centre. Ironiquement, j'avais créé ce centre pour pouvoir vivre en paix et en harmonie avec d'autres sannyasins. Mais, pour plaire à mon maître, j'étais obsédée par l'idée de tout faire à la perfection. Mon emploi du temps quotidien était éreintant : je me levais à six heures du matin, puis je supervisais la méditation du matin et ensuite je travaillais sans interruption comme thérapeute, administrateur, bibliothécaire et superviseur de l'équipe jusqu'à minuit, heure à laquelle je m'écroulais, épuisée, dans mon lit. Il n'est donc pas étonnant que j'aie pu m'en tenir à cette conviction : la fatigue extrême que je ressentais depuis des mois était simplement la réaction de mon corps à un excès d'activité. Comme je voulais tout faire parfaitement, j'exigeais souvent trop de moi.

Malade, je me traitais encore plus durement et négligeais les signaux intenses que mon corps m'envoyait. Je continuais à affirmer que ce n'était rien, ce qui était ma manière d'éviter ma peur. Je ne savais que me forcer encore et exiger davantage de moi-même et de ceux qui m'entouraient. Dans ma tête, une cacophonie de voix très critiques, des voix qui résonnaient comme celles de mes parents, de mes professeurs et de mon ex-mari, me répétait sans cesse : « Tu n'es pas assez bien. Tu devrais faire plus, plus vite et mieux. » J'étais prisonnière de tous les « tu devrais » de ma vie. Ce concert de blâmes était une source constante de stress et m'éloignait de toutes les joies que j'aurais pu connaître.

Le fait que les médecins ne parvenaient pas à trouver une cause spécifique à mes symptômes ni à poser un diagnostic précis me dissuadait de chercher une solution médicale. Je pensais que, puisque je vivais dans un centre de méditation, je pouvais chercher en moi, m'embarquer dans une quête intérieure, pour comprendre ce qui m'arrivait.

Aujourd'hui je me rends compte que c'était plus un procès qu'une quête et que j'étais un juge sans pardon ni compassion. Je me jugeais et m'accablais d'une liste d'accusations me démontrant que je méritais ma maladie : je ne mangeais pas bien, je ne méditais pas assez, je ne pratiquais pas assez d'exercices physiques. Je ne faisais pas assez de ceci ni de cela.

Cet assaut de « tu devrais » et « tu ne devrais pas » me donnait un sentiment de culpabilité permanent et j'en voulais encore davantage à mon corps souffrant. Je ne trouvais ni compassion ni acceptation pour ce qui se passait en moi. Ma vieille habitude de me condamner était en train de me détruire lentement mais sûrement.

Je rationalisais également ma situation d'un point de vue métaphysique. A l'époque, je croyais que mes symptômes témoignaient de la disparition de mon ego, un but que je m'étais fixé et qui faisait partie des nombreux « tu devrais » dont je m'étais chargée en devenant sannyasin. En tant que disciples d'Osho, nous sommes encouragés à être dans le monde, mais pas du monde. Plutôt que de vivre de façon monastique, nous participons activement à la vie de tout un chacun, mais dans un état de constante méditation.

Je cherchais toujours à me prouver ma propre valeur à travers ce que je faisais plutôt qu'à travers ce que j'étais et me retrouvais prisonnière de ce processus. J'aurais fait n'importe quoi pour plaire aux autres, en particulier à mon maître. Je ne m'accordais que très peu de temps pour simplement « être » et apprécier la vie. Je comprends maintenant ce qu'Osho voulait dire quand il nous invitait à « cesser de nager à contre-courant la rivière de la vie et à nous laisser porter par le courant », mais à l'époque il était très important pour moi de rester en contrôle. J'étais tellement coincée dans ce mode de fonctionnement, m'efforçant désespérément de diriger tous les événements de ma vie, que j'avais en réalité pris l'habitude de « pousser la rivière ». Moins j'avais l'impression de contrôler ma relation avec Nado, plus je contrôlais les autres circonstances de ma vie. Je voulais être tellement « bien » que je continuais à nier le message que mon corps m'envoyait, même lorsque la maladie progressait.

Je souffrais beaucoup et pourtant j'étais incapable de trouver une quelconque aide. Chaque fois que mes compagnons me demandaient des nouvelles de ma santé physique et émotionnelle, je répondais courageusement que j'allais bien, n'avouant jamais que je me sentais en réalité perdue et impuissante. J'avais honte d'être malade et croyais que, en tant que coordonnatrice, je devais donner de moi l'image de quelqu'un qui peut tout contrôler. Je percevais ma maladie comme une faiblesse et croyais que je trahirais le centre si je ne travaillais pas vingt-quatre heures par jour sans m'arrêter.

A cause de cette image que je m'imposais, je me sentais extrêmement isolée. Je ne me fiais pas à ce que je ressentais et ne faisais pas assez confiance aux autres pour parler de ce qui m'arrivait. Je ne savais pas dire simplement : « J'ai très peur que mes douleurs dans les jambes et les bras, ainsi que mes étranges crises de tremblements, soient le signe d'une maladie grave. » La seule personne à laquelle j'aurais eu l'impression de pouvoir m'ouvrir était Nado, mais il était trop perturbé de me voir malade. Comme de nombreuses personnes confrontées à la maladie de leur partenaire, il se sentait désemparé. Plutôt que de mettre mon bien-aimé mal à l'aise, je préférais garder mes peurs pour moi. Je protégeais Nado, mes enfants et mes amis de la vérité. Je portais le masque de « tout va bien », ce qui était une manière de prendre soin d'eux. Profondément en moi, je souhaitais pouvoir poser ce masque et laisser les autres s'occuper de moi, mais j'avais peur de lâcher prise. Je préférais rester dans le bon vieux monde connu, piégée par un sens aigu des responsabilités, sans aucune issue. Mais j'avais sérieusement besoin d'un changement. Il me fallait échapper au rêve que j'avais créé et qui avait dégénéré en cauchemar.

Plus j'étais malade, plus je voulais me rapprocher de Nado et me sentir protégée par lui. J'avais un énorme besoin d'être rassurée d'une façon ou d'une autre, mais plus je cherchais à l'être, plus il semblait s'éloigner. J'avais aussi terriblement envie de me blottir dans ses bras. Au lieu de le lui dire simplement, je m'analysais sans cesse, jugeant que c'était un besoin que je n'avais pas le droit de ressentir. Résultat : je tentais souvent de manipuler Nado d'une manière voilée pour qu'il me prenne dans ses bras. S'il refusait, non seulement je restais avec mon besoin, mais je finissais en outre par me sentir horriblement mal.

Notre relation devenait de plus en plus tendue et le fossé qui nous séparait s'élargissait. Nous ne parlions plus le même langage, ce dont je souffrais beaucoup. Je désirais tant l'affection de Nado que je n'avais pas envie d'avoir des relations avec les autres personnes du centre. Mes rapports avec elles devenaient artificiels et forcés. Ironiquement, je fermais la porte à ma famille et à mes amis au moment où j'avais le plus besoin de leur soutien.

Vous devez vous demander pourquoi j'ai gardé si longtemps une relation aussi destructrice. Mais je n'ai jamais eu l'intention d'atteindre ce stade, je n'ai pas décidé : « Très bien, nous allons maintenant avoir une relation réellement destructrice et nocive. » Nous faisions de notre mieux, mais nous continuions à passer l'un à côté de l'autre. Je suppose que cette difficulté était liée au conditionnement de notre enfance.

Pour Nado, le problème venait du fait que, d'après lui, sa bisexualité était « mauvaise ». Je finis par devenir le miroir de sa propre condamnation. Plus il cachait son « autre vie » en se dérobant à mes questions, plus je me contractais. Cette contraction, ce retrait, était mon réflexe de défense contre mon sentiment de trahison. Je n'ai jamais réellement condamné la bisexualité de Nado, bien que l'ayant perçue comme une menace et une source de rejet. Pourtant, elle me blessait, car elle créait une séparation entre nous puisqu'il n'était pas capable de communiquer avec moi à ce sujet.

Mais l'idée de le quitter et de me retrouver seule me semblait encore plus pénible que de supporter la relation telle qu'elle était. J'avais tendance à me condamner parce que je ne l'aimais pas comme j'aurais dû. D'une certaine manière, je me leurrais moi-même en croyant que si je me conduisais différemment, il n'aurait peut-être pas besoin de chercher de l'affection auprès de quelqu'un d'autre. Si j'avais été quelqu'un d'autre (un homme, peut-être, comme le fils que mon père avait tant désiré), j'aurais pu satisfaire ses tendances sexuelles.

Je m'étais toujours considérée comme mauvaise. J'étais incapable de reconnaître mes besoins et de me battre pour les satisfaire. En acceptant cette situation, je ne me faisais que du tort. Ayant été dans mon enfance malmenée sur le plan verbal, émotionnel et parfois physique, je ne connaissais qu'une seule manière de m'en sortir face à de tels traitements : faire comme s'ils n'existaient pas. Cette forme de dénégation était profondément imprimée en moi ; c'était une façon de survivre dans le monde adulte qui entretenait en moi l'énergie de la victime. Je recherchais l'approbation des autres et m'excusais continuellement d'exister. Avec cette attitude, il n'est pas surprenant que j'aie créé une relation malsaine dans mon mariage et, plus tard, avec Nado. Naïvement, je ne croyais pas qu'il pouvait en être autrement, même si je me cramponnais en secret au rêve qu'un jour mon sauveur viendrait, comme le promettaient tous les romans et les films d'Hollywood.

Par moments, heureusement, je trouvais un réconfort temporaire dans la méditation, qui me ressourçait. Pendant que je méditais, la souffrance insupportable que je ressentais dans mon cœur et qui semblait presque être la source directe de ma souffrance physique, devenait supportable. Il y avait même de rares instants où elle disparaissait réellement.

En juillet 1984, deux mois après le début des étranges symptômes, l'organisation centrale de l'ashram principal nous donna l'ordre de fermer notre centre. Osho avait décidé que tous les centres des Etats-Unis devaient fermer et que seul l'ashram principal resterait ouvert. J'eus beaucoup de mal à accepter cette décision. J'avais un profond sentiment de découragement et d'échec. Toutes les longues heures et le dur travail que j'avais consacrés à la réalisation de mon rêve me semblaient n'avoir été que de l'énergie perdue.

Après avoir fermé le centre, je décidai de retourner en Europe avec mes enfants pour y régler une affaire restée en suspens. J'étais tout le temps anxieuse, tendue et malheureuse, mais j'essayais désespérément de chasser ces sentiments. Mon principal moyen était de faire semblant. Si je disais assez souvent que tout allait bien, peut-être en serait-il ainsi. Puis je pensais que peut-être tout allait effectivement bien et que je n'étais qu'une enfant gâtée pour vouloir que les choses soient différentes. Je me sentais piégée dans le cercle vicieux des jeux de l'esprit et commençais à douter de ma santé mentale.

Durant cette période, la moindre chose me demandait de gros efforts. Comme d'habitude, je me forçais à dépasser mes limites, qui étaient soit inexistantes, soit maladives. Je m'imposais des défis, tels que conduire d'Espagne en Belgique d'une seule traite, parce que « je n'avais pas assez d'argent pour m'arrêter dans un hôtel ». J'avais ainsi une centaine d'excuses idiotes grâce auxquelles je me refusais de me traiter d'une façon simplement humaine. Plus je me disais non, plus j'avais de ressentiment envers moi-même.

Durant l'hiver, je fus de plus en plus insatisfaite de ma vie et par conséquent de plus en plus malade. Un médecin diagnostiqua une pneumonie. Cette période de ma vie fut extrêmement difficile ; j'étais déprimée presque en permanence. Je me traînais à grand-peine, luttant pour continuer à faire croire à mes enfants que tout allait bien.

Je ne respectais pas suffisamment mon corps pour écouter les signaux constants qu'il m'envoyait. Je ne prenais jamais le temps de m'arrêter pour me demander : « Que se passe-t-il exactement en ce moment même ? Qu'est-ce que je ressens ? » et étudier la réponse. Je trouvais toujours un prétexte pour ne pas le faire : je ne voulais pas déranger mes enfants ou les autres membres de ma famille, ou bien je devais m'occuper de mes affaires. Ma vie était conditionnée par certaines décisions arbitraires telles que : « Ce n'est jamais le bon moment » et par les diktats des « circonstances », du « partenaire » ou du « pays ». Je me rends compte aujourd'hui de la puissance considérable de ce système de défense. Il équivalait à mettre un vernis sur tout pour recouvrir la poussière ; à rester dans la superficialité parce que celle-ci semblait offrir davantage de sécurité.

Finalement, durant une session de rebirth (travail respiratoire) que je fis avec un collègue en Espagne, j'abandonnai la prétention de dire que tout allait bien. Dans la thérapie par la respiration, on inspire et expire sans arrêt, créant un cycle respiratoire qui élève le niveau énergétique du corps et facilite la guérison. Durant cette session, je commençai à lâcher des flots d'émotion reprimée. J'exprimai la colère que je ressentais envers moi-même, pour toutes les années où je m'étais niée, et envers Nado, pour son incapacité à répondre à notre amour. Cette libération fut suivie d'une profonde tristesse, due à l'impression que nous avions manqué l'occasion de nous fondre l'un dans l'autre et de nous aimer inconditionnellement. Ce fut, lorsque j'eus commencé à confronter ce qui se passait véritablement, ma première dépression.

Après avoir laissé passer les vagues d'émotion, je me sentis vide et ouverte. Dans le silence de ce vide, je me demandais ce qui m'arrivait réellement. Je ne cherchais pas des réponses faciles, mais m'intéressais à la question elle-même. Je me laissais vivre dans la question. Qu'est-ce que mon corps essayait de me dire ? Qu'étais-je en train de faire pour me saboter ? Qu'y avait-il en moi qui procédait à ce sabotage et qui posait la question ? Je me sentais fragile et vulnérable. J'avais commencé à soulever le voile de la dénégation, à ouvrir les yeux et à examiner ma vie honnêtement. J'avais fait le premier pas sur le chemin de la guérison.

Je retournai aux Etats-Unis et déménageai pour East Hampton, dans l'Etat de New York. Peu de temps après, Nado me rendit visite et revint vivre avec moi. Nos retrouvailles après des mois de séparation furent comme une lune de miel. Malheureusement, il cessa très vite de me manifester son affection sur le plan physique. Je retombai dans l'illusion de pouvoir contrôler les circonstances et « poussai la rivière » de notre amour. Mes anciennes habitudes éclipsèrent rapidement mon ouverture et ma vulnérabilité, qui étaient nouvelles, donc fragiles. Je ne percevais plus la magie qu'il y a à vivre dans l'interrogation. La liberté du « je ne sais pas » était emprisonnée par le besoin de savoir et d'agir comme je l'entendais. Minant cette délicate sensation de nouveauté, mon sentiment d'insécurité revenait.

Je vois maintenant que ce dernier reprenait le dessus parce qu'il tenait lieu de dispositif de protection. Il créait l'illusion que j'avais un authentique pouvoir sur ma vie, alors que celle-ci, sur le plan émotionnel, était devenue complètement indirigeable. Bien que cette attitude ait servi de filtre pour me protéger de la honte et de la solitude que je ressentais, c'était une manière très subtile de saboter mon intuition. Mes principales réponses à la vie étaient : « Non, j'en ai assez » ou « Comment pourrais-je échapper à cela ? » A l'époque, je n'étais pas consciente de mon attitude négative, qui pourtant colorait toute ma vie. Chaque pas était un combat et demandait une énergie que je n'avais pas l'impression d'avoir. Mes rares moments d'harmonie et de joie étaient ceux où je méditais sur la plage, le matin avant de travailler. Pour cette raison, je décidai de passer davantage de temps à méditer et abandonnai ma pratique de thérapeute pour un congé sabbatique.

Cet été-là, Nado et moi avions pris en gardiennage une magnifique propriété située directement sur la plage. Le propriétaire n'était là que les week-ends, de sorte qu'en semaine nos horaires étaient souples. Ce fut une bénédiction. J'avais besoin de temps pour réfléchir et pour découvrir ce que je voulais faire de ma vie. Je devais m'habituer au changement que représentait le fait de me retrouver seule avec mes enfants, dans une famille nucléaire, après la vie communautaire. Comme je ne m'occupais plus du centre de méditation et vivais sur la plage, tout était beaucoup plus facile et léger. Mon corps se sentait nettement mieux, même si j'avais encore très peu d'énergie et certaines difficultés à travailler. Nous menions une vie très simple, Nado, mes enfants et moi. D'une certaine façon, c'était le commencement d'un nouveau chapitre.

Mais en septembre 1985, tout bascula lorsque Nado reçut le résultat de son test du sida. Il avait subi un examen de routine à l'ashram principal, dans le cadre d'un nouveau programme de protection. La hiérarchie se préoccupait de la propagation de la maladie parmi les disciples et avait décidé de fermer les portes à tous ceux qui se révéleraient séropositifs. Nado passa le test avec des centaines d'autres en vue d'un contrôle de santé. Au contraire du mien, son organisme ne présentait aucun symptôme. Mais son test s'avéra hautement positif et, à ce moment-là, tous mes étranges symptômes prirent subitement un sens effrayant.

4

Pourquoi moi ?

Jusqu'à ce moment de ma vie, le sida avait été une fiction. Même si nous étions bien informés à l'ashram sur le sida et la sexualité sans risque, c'était quelque chose qui arrivait aux gens « du dehors ». A l'époque je ne connaissais pas beaucoup d'homosexuels ou d'utilisateurs de drogues intraveineuses ; je ne croyais donc pas possible que cette maladie entre dans ma vie.

Paniquée, j'allai voir un médecin qui m'avait été recommandé par un ami sannyasin. Je voulais quelqu'un de très attentionné et mon ami m'avait assuré que celui-là me conviendrait, puisqu'il pratiquait la méditation et s'était rendu en Inde plusieurs fois. Je lui fis confiance et, dès notre première entrevue, il me conseilla d'aller passer un test au Département de la Santé du Comté du Suffolk, où je pourrais le faire anonymement. A l'époque, on avait très peur de perdre son emploi ou ses assurances à cause d'un diagnostic de séronégativité.

En 1985, passer un test dans une clinique du Département de la Santé à New York signifiait attendre les résultats pendant six semaines. Ces six semaines furent un enfer. Ma peur était si forte que je n'y échappais que par la négation ou des accès de rage. Je ne voulais surtout pas envisager la possibilité d'avoir le sida. Bien que les symptômes dont je souffrais depuis des mois - diarrhée, éruptions et sueurs nocturnes - fussent considérés comme des signes d'alarme majeurs, je refusais d'en tirer la terrible conclusion. Je cherchais désespérément à me convaincre que ce n'était rien. Durant les rares moments où je pensais tout de même au sida, je ressentais une terrible colère envers Nado de m'avoir exposé à un virus mortel et d'être incapable de me faire suffisamment confiance pour se montrer ouvert et honnête envers moi.

Le jour où je devais recevoir le résultat de mon test, Nado et moi arrivâmes en avance à la clinique. Tandis que nous attendions l'heure de notre rendez-vous dans la voiture, j'appréciai la sérénité du cadre pastoral. C'était une journée magnifique. Quelques minutes avant le rendez-vous, la vérité éclata en moi : « Cesse de te leurrer, tu sais que le résultat sera positif. Quand tu sortiras de ce bâtiment, ta vie sera complètement différente. » Je regardais le ciel, les oiseaux et toute la merveilleuse nature qui m'entourait et je me disais : « Regarde bien, Niro, parce que lorsque tu sortiras, rien ne sera plus pareil. »

A notre entrée dans la pièce, j'avais du mal à respirer. Notre conseillère prit soin de nous annoncer la nouvelle avec le maximum de ménagement. Lorsqu'elle nous tendit le résultat de nos tests pour nous prouver qu'elle disait vrai, je sentis son regret d'être la personne chargée de nous annoncer que nous étions tous deux séropositifs. (Trois mois plus tard, les résultats des tests sanguins que Nado et moi avions fait faire auparavant par la Croix-Rouge arrivèrent en courrier recommandé. Ils étaient également positifs.)

La conseillère se mit alors à nous expliquer que le résultat des tests ne signifiait pas que nous devions totalement changer notre façon de vivre, mais qu'il serait judicieux d'être suivis par un médecin. Elle nous donna un petit livre du Département de la Santé contenant des instructions sur les mesures à prendre pour retarder la mort, mais je préférais ne pas le lire. Je ne voulais même pas en entendre parler. Les médias, totalement négatifs et destructeurs, niaient tout espoir, affirmant que le sida était fatal et qu'il n'existait aucun traitement.

Lorsqu'elle nous demanda si nous avions des questions à poser, je ne pensais qu'à m'enfuir du bâtiment. Son ton était plein de compassion, mais il produisit en moi l'effet inverse. J'avais horreur d'être traitée comme quelqu'un de fragile. Je voulais fuir et être seule. J'avais besoin de laisser pénétrer la nouvelle, de l'intégrer. Je ne savais comment réagir. Je voulais crier, pleurer, sortir de là. Au lieu de cela, je réprimais mes sentiments et m'interdisais de pleurer. D'une voix éteinte, je répondis non. Nado demanda combien de temps nous avions à vivre et elle répondit doucement : « Environ dix-huit mois, avec de la chance. » Elle nous invita à l'appeler si nous avions besoin de soutien, nous assurant qu'elle avait pour rôle d'aider.

Je n'arrivais pas vraiment à intégrer ce qui m'arrivait. C'était un vrai mélodrame. J'étais atteinte d'ARC, c'est-à-dire de « syndrome apparenté au sida ». Que diable cela pouvait-il bien vouloir dire ? Mort garantie... Dix-huit mois à vivre si j'avais de la chance. Mais pire encore, cela signifiait être rejetée de ma communauté spirituelle, soumise à l'ostracisme des personnes que j'aimais le plus. Je ne pouvais pas me retirer pour aller vivre à l'ashram, comme je le rêvais, tant que mon test était positif. Je craignais aussi d'être condamnée par les autres et de devenir un objet de répulsion, une lépreuse. Ce serait trop dur à vivre ; j'avais peur du rejet encore plus que de la mort elle-même. C'était vraiment trop insupportable et je tombai dans un état d'hébétude.

Le lendemain, je retournai voir mon médecin avec le résultat de mon test. J'arrivai très tendue et pleine de questions, essayant de cacher l'intensité de mes peurs. La gentillesse et l'attention qu'il me témoigna atténuèrent immédiatement mon anxiété. Ce jour-là, il me donna l'une des clés de mon voyage de guérison. Je lui demandai très candidement s'il y avait quelque chose à faire dans ma situation. Je cherchais désespérément à échapper à cette terrible maladie pour pouvoir rentrer « chez moi », à l'ashram. Il répondit honnêtement par ces mots : « Je suis désolé, je ne peux rien faire pour vous sauf être là chaque fois que vous aurez besoin de moi. Je sais peu de choses sur le sida et, malheureusement, la profession médicale en est encore à chercher un traitement. » Puis il m'indiqua le nom d'un spécialiste à Long Island pour une autre consultation.

Son honnêteté me redonna des forces et je me sentis complètement prise en charge, grâce à la très bonne communication qui existait entre nous. Il n'était pas nécessaire de jouer la comédie ou de trouver de fausses solutions. Je savais qu'il prendrait véritablement soin de moi et me dirait toujours la vérité sur mon état. Cette certitude n'avait pas de prix. Je me sentis traitée comme un être humain à part entière, comme son égale - sentiment que j'avais rarement éprouvé en présence de médecins. La plupart du temps, j'avais davantage l'impression d'être un objet de science qu'on étudiait.

Son honnêteté et son intégrité furent comme une graine qui germa en moi lentement et finit par fleurir. La volonté honnête d'accepter les faits tels qu'ils étaient et le courage d'affirmer ma vérité malgré les circonstances devinrent les composants clé de ma guérison. Je le remerciai pour sa franchise et son soutien, l'informant que j'avais besoin de me réconcilier dans ma tête avec la situation et d'examiner mes options avant de prendre la moindre décision. Je lui promis de venir le voir chaque fois que j'aurais besoin de ses conseils.

Après mon retour à la maison, la réalité de la nouvelle s'imposa. Personne - y compris moi - ne pouvait faire quoi que ce soit. Ma première réaction fut : « Non ! » - je refusais d'y croire - suivie de : « Pourquoi moi ? » Tous les clients séropositifs avec qui j'avais travaillé en thérapie m'avaient fait la même réponse. Elle est tellement instinctive qu'il s'agit presque d'un réflexe. C'est la réaction naturelle du survivant en nous : dénégation de la nouvelle ou de l'état lui-même, suivie de colère et de résistance face à sa propre responsabilité. Au début, dénégation et résistance sont des réactions saines, mais nous risquons de tomber rapidement dans le rôle de victime si nous en restons là.

Deux raisons principales firent que j'en restai à l'attitude du « pourquoi moi ? » D'abord, ma tendance à comparer ma situation présente avec le passé. J'étais obsédée par ce que j'avais « perdu ». Pourtant, quand j'étais en bonne santé, comme beaucoup d'entre nous, je prenais la vie comme allant de soi. Ce n'est que lorsque je fus confrontée à ma mort imminente que je commençai à apprécier le fragile cadeau qu'elle représente. Ensuite, j'imaginais toutes les choses terribles qui allaient arriver à mes deux enfants. Comme ils avaient grandi sans père, il m'était insupportable de les imaginer élevés par des gens « normaux », qui n'auraient ni la même spiritualité ni la même conscience qu'eux. Ce seul fait ajoutait à la culpabilité que je ressentais d'avoir contracté la maladie. Je me mis à m'occuper de mes affaires légales et me préparai à écrire un testament. Je recherchai la meilleure assurance sur la vie, pour que mes enfants soient pris en charge financièrement après ma mort.

Dans ma tête, je rejouais encore et encore le tragique scénario d'une longue et pénible souffrance, contre laquelle j'étais complètement impuissante et qui se terminait par ma mort dans un lit d'hôpital. Cette situation me terrifiait, plus que la mort elle-même. Désormais je devais supporter non seulement mes symptômes physiques - fièvres élevées, diarrhée chronique et douleurs atroces - mais aussi mes regrets passés et mes peurs futures. Le stress émotionnel qui résultait de ces angoisses entravait la guérison et en outre, je crois, contribuait réellement à créer les symptômes de la maladie elle-même. J'avais l'impression d'avoir failli et de manquer de temps.

En réponse à mes peurs, je m'agitais frénétiquement. Je courais comme le poulet proverbial à qui l'on avait coupé la tête. Me sentant totalement impuissante, j'essayais de mettre de l'ordre dans tout ce qui m'entourait. Je nettoyais compulsivement la maison du haut en bas. Je devenais surprotectrice avec mes enfants, alors adolescents, les rendant fous avec des conseils qu'ils ne demandaient pas. Je tentais de communiquer avec Nado, de le faire parler, de le faire changer - tout plutôt que ressentir cette terreur en moi. Ma seule façon de survivre à la peur était de dire non à mon cauchemar et à la maladie qui en était la source. J'appelai le spécialiste que le médecin m'avait recommandé. Une fois que j'eus expliqué mes symptômes à sa secrétaire, elle répliqua que je n'étais pas assez malade et qu'il me faudrait donc attendre deux mois pour obtenir un rendez-vous.

Pendant au moins les trois premières semaines qui suivirent mon diagnostic, je passais de l'hébétude totale à la colère intense. A certains moments, je me perdais dans le brouillard et plus rien n'avait de sens. D'autres fois, le brouillard se dissipait et je ressentais une rage intense envers tout ce qui m'entourait. La colère venait par vagues qui me soulevaient comme la marée et étaient suivies d'accusations et de blâmes. En général, j'accusais Nado ou reprenais la vieille excuse disant que mon corps me trahissait. J'accusais celui-ci de tomber malade, de ne pas être assez fort, de faillir - n'importe quoi pour éviter de prendre la responsabilité de moi-même. Un exemple en est la lettre que j'écrivis à mon corps lors de l'une de mes journées les plus difficiles.

Lettre ouverte à mon corps

Aujourd'hui, tu m'entraînes dans un véritable cauchemar. Tu me fais mal partout ; mes pieds et mes doigts sont tellement enflés que je peux à peine enfiler mes Birkenstock et qu'il n'y a pas moyen de mettre mes bagues. Je ressens partout ces maudites douleurs et, comme une imbécile, je fais grimper l'aiguille de la balance et je pèse cinq kilos de plus. Mon moral chute sous le niveau zéro. Ce n'est pas drôle du tout. Je ne mange presque pas de sucre et voilà la récompense que j'en ai ! Va te faire foutre !

Tu es devenu mon ennemi (en vérité, tu es mon ennemi depuis longtemps). Je me rappelle l'époque où tu avais grandi trop vite : on m'avait dit que j'étais trop grande pour être danseuse. Puis tu t'es épanoui et tu es devenu beau, me créant de nombreux problèmes. Je ne savais que faire de tous ces hommes et je n'avais personne à qui parler. Je sentais sur moi le jugement permanent des femmes de ma famille, comme si je faisais quelque chose de mal, mais je ne savais pas quoi.

Ma relation avec toi était faite d'ignorance (je n'ai même pas eu un orgasme complet ni découvert la masturbation avant d'être beaucoup plus âgée, c'est dire combien nous étions coupés l'un de l'autre). Je ne savais t'utiliser qu'à travers la maladie. Les seules fois où tu me donnais des satisfactions, c'était quand tu étais malade et que je recevais enfin quelque attention. Oh, bien sûr, quand je mangeais aussi...

Mon problème avec la nourriture a commencé quand j'ai quitté la maison pour vivre avec ma grand-mère. A la maison, je détestais la cuisine de ma mère et j'étais mince. La seule chose que j'aimais était le chocolat et il y en avait rarement. Chaque fois que j'en recevais en témoignage de l'amour de mon père, c'était un moment d'angoisse. J'aimais le chocolat, mais je détestais ce qui accompagnait la cérémonie. J'avais souvent l'impression d'être privée d'amour, quand mon morceau n'était pas aussi gros que les autres. Je trouvais qu'il n'y avait pas assez d'amour simple, de joie ou de rire dans notre maison. Chez ma grand-mère, tout d'un coup, j'étais le centre de l'attention et je pouvais manger tout ce que je voulais. Du jour au lendemain, mon alimentation devint aberrante. Je mangeais des pâtes tous les soirs et en grande quantité. Je pris dix kilos en trois mois et personne n'intervint ; ils se contentèrent de parler d'un changement hormonal et me laissèrent tranquillement gonfler comme un ballon. Je me sentais de plus en plus mal et trouvais refuge dans la nourriture : un véritable cercle vicieux.

Qui donc était l'ennemi de qui ?

Je t'ai maltraité, beaucoup, avec la nourriture, le sucre et les pilules pour maigrir que ces médecins dangereux t'ont donné. Comme une oie stupide, j'avais une grande confiance en eux. Je me souviens d'un docteur qui avait été attiré par moi une fois que j'avais obtenu la perte de poids que je m'étais fixée, parce que j'étais redevenue mince et belle. Il était très élégant et m'attirait aussi, mais il me paralysait. Je n'avais que dix-huit ans, il était marié, et je perdis la tête lorsqu'il me demanda de coucher avec lui. Je rentrai à la maison et pris cinq kilos en une semaine, façon instinctive de dire non. Ce fut le commencement d'un schéma de comportement qui a duré longtemps : dire non aux hommes en prenant du poids. Aujourd'hui, c'est aussi le moyen de me dire non à moi-même. Si, en maigrissant, je n'obtiens pas ce que je veux, c'est-à-dire de l'amour, ou si les hommes me poursuivent en me demandant de coucher avec eux au lieu de m'aimer d'abord, je me sabote en grossissant.

Oh, mon corps douloureux, combien je me sens trahie par toi ! Ma colère est-elle dirigée contre toi ou contre eux : Nado, mon mari, tous les autres ?... Maintenant, tu me fais vraiment souffrir. Peut-être que je te fais du mal au lieu de hurler contre eux... ou peut-être ai-je eu tort de les avoir autorisés à me faire ce qu'ils m'ont fait ? La quête est intense et tu me fais de plus en plus souffrir... partout. Que fais-je donc de mal ? Même en restant au lit, je souffre et j'ai le souffle court. Tu deviens laid et je te hais vraiment en ce moment. J'ai tellement peur que Nado ne me tienne plus la main si je deviens laide... Alors je mourrai. Je suis si loin de t'aimer ! J'ai besoin de quelqu'un pour me montrer comment il faut faire. J'aimerais t'aimer mais, comme toujours, mon amour semble tellement conditionnel...

> Dois-je me rendre et te laisser prendre les rênes ? Dois-je découvrir ce qu'est être une femme avec toi aussi ? J'ai peur et je ne te fais pas confiance ; je ne me fais pas confiance non plus en ce qui concerne les accords que je passe avec toi, parce que je les romps toujours. Je voudrais fuir et tu me cloues ici avec la souffrance. Où puis-je aller sinon la confronter, la ressentir, en découvrir toutes les dimensions, ainsi que la folie qui lui est liée ? Tu meurs, cher corps, et je ne sais que faire. Dis-moi ce que je dois faire !

En réalité, accuser mon corps était une manière habile d'éviter la confrontation avec tous les mauvais traitements que je lui infligeais depuis des années. Si j'accusais mon corps, les circonstances de ma vie ou Nado, je pouvais jouer le rôle de la victime et échapper à mes responsabilités. La colère que je ressentais était en fait davantage une forme de résistance qu'une vraie colère, car je ne voulais pas encore rendre des comptes pour ma situation. Je voulais seulement accuser et me sentir justifiée. Je montrais du doigt l'extérieur pour éviter de regarder à l'intérieur et me retrouver face à moi-même.

Cette attitude était également due à ma peur d'exprimer la colère. J'avais toujours été effrayée par la véritable colère et je l'avais réprimée la plus grande partie de ma vie. Je craignais, en abandonnant le contrôle, d'être comme un volcan en éruption. J'avais aussi peur de finir seule si l'explosion blessait ceux qui m'entouraient.

5

Rencontre avec mes démons

Dans mon enfance, chaque fois que de la colère était dirigée vers moi, je me retirais avec un sentiment de totale impuissance. La violence surtout me terrifiait et j'aurais fait n'importe quoi pour y échapper. Elle me paralysait complètement. Je me coupais de ma famille avec l'impression de vivre dans la « mauvaise maison » et trouvais les êtres humains très étranges. Plus tard, j'appris d'autres manières de fuir, comme de fermer les yeux et de faire une soi-disant « méditation », en espérant le départ de la personne.

Je sais maintenant que la façon la plus saine de faire sortir la colère est de l'exprimer, d'une manière libératrice, sans accuser les autres. Par exemple, crier : « Assez ! » et battre un oreiller, ou bien hurler sauvagement face à l'océan. Nous laissons ainsi sortir l'énergie réprimée qui nous rend malades. En nous vidant le plus possible, nous faisons de la place pour que l'énergie de guérison puisse nous traverser. Si la colère est dirigée de manière appropriée, elle peut nous être utile, car elle nous aide à créer des relations saines et à nous protéger du manque de respect. La solution n'est pas de crier après nos proches, mais de libérer l'énergie refoulée quand nous sommes seuls. Nous pouvons alors dire d'une manière juste et honnête que nous nous sentons blessés.

Tout au long de ces années, nombre de mes maîtres spirituels et thérapeutes m'avaient répété : « Niro, un jour tu devras toucher le fond de ta colère », et un jour je l'ai fait. La vie, dans son abondance, m'en a offert l'occasion idéale.

Lorsque Nado reçut le résultat du test fait à l'ashram, nous espérions qu'il s'agissait d'une erreur et nous fûmes de nouveau proches pendant quelques semaines. Tout mon ressentiment disparut et je fis le vœu que nous nous attellerions ensemble à ce défi jusqu'à sa fin. Mais une fois que nous eûmes tous les deux un résultat positif, Nado se retira et recommença à m'éviter. J'étais désespérée de m'apercevoir que, même dans un tel moment, nous ne pouvions trouver le moyen de communiquer et de nous soutenir mutuellement. Quelques mois plus tard, il m'avoua que, s'étant senti très coupable à l'époque, il avait trouvé plus facile d'accepter ma colère et mon accusation que de recevoir mon amour et mon soutien. La perte de ma relation avec Nado me faisait de nouveau tellement souffrir que mon désir de vivre diminuait nettement et que j'en arrivais à bien accueillir l'apparition de symptômes plus graves. Une voix dangereuse en moi murmurait : « Finissons-en rapidement. La vie est trop décevante. »

A sa manière, Nado essayait de rester proche de moi, mais ses tentatives ne faisaient qu'aggraver les choses. Il était en relation avec un homme qu'il appelait son ami mais, à l'évidence, ils étaient plus que de simples amis. Faisant un effort pour intégrer ses deux vies, il invita cet homme à la maison dans l'espoir que nous nous prendrions d'affection l'un pour l'autre. Ne voyait-il pas qu'il m'en demandait trop ? Un jour, j'atteignis mes limites, pendant qu'ils jouaient au tennis. Je ne pus retenir plus longtemps ma colère et ma répulsion et leur ordonnai à tous deux de partir. Tous mes jugements réprimés sur l'homosexualité sortirent de moi comme du poison. Je voulais vraiment blesser Nado. Je voulais l'humilier en présence de son « ami » et lui faire comprendre qu'il n'était pas correct envers moi. En fait, je voulais qu'il voie la solitude et l'abandon que je ressentais en le regardant prendre son plaisir sans moi.

Perdre Nado, être frappée d'ostracisme de la part de ma famille spirituelle et souffrir d'une terrible maladie, tout cela était trop lourd à porter. La vie ne me semblait plus digne d'être vécue. Mes maîtres spirituels m'avaient appris qu'il fallait l'accepter comme elle venait, mais là il y avait trop de choses à accepter à la fois. A combien d'épreuves encore me demanderait-on de résister ? Il me fallait bien tirer un trait quelque part ! Alors, presque en réponse à mon innocente question, la vieille voix familière de mon juge intérieur se fit entendre, comme un justicier se délectant de sa vengeance. Elle me disait que je méritais mes malheurs ; ils étaient ma punition parce que j'avais commis beaucoup de mauvaises actions et surtout parce que j'avais fait semblant de ne pas les voir. Puis le geignard en moi grommelait que ce n'était pas ainsi qu'il voulait vivre, comparant continuellement cette vie à ce qu'elle aurait dû être.

Chaque fois que j'écoutais ces voix intérieures négatives, j'éprouvais de la honte, du ressentiment et un désir de vengeance. Elles engendraient également un sentiment d'urgence, ainsi que de la panique et une envie de fuir. Quand je ne les laissais pas discourir en moi, je revenais plus facilement dans mon cœur. Je m'efforçais continuellement de créer une nouvelle entente entre Nado et moi, mais en vain. Nous n'arrivions pas à être ouverts l'un envers l'autre simultanément, nous étions trop décalés. Quand je tendais la main vers lui, il se retirait. Quand il me tendait la main, je l'accusais pour me sentir dans mon droit.

J'aimais Nado si tendrement que je pouvais accepter - à un certain niveau - qu'il ait des relations sexuelles avec d'autres hommes. Même si cela me blessait beaucoup, j'arrivais à surmonter cette souffrance, ne pouvant entrer en compétition avec eux. Mais un jour où je rentrai à la maison en voiture, en approchant de la propriété, je croisai Nado qui partait dans une voiture bizarre conduite par une femme. Il ne me reconnut qu'au moment où ils s'éloignaient et j'en déduisis qu'ils avaient une liaison.

Je ne pouvais en supporter davantage ; quelque chose se brisa en moi. Je n'arrivais plus à me contrôler et me transformai en animal sauvage. J'avais prié pour avoir l'occasion de relâcher la pression due à cette rage que je refoulais et l'occasion était là. J'avais espéré que ce serait une grande tempête, mais je n'avais pas pensé que ce serait un ouragan. Je pris d'assaut la maison de Nado, investis sa chambre et me mis à détruire systématiquement tout ce qui était en rapport avec nous. Je déchirai les livres, détruisis les cassettes et jetai violemment par terre les cristaux. Je me laissai aller à perdre le contrôle de moi-même, sous prétexte que j'avais été trahie.

Quand ma première vague de colère retomba, j'eus honte de m'être conduite si « follement ». Confuse, je quittai le pavillon. Puis, tout d'un coup, je m'arrêtai pour regarder les étoiles. Mon cœur battait à tout rompre. Je me sentais si vivante, si chaude et si passionnée ! Je me rendis compte qu'il restait encore beaucoup de colère en moi, prête à exploser. C'était à ce niveau-là que j'avais toujours réprimé mon flot naturel d'énergie. Mais je sentis alors une seconde vague monter en moi. Je retournai au pavillon et exprimai ma rage jusqu'à ce que je tombe à genoux, avec l'impression d'être complètement vidée. Ce fut l'un des plus beaux, des plus exquis moments de ma vie.

Le lendemain, quand je revis Nado, il m'expliqua que la femme que j'avais vue avec lui était l'une de ses étudiantes en poésie qui le conduisait à son cours. En découvrant sa chambre totalement mise à sac, il me dit avec un sourire amoureux : « Je suis très content que tu aies fini par venir ici. » Je l'étais aussi. Nous tombâmes dans les bras l'un de l'autre et fûmes de nouveau unis. Dans la clarté de ce moment, nous comprîmes tous deux pourquoi nous étions ensemble dans cette mystérieuse aventure appelée vie : nous nous ouvrions mutuellement de nombreuses portes, nous nous mettions sans cesse au défi en « pressant mutuellement nos boutons » et, par là, nous restions conscients des domaines de nos vies dans lesquels nous avions besoin de travailler. Nous pouvions ainsi continuer à découvrir qui nous étions par rapport à l'autre, ainsi que par rapport aux maladies et à la vie.

Plus les jours passaient, plus je trouvais la vie injuste envers moi et plus je me sentais frustrée. J'étais réellement prête à renoncer. Je vivais dans le dangereux système de « ou bien - ou bien ». Quelque part dans mon subconscient, je croyais que, quoi que je fasse, cela n'aboutirait jamais aux résultats promis ; alors à quoi bon continuer ? En cherchant la réponse, j'examinai mon enfance, pour voir sur quelle décision cette croyance pouvait être basée. Alors je me souvins.

A l'âge de dix ans, mes parents m'avaient promis de m'envoyer dans un camp d'été si j'avais de bonnes notes à l'école. Pendant toute l'année scolaire, j'avais travaillé très dur et atteint un score total de 98 %. Mon maître dit que je méritais en fait 100 %, mais qu'il ne pouvait mettre une telle note sur mon bulletin scolaire. Quand les vacances arrivèrent, mes parents revinrent sur leur décision et ne m'autorisèrent pas à partir en colonie.

Je me sentis trompée et trahie ; je perdis confiance en mes parents et les méprisai de ne pas avoir tenu leur parole. A partir de ce jour-là, j'adoptai ce type de croyances sur la vie : « On ne peut faire confiance à personne » et « La vie ne me donnera pas ce que je mérite. » Ces croyances ont encore aujourd'hui un impact sur moi. Je fais rarement confiance aux autorités et crains toujours d'être utilisée par autrui, surtout dans mes relations amoureuses. Ce fut un moment très pénible. Je finis par m'apercevoir que je ne faisais pas confiance à la plupart des gens, en particulier à mes compagnons de vie. Comme je ne croyais généralement pas qu'ils tiendraient leurs promesses, je reprenais celles-ci à mon compte et les tenais à leur place, devenant ainsi la « femme indépendante » que je suis ; mais en même temps, je leur en voulais de ne pas s'occuper de moi. Je vois maintenant comment je sabotais toutes les occasions de recevoir, en ne laissant pas à mes partenaires la possibilité de me donner.

Cet incident avec mes parents créa en moi une série de filtres puissants qui coloraient la façon dont je percevais la vie. Depuis que j'étais sous la menace d'une maladie potentiellement mortelle et que mon univers semblait s'écrouler, je me rendais compte que le temps était enfin venu d'abandonner le ressentiment et les accusations que je gardais en moi depuis un événement survenu plus de trente ans auparavant. Je finis par reconnaître que ces croyances, qui probablement n'étaient plus appropriées à ma vie d'adulte, avaient besoin d'être passées au crible.

Aujourd'hui, je peux enfin accepter ce qui est arrivé et la façon dont j'y ai répondu. Je vois que mes parents n'étaient pas conscients de l'impact que l'incident avait eu sur moi et n'avaient jamais eu l'intention de me blesser. En fait, ils s'occupaient de moi de leur mieux. Ces vieilles croyances ne me servaient plus à rien. Mes souvenirs seraient toujours là, cela, je l'acceptais ; mais je me rendais compte qu'ils me faisaient souffrir parce que je les utilisais à longueur de temps pour justifier mes réactions actuelles. Je décidai d'employer ma précieuse force de vie à retrouver un peu de mon pouvoir plutôt qu'à nourrir la victime en moi.

Ce n'est que lorsque je fus prête à accepter le passé et à abandonner, pour au moins quelques instants, les décisions que j'avais prises enfant, que je m'aperçus d'un fait : ma vision de la vie n'était pas vraiment réelle. J'étais le produit de mes vœux d'enfance - « Je ne laisserai jamais personne me faire souffrir ! Je ne dirai jamais la vérité ! Je n'aimerai jamais, cela fait trop mal ! » - qui avaient créé les filtres à travers lesquels je percevais la « réalité ».

Dans ces moments de clarté, je ressentais la perfection de la vie et étais reconnaissante pour toutes les possibilités qu'elle ne cesse d'offrir. En fin de compte, c'était et c'est à moi de décider si je veux continuer ou non à entretenir cette voix justificatrice en moi, que j'appelle le contrôleur.

Le contrôleur est une partie de moi qui préférerait mourir plutôt que de ne pas obtenir ce qu'elle veut. Il essaie de tout contrôler, à tout prix. C'était lui qui réclamait la présence de Nado et l'intimité avec lui, mais il n'était pas ouvert à ce qui se passait réellement entre nous. Il justifiait toujours ses actes et son attitude, sans aucune humilité et sans compassion ni amour envers Nado ou moi-même. Il croyait avoir besoin de l'amour et de l'approbation des autres pour survivre, mais il ne voyait absolument pas qu'il lui était impossible d'être satisfait parce que même moi, je n'acceptais pas ce qui se passait. Cette croyance, plus que toute autre, absorbait l'essentiel de mon énergie et me rendait malade. A cause d'elle, j'étais continuellement désespérée et malheureuse et je me sentais piégée.

Cette croyance, qu'à l'époque je considérais comme ma réalité, avait donc pour origine le conditionnement de mon enfance et était basée sur une autre conclusion fondamentale que j'avais faite très tôt. A la naissance, nous sommes impuissants et notre survie dépend uniquement de nos parents, qui sont pour nous la source de nourriture, de protection, de confort et, surtout, d'amour. Durant ces premières années, comme nous ne comprenons pas encore pleinement le langage parlé, nous apprenons de nos parents en les prenant pour modèles. Nous sentons s'ils approuvent notre conduite ou non. L'approbation ressemble à l'amour et la désapprobation au retrait de l'amour. L'approbation de nos parents est de la plus haute importance pour nous car, sans elle, nous craignons qu'ils ne s'occupent plus de nous et nous abandonnent. Comme nous sommes impuissants et incapables de subvenir à nos besoins, nous mourrions véritablement si nous étions abandonnés. Cette peur fondamentale est très présente dans presque toutes nos programmations subconscientes. Elle devient plus complexe et plus sophistiquée, embellie par la poésie de la romance, au fur et à mesure que nous grandissons, mais elle a toujours pour origine le conditionnement de l'enfant impuissant en nous, qui croit avoir besoin que quelqu'un prenne soin de lui (maman, papa ou un substitut) pour survivre. C'est pour cette raison qu'il confond en permanence amour avec approbation.

Dans ma relation malsaine avec Nado, je n'ai jamais remis en question le fait que j'avais besoin de l'amour de quelqu'un d'autre pour « survivre ». Cela me paraissait être une vérité définitive, mais ce n'était - je le sais maintenant - que la réalité que je percevais.

Je me rends compte aujourd'hui que je faisais ce que je vois tant de gens faire. J'employais toute mon expérience et m'inventais de nouveaux instruments pour conserver ces vieilles croyances. J'allais même jusqu'à prétendre que je voulais changer, alors qu'en réalité je ne le voulais pas. Tout en sachant intellectuellement qu'il était temps d'examiner mes croyances et mes « voix » dans ma tête, je craignais d'abandonner mon ancien conditionnement. J'avais peur de « disparaître » si j'examinais réellement ce que je pensais être et de perdre mon « identité » dans le processus.

Parfois, quand j'étais totalement épuisée et n'avais plus la force de lutter, d'accuser ou de me plaindre, la voix de mon guérisseur intuitif me poussait à me rendre. Elle me rappelait que j'étais responsable de ma vie et qu'il était temps d'assumer ce que je savais au fond de moi. Elle m'encourageait à dépasser mon conditionnement, avec tous ses jugements et toutes ses hontes, et à cesser de vouloir contrôler les circonstances. Mon guérisseur intérieur m'invitait simplement à voir qu'il n'était plus nécessaire de résister et qu'il me fallait aller plus loin. Profondément en moi, je savais que c'était le moment de lâcher prise et d'explorer ce que je savais dans mon âme.

A cette époque de ma vie, je ne voyais pas l'immense cadeau que je recevais. Mon énergie étant dirigée vers la résistance, tous mes malheurs étaient le signe - selon moi - que ma vie s'écroulait, mais en réalité c'était mon appel au réveil. C'était la manière dont l'univers me disait qu'il était temps de me réveiller et de prendre ma vie en main. Malheureusement, je n'étais pas prête pour un réveil aussi brutal. Je voulais me tourner de l'autre côté et me rendormir, en espérant que le cauchemar s'éloignerait. Même si ma vie semblait tomber en morceaux tandis que l'ancien mourait, je résistais à la naissance du nouveau simplement parce que je n'étais pas consciente de ce que je faisais.

6

Le oui guérisseur

Après avoir vécu dans la contraction de l'« enfer » et résisté à mes démons durant les premières semaines qui suivirent mon diagnostic, je tombai sur un petit livre dont le titre m'attira : *Le Guide de l'Homme paresseux vers l'Illumination*, de Taddeus Golas. Je l'ouvris et, à la dernière page, tombai sur la phrase : « Si vous apprenez à aimer l'enfer, vous serez au paradis. » Cette phrase m'ouvrit les yeux sur ce que je savais déjà intuitivement : la clé est d'accepter le moment tel qu'il est et la vie telle qu'elle est.

A cet instant, pour quelques délicieuses secondes, je me sentis en complète et totale harmonie avec mon moi et ma vie. Je pouvais accepter l'enfer, puisque j'y vivais, mais, avec étonnement, je découvris qu'il n'était pas si facile d'aimer le paradis. Quelque part dans mon conditionnement, je croyais que je ne le méritais pas et que je n'en étais pas digne. C'était là la source principale de ma maladie.

Je me rendis compte que quand il s'agissait de mes enfants, je n'avais aucune difficulté à trouver le samouraï combatif en moi, mais quand il s'agissait de moi, et surtout de ma maladie, j'étais vraiment perdue. Etre confrontée à l'éventualité de ma mort prochaine représentait pour moi plus qu'un « combat ». Je ne savais comment aborder cette situation et le samouraï, généralement plein d'énergie pour trouver des solutions face à l'adversité, n'était pas disponible.

En tant que thérapeute, j'ai travaillé avec beaucoup de patients qui commençent à se battre dès qu'ils apprennent leur diagnostic. Contrairement à eux, je ne savais que ressentir. En fait, je m'en aperçois maintenant, je ne savais pas vivre. Comme pour beaucoup d'entre nous, ma vie était réglée d'après ce qui me permettait de me sentir bien ou mal, par ce qui était confortable ou ce qui obligeait à lutter. Je ne faisais que survivre et ce que j'appelais bonheur n'était en réalité que l'évitement des problèmes et de la souffrance.

Lorsque je pris conscience de mon manque de combativité, il me sembla que ma seule possibilité était de céder complètement à mon énergie féminine d'acceptation. J'étais enfin prête à accepter que j'avais un virus mortel dans mon organisme. J'avais adopté le mythe disant que le sida était fatal à cent pour cent et très contagieux, comme on le croyait presque universellement à l'époque.

Le fait que je pouvais contaminer d'autres personnes constituait en fait l'aspect le plus horrible de la maladie. J'étais alors aussi névrosée que les masses. J'avais peur de transmettre le virus en buvant dans la même tasse ou en partageant le même siège de toilettes. La pensée que je risquais de contaminer mes enfants m'était insupportable. Je me rappelle m'être dit que si quelqu'un devait payer pour mes « erreurs », ce serait moi, mais sûrement pas eux. Tous ces ingrédients de la peur bouillaient dans mon cœur comme dans une cocotte-minute et j'avais l'impression de devenir réellement folle.

J'étais si submergée que j'oubliais tous mes instruments et mon entraînement et refusais d'écouter mon intuition. Sans doute avais-je simplement besoin que quelqu'un me dise de faire confiance à cette dernière. C'est pourquoi je crois tant aux séminaires et aux groupes de soutien : ce sont des lieux où nous pouvons nous rappeler les uns aux autres que les réponses sont en nous. Il nous suffit de prendre du temps pour faire le silence en nous-mêmes, être ouverts, disponibles, et écouter.

Heureusement, je vivais sur la plage. Je n'avais qu'à jeter un coup d'œil par la fenêtre pour voir la danse éternelle des vagues de l'océan. Flux et reflux. Dedans et dehors. Jour et nuit. Quels qu'aient été mes sentiments, les vagues continuaient leur danse, participant au cycle naturel de la vie. Leur majesté, ainsi que la pureté de la plage hivernale désertée, chuchotaient directement à mon cœur une tendre poésie. Elles étaient pareilles à elles-mêmes, que je sois malheureuse ou en pleine félicité. Elles étaient toujours là, à ma disposition, pour que je les regarde, les apprécie et me laisse nourrir par elles. Je regrettais de ne pas les avoir considérées à leur juste valeur tant que j'étais obnubilée par le ressentiment. Comment pouvais-je avoir négligé de prendre du temps pour les accueillir en moi et laisser mon cœur danser en communion avec elles au moins quelques instants chaque jour ?

L'océan, comme un amant fidèle, m'enseignait le cycle naturel d'expansion et de contraction. Tandis que je regardais la marée monter puis se retirer, une idée pointa en moi, comme le soleil à l'horizon au-dessus de l'océan : ce cycle d'expansion et de contraction existait aussi en moi. Je me rendis compte que mon être entier, comme le cycle de la vie sur cette planète, suivait ce rythme naturel, cette pulsation continue de contraction et d'expansion : inspir-expir, jour-nuit, été-hiver, naissance-mort. C'est un cycle inévitable auquel nous pouvons résister, mais que nous ne pouvons pas modifier.

L'océan me guidait avec sa douce fidélité, m'ouvrant les yeux à la beauté simple de l'instant présent. Dans chacun de ces précieux moments de communion, je me purifiais en rejetant le poison de ma vie. L'important n'était plus de juger, de comparer et de réclamer que les choses soient différentes. Je me sentais en état d'expansion, ma conscience s'élargissait et n'était plus exclusivement focalisée sur mes problèmes. Je pouvais apprécier la beauté et la simplicité du don que constitue le fait d'être en vie.

Mon corps répondit immédiatement à mon changement de conscience en relâchant les tensions qu'il avait retenues si longtemps. Cela ressemblait à un profond « aaah ». Je pouvais de nouveau respirer. Il me paraissait beaucoup plus léger lorsque je me laissais griser par la danse simple et magnifique des vagues de l'océan. Mais mon mental habitué à juger se précipitait comme le ressac, me demandant comment je pouvais être heureuse avec tant de raisons d'être malheureuse. Chaque fois que je me rendais et m'ouvrais à l'expansion du moment, il me disait que ma vie était horrible et je retombais dans la contraction. Mon corps redevenait tendu, noué et douloureux. Ma respiration se faisait courte et je tournais autour de la maison, incapable de me détendre.

La réponse de mon corps à mes jugements étant trop forte, je ne me rendais pas compte que j'avais le choix. Si j'avais compris que la peur et l'acceptation ne sont qu'une expression de la danse entre contraction et expansion, j'aurais pu dire oui au cycle et laisser l'énergie s'écouler naturellement entre les deux extrêmes. Comme la plupart d'entre nous, j'étais attachée au sentiment d'expansion et redoutais celui de contraction ; c'est pourquoi je résistais à leur cycle naturel. Curieusement, le fait de me sentir mal et d'avoir peu d'estime pour moi-même me semblait si familier qu'il m'était plus facile de rester dans cet état de contraction et de peur.

J'employais mon énergie à dire non à la vie, même si cette attitude était tout à fait opposée à ce que j'avais appris en tant que disciple. C'était exactement le contraire de ce que, au niveau intellectuel, je savais être « juste ». Alors que l'existence m'offrait l'occasion de vivre réellement la leçon, je résistais. Puis je me rendis compte que je faisais confiance à la force de la résistance et du contrôle et que je me méfiais de la puissance de l'acceptation. Avant de pouvoir réellement dire oui à la vie, avec ses myriades de défis, je devais accepter mes sentiments négatifs.

J'appris lentement à dire oui à mes sentiments de contraction en faisant de longues promenades sur la plage. L'océan m'acceptait telle que j'étais dans l'instant, sans me demander si je me trouvais dans la contraction ou l'expansion. Je finis par apprendre à découvrir en moi l'équivalent de cette acceptation. Lorsque je regarde en arrière, je m'aperçois qu'accepter la contraction de mon mental fut un moyen d'accéder à l'expansion de mon âme.

Pour dire oui à ma contraction, je devais accepter ma colère, ma peur, ma culpabilité et ma honte. Je commençai à dire oui à tout, puisque je ne pouvais plus dire non. J'en étais là et ne pouvais rien y changer. J'étais poussée à bout par cette pénible maladie. J'étais en colère à cause du rejet de Nado. Je me sentais coupable de mourir si tôt et de laisser mes enfants seuls. J'avais peur de souffrir et de finir comme un légume. J'étais dans les affres des ténèbres. Quand je finis par reconnaître et accepter ce que je ressentais réellement, le barrage en moi lâcha brusquement. Des vagues d'émotion s'écoulèrent, balayant le chemin pour la guérison et l'entrée du nouveau.

Il est vital d'apprendre à respecter ce passage. C'est lorsque nous sommes submergés par nos problèmes et avons l'impression d'avoir atteint nos limites que nous nous ouvrons à la possibilité de guérir. Dans mon travail, quand des clients me disent qu'ils en ont assez et qu'ils ne peuvent plus continuer ainsi, je pense toujours : « Alleluia, maintenant le travail peut vraiment commencer ! »

C'est par ce passage pénible où nous abandonnons le contrôle que nous nous retrouvons de l'autre côté de l'obscurité. Nous nous sentons alors nus et vulnérables comme un nouveau-né. Nous renaissons, capables de redécouvrir le mystère de la vie et de commencer à vivre selon une perspective totalement différente. Ainsi se crée l'ouverture permettant aux miracles de se produire.

En disant oui à ma colère et à mon désespoir, en me donnant la permission de ressentir mes sentiments, j'acceptais la partie de moi-même qui avait peur et qui doutait, en même temps que celle qui avait confiance et qui savait. Jusqu'à ce moment-là, j'avais toujours voulu être forte et protéger ceux que j'aimais. J'avais dû contrôler mes réponses face à la vie, en niant l'existence même de mes sentiments. En un mot, j'essayais d'être la super-femme. Il était temps d'accepter que, sous cette apparence, j'étais vulnérable et avais aussi besoin qu'on s'occupe de moi.

Le fait d'apprendre à être sincère avec moi-même, puisque je n'avais plus le temps de me mentir, constitua un tournant décisif. J'abandonnai enfin les demandes et les attentes que j'avais vis-à-vis de moi et qui me poussaient à être quelqu'un d'autre que seulement moi. Ce quelqu'un que j'essayais d'incarner était le produit, basé sur des années de conditionnement, de tous les rôles que j'avais appris à jouer dans le but de plaire à mes parents, mes professeurs,

mes enfants et mes amoureux. Le temps était enfin venu d'aller en moi découvrir qui j'étais derrière tous ces masques. Ce fut le début de mon voyage de guérison, un voyage pour lequel je devais m'embarquer seule.

Mes enfants avaient déménagé pour San Diego. J'avais choisi de ne pas leur parler de mon diagnostic. Je craignais que, le sachant, ils modifient leurs plans et restent avec moi. J'aurais facilement pu me laisser mener par la victime en moi et utiliser le drame de ma maladie pour les manipuler dans ce sens, mais je voulais qu'ils apprennent à voler de leurs propres ailes. Cela devenait urgent ; c'était plus important que de les avoir à côté de moi à me regarder mourir. Ce ne fut pas facile de les laisser partir, car à l'époque je ne savais absolument pas si nous pourrions encore vivre ensemble un jour. Aujourd'hui je connais la valeur de chaque jour partagé et je suis heureuse qu'ils aient tous deux du plaisir à être avec moi, non par sens du devoir mais par choix.

En janvier 1986, Nado et moi étions en voie de séparation et nous nous voyions de moins en moins souvent. Il ne me parlait pas de sa santé physique et restait souvent absent pendant de longues périodes. J'arrivais peu à peu à m'affirmer et à savoir ce que je voulais, même si c'était difficile au début. J'avais du mal à exprimer mes besoins. Jugeant ma solitude importante, je m'éloignais de mes amis. Je savais que je devais être seule pour découvrir ce que signifiaient le lâcher prise et la reddition.

La souffrance due à mes symptômes physiques et ma résistance vis-à-vis d'eux augmentaient chaque jour et je ne voyais pas d'issue. Je savais qu'en me plaignant de la vie, en me critiquant ou en critiquant mon entourage, je ne faisais qu'aggraver les choses. Je ne pouvais pas vivre plus longtemps dans la dénégation et la résistance ; je devais finir par reconnaître le fait que j'allais mourir de cette maladie. Pourtant, à l'époque, je ne pouvais en parler avec personne. Bien qu'ayant l'impression de parvenir à un jugement sain sur mon état, je savais que les gens qui m'entouraient me prendraient pour une folle. L'acceptation de la mort est jugée inacceptable par notre société.

Je me mis à examiner l'étendue de ma programmation subconsciente à propos de la mort. Pendant mon enfance, celle-ci m'avait été présentée comme une chose à éviter et je la voyais laide et douloureuse. Nous en parlions rarement et, alors que le temps était venu pour moi d'en confronter la réalité, je me rendais compte que je n'y avais jamais réfléchi.

Mes quelques expériences des maladies terminales et de la mort n'étaient pas en relation directe avec ma vie ; elles étaient plutôt des incidents touchant la vie et la mort des autres. Elles ne m'étaient pas arrivées directement, même si la plupart d'entre elles concernaient de bons amis et des membres de ma famille ; j'avais simplement été témoin de leur transition de cette vie à la suivante. Par exemple, quand mon père était mort quelques années auparavant, son corps froid, embaumé, gisant dans le cercueil ouvert, formait un tel contraste avec l'homme fort et vibrant tant aimé que je l'observais avec un total détachement. Je me rappelle avoir pensé que c'était comme la chute des feuilles multicolores sur le sol en automne : une autre saison dans le voyage de la vie humaine. Même si je me sentais triste pour moi, j'étais très heureuse pour lui.

Mais maintenant je mourais du sida et, d'une certaine manière, cela me semblait différent.

A certains moments, ma mort imminente me semblait représenter un soulagement bienvenu après une vie de souffrances et de rejet. J'étais désolée pour moi et m'imaginais que, puisque de toute façon je n'avais jamais obtenu ce que je désirais vraiment, mourir serait une manière grandiose de fuir. J'étais tellement noyée dans l'apitoiement sur moi que je n'envisageais même pas les conséquences de ma mort sur ceux que j'aimais et que je laisserais derrière moi. Lorsque j'étais lasse de mon ressentiment, de ma résistance et de ma dénégation, la réalité de la maladie me touchait d'une manière tout à fait nouvelle. Je devais aller jusqu'au bout de mon honnêteté pour accepter que j'hébergeais dans mon organisme une maladie grave et que je risquais de mourir bientôt. Mais les moments de lâcher prise étaient rares et extrêmement fragiles. Ils semblaient survenir par « accident », quand j'étais trop épuisée pour continuer à me plaindre sur la façon dont les choses se passaient.

Ce fut le tournant de ma reddition. Je finis par dire oui à mon état comme faisant partie de moi. Jusque-là, il m'avait été beaucoup plus facile de garder l'illusion d'une séparation entre moi et l'« ennemi », dans l'espoir que celui-ci disparaîtrait aussi mystérieusement qu'il était apparu. Lorsque j'acceptai honnêtement le fait que mon système immunitaire était en train de me lâcher peu à peu et que j'allais mourir dans dix-huit mois ou moins, l'illusion de vivre pour toujours me fut, comme un voile, soudainement arrachée du visage. Pourtant, même quand j'étais entraînée dans le tourbillon de la peur, une voix presque imperceptible me rappelait : « Reste ouverte. Cette expérience a sa valeur. Dans ce qui se passe maintenant, il y a quelque chose à apprendre. » Une fois que je me serais rendue à la vérité, je le savais, ma vie changerait du tout au tout. Je ne pourrais plus considérer les choses comme allant de soi.

Je me revois assise à la table de la cuisine avec un calendrier, comptant les 492 jours qu'il me restait à vivre si j'avais de la chance. Quelque chose bascula en moi quand j'eus vraiment compris avec mes tripes que chaque jour qui passait ne reviendrait jamais ; soudain, chacun d'eux était précieux. Ce n'était pas une compréhension intellectuelle, je ressentais véritablement chaque instant comme sacré. Je ne pouvais en perdre un. Cette prise de conscience transforma ma façon de répondre à la vie. La plénitude de chaque instant éclata à mes yeux et je me mis à accueillir chacun d'eux avec le cœur ouvert.

Dénégation, résistance et contrôle disparurent et furent remplacés par une force intérieure que je n'avais pas connue jusque-là. Dans ce moment de reddition, le brouillard se leva, dévoilant tous les aspects fragmentaires de ma personnalité qui avaient lutté les uns contre les autres. Je reconnaissais mes subpersonnalités et leurs conflits - mon moi qui jugeait se battait contre le fragment de moi qui niait ; la partie de moi qui résistait essayait de s'occuper de toutes les autres. En regardant plus profondément derrière tous ces masques, je découvrais une petite fille vulnérable qui avait une peur terrible de mourir et cherchait désespérément quelqu'un ou quelque chose pour la protéger.

Au début, le concept de reddition me parut très effrayant. Pour moi, la reddition avait toujours été le résultat d'une lutte de pouvoir, avec un gagnant et un perdant. Comme j'avais considéré ma maladie comme une source extérieure de pouvoir sur mon corps, l'idée de reddition augmentait ma peur de la souffrance et de la mort. Chaque fois que je présente le concept de reddition à mes clients, ils le comprennent comme un abandon du combat et s'efforcent généralement de l'éviter à tout prix. Ils croient souvent que s'ils devaient se rendre à l'évidence de leur maladie, ils donneraient le pouvoir à celle-ci. Mais en réalité, lorsque nous nions une chose ou lui résistons par peur, c'est à la peur que nous abandonnons notre pouvoir, et c'est quand nous reconnaissons cette chose pour vraie que nous le reprenons.

Se rendre ne signifie pas abandonner son pouvoir. La reddition est la voix du maître et du guérisseur. C'est dire oui à la vie et accepter ce qui est. Prendre le chemin de la victime et de l'enfant survivant, c'est cela abandonner son pouvoir. C'est dire non à la vie et lui résister. Nous n'abandonnons en fait jamais notre pouvoir, nous espérons simplement que les choses seront comme nous voulons qu'elles soient et nous leur en voulons si ce n'est pas le cas. Croire que nous abandonnons notre pouvoir, c'est tomber dans un piège : c'est simplement une manière sophistiquée de nous autoriser à nous plaindre que la vie n'a pas pris le tour que nous voulions.

La reddition est l'état le plus simple et pourtant le plus grand qu'un être humain puisse atteindre. C'est accepter les choses exactement comme elles sont dans le moment présent, sans passé ni futur, au-delà du jugement. Dans notre vie quotidienne, nous agissons constamment en fonction d'un jugement critique : nous disons que cela est bien, que cela nous fait plaisir - ou, à l'inverse, que ceci est mal, que ceci nous fait souffrir. Quand avez-vous pour la dernière fois pris un temps pour réévaluer vos jugements et vos croyances avant d'agir ? Je l'avais rarement fait, mais lorsque je fus confrontée à ma mort imminente, je remis tout en question. Je voulais enfin découvrir qui j'étais avant de quitter ce corps et cette vie.

Les débuts furent intenses. Je me rendis compte que je savais très peu de choses sur qui était Niro ; en revanche, j'en savais beaucoup sur son passé et sur la personnalité qu'elle s'était créée pour survivre. J'étais dans l'intimité de ses erreurs, de ses regrets, de ses rêves et de ses fantasmes. Je connaissais ses réactions, mais je ne savais pas qui elle était réellement dans l'instant présent. Mes rêves de voyages, qui m'avaient suivie toute ma vie, et d'un partenaire parfait qui prenne soin de moi, s'écroulèrent quand j'abandonnai mes projets d'avenir. Il n'y avait plus de temps à perdre à rêver du monde tel qu'il devrait être ou à regretter ce qui ne s'était pas passé. J'avais la conscience aiguë que mes jours sur cette terre étaient comptés (comme pour nous tous) et je choisis de redéfinir mes priorités en fonction de cette donnée. La première chose que je fis fut de me dispenser des activités sociales superficielles qui avaient pris beaucoup de mon temps. Je ne me souciais plus de la chose « juste » à faire.

L'énergie de guérison me devenait accessible parce que je vivais dans l'acceptation. Celle-ci conduit au pardon, qui est un pas important vers la guérison. Comme guérir, pardonner est une permission et non un faire. Il est impossible de forcer le pardon. C'est la floraison naturelle des graines de la reddition. Pour moi, le pardon survint spontanément, dans l'instant, et fut une porte ouverte vers l'amour de moi-même et des autres.

L'amour est l'énergie de guérison la plus importante. C'est la seule chose nécessaire pour que les miracles puissent se produire. Les anciens ressentiments, à propos d'événements comme la fois où ma mère ne m'avait pas permis de partir en colonie de vacances, s'évanouirent simplement dans cette énergie supérieure. Ils n'avaient plus d'importance. Je n'avais plus besoin de m'accrocher à eux comme à une partie de mon identité, qui avait été bâtie sur tant d'affaires non réglées.

Dans le processus de guérison, comme dans la vie elle-même, pardonner signifie abandonner le passé et vivre dans le présent. Le pardon est le pont entre la volonté d'en finir avec de vieux souvenirs - peut-être en les transformant, mais pas nécessairement - et la volonté de les abandonner. C'est une étape très importante dans l'apprentissage de la vie au présent : accepter que le passé est le passé et que nous ne pouvons pas le changer. Tout ce que nous pouvons faire est d'en finir avec les souvenirs.

Grâce au pardon, je m'aperçus que, bien que ne pouvant changer le passé, je pouvais modifier ses effets sur le présent. Par exemple, si j'avais jugé que mes actions passées étaient à l'origine de ma maladie, j'aurais créé en moi une intense culpabilité (contraction). Mais avec le pardon vient la liberté vis-à-vis du jugement et la libération par rapport à la culpabilité. Grâce à l'acceptation, je connaissais pour la première fois la vraie liberté.

L'acceptation amenait l'expansion et ouvrait mon cœur à la vie telle qu'elle s'offrait à moi. Je ne faisais que me rendre inconditionnellement, sans aucune attente. Je ne cherchais pas à marchander pour obtenir davantage de temps ou une seconde chance ; je disais seulement oui à tout ce qui se passait et continuais mes tâches quotidiennes. Même si la souffrance et l'inconfort de mon corps ne disparaissaient pas, mon esprit dansait, envahi par une joie formidable et par l'amour de la vie. J'apprenais à accepter la danse entre contraction et expansion et découvrais ce que signifie d'exister dans l'espace qui les sépare.

Acceptant finalement l'inacceptable, je pouvais me détacher de mes soucis et de mes buts. Je vivais dans une perspective différente. Au lieu d'être de plus en plus terrifiée et contractée par la mort, j'avais une profonde impression de détente et d'expansion. Je m'embarquais pour un voyage très prenant fait de questions, de choix, de doute et de peur, passant de la simple survie sous pilotage automatique à l'appréciation consciente du cadeau qu'est la vie dans toute sa gloire.

Avec cette reddition à la vie, je pus également prendre davantage de distance par rapport aux nombreux détails stressants qui y mettaient du désordre. Ne leur accordant plus d'importance, je connus une aisance nouvelle qui m'avait manqué depuis toujours, me semblait-il. Je me sentais très vivante et très vraie dans mes sentiments. Je regardais mes émotions changer constamment, à l'instar des saisons. Je les acceptais toutes, la peur tout autant que la joie, sans les juger bonnes ni mauvaises. Comme l'océan, rien n'était statique en moi. Je participais au rythme permanent de la vie, ce que les Chinois appellent le Tao ou « la voie ». Je m'abandonnais de plus en plus et sentais que j'avais ma place dans le flot miraculeux de la vie.

7

Vivre avec intégrité

J'étais très étonnée que la partie de moi centrée sur elle-même (que j'appelle le permissif) ne se déchaîne pas pour reprendre ma vie en main. J'aurais pu me laisser aller à la gourmandise, me gavant de chocolat, de crèmes glacées et de toutes sortes de friandises qui font grossir, ou bien aller faire une bamboche d'achats, utilisant ma carte de crédit au maximum, ou encore passer la journée au lit à ne rien faire. J'aurais pu complètement renoncer et abandonner toute discipline - « puisque de toute façon je vais mourir, rien n'a d'importance », comme le croyait le permissif. Je trouvais très étrange que cette voix de la permissivité, qui avait toujours trouvé des raisons pour commencer le régime le lendemain ou remettre à plus tard l'exercice d'aujourd'hui, ne se fasse pas entendre. Avec ses millions d'excuses, elle s'était rarement tue, sauf les quelques fois où j'avais été très heureuse et m'étais sentie aimée.

Je commençais à identifier ces différentes parties de moi. D'un côté il y avait le permissif ou la victime, dont le moteur principal est la peur et la survie, et de l'autre la voix de l'intégrité, le guérisseur, dont le chemin est fait de maîtrise de soi et d'être. La permissivité créait en moi un faux sentiment d'expansion grâce à la satisfaction temporaire de mes désirs, mais pour finir elle aboutissait à l'inconfort et à la contraction. De son côté, l'intégrité produisait un sentiment organique d'expansion, non parce que je faisais quelque chose de particulier, mais parce que j'étais fidèle à moi-même. Pourtant, j'avais du mal à rester dans l'intégrité et glissais trop facilement dans la permissivité. Pour dire non à celle-ci et dire oui à ce que je savais être le meilleur pour moi, je m'imposais souvent une discipline extrême.

Je ne pouvais m'empêcher de remarquer que mes symptômes s'aggravaient quand je suivais mes schémas de « pauvre de moi » et je me forgeais donc une discipline très simple pour ne pas écouter la « victime » en moi. Chaque jour, je m'obligeais à accomplir trois tâches bien précises, même si je ne me sentais pas bien. Je n'allais pas me coucher avant de m'en être acquittée. Ces trois tâches pouvaient être de mettre mes comptes à jour, de recoudre un bouton manquant et de me faire une séance de manucure. Connaissant le pouvoir du permissif, je veillais à ne pas mettre la barre trop haut ; je choisissais des buts que je savais à ma portée. Je me plaçais dans de bonnes conditions pour réussir et aller me coucher avec la satisfaction d'avoir accompli quelque chose de valable. Et surtout, je m'en tenais à la parole que je m'étais donnée à moi-même. Regarder ma vie et la voir en ordre, grâce en particulier à l'accomplissement de mes trois tâches quotidiennes, me donnait un sentiment d'expansion et me faisait du bien. Par suite, la qualité de mon sommeil s'améliorait nettement. Je mettais aussi un point d'honneur à garder une apparence impeccable ; je ne voulais pas avoir déjà l'air d'une malade.

Mener une vie disciplinée était une expérience nouvelle pour moi. Je ne m'imposais plus des défis impossibles, qui ne servaient qu'à me décourager si j'échouais à les relever. Je m'entraînais à tenir parole vis-à-vis de moi-même, progressivement. C'était comme de faire travailler un muscle qui n'a pas servi depuis longtemps. Au début, il est faible et tremblant. Il faut s'exercer et on fait des erreurs. La nouveauté de l'expérience le rend gauche et l'endolorit. Mais avec du temps et de la persévérance, il se renforce et devient une partie vitale de l'organisme.

Ma permissivité m'avait continuellement sabotée, non seulement en termes de santé physique, mais aussi dans la qualité de ma relation avec Nado. A certains moments, elle avait également affecté mon attitude envers mes enfants et mon travail. Après mon diagnostic, mes plaintes perpétuelles, ainsi que mon besoin de contrôler et de résister, continuèrent à me faire perdre mon pouvoir. Je finis par en avoir assez. Il était temps de rompre avec la permissivité et de découvrir ce qu'était l'honnêteté envers moi-même, il était temps de prendre l'entière responsabilité de mes actes et de vivre avec cette intégrité.

Pendant des années, j'avais pensé qu'« intégrité » était synonyme d'« autocritique ». Chaque fois que quelqu'un mentionnait mon intégrité, c'était en fait pour me reprocher d'en manquer. Aussi l'idée d'intégrité et l'impression d'être châtiée, par moi-même et par autrui, me paraissaient-elles toujours liées.

J'avais commencé à apprendre à être responsable de ma vie avec honnêteté quand j'avais participé au programme destiné aux responsables des séminaires est, qui était très exigeant. Pour trouver le temps de tenir tous mes engagements, je ne dormais littéralement pas plusieurs nuits par semaine. J'en faisais toujours trop, mais je trouvais merveilleux de tenir ma parole, de ne pas être obligée de mentir ou d'éviter des gens envers qui je n'aurais pas rempli mes engagements. Vivre honnêtement était très agréable, mais éprouvant pour l'organisme, si bien que je finis par considérer honnêteté et stress comme équivalents. Quand j'apprenais à communiquer ma vérité aux autres, ma peur du rejet me stressait souvent beaucoup. Je ne pensais pas qu'il pouvait en être autrement.

Maintenant, je me rends compte qu'il était temps que je fasse par moi-même l'expérience de la vie à son potentiel maximum, après avoir appris ce que c'était dans des livres ou des séminaires. Je m'embarquai dans un nouveau voyage : découvrir ce que signifiait réellement pour moi le mot intégrité. Je commençais à comprendre qu'il sagissait d'une façon simple de vivre. Je mis ma vie tout entière au ralenti, me posant sans arrêt la question : « Cette action ou cette décision m'aidera-t-elle à atteindre mon potentiel maximum ? » Je continue à me poser cette question aujourd'hui chaque fois que je perds de vue ma direction et que j'ai l'impression de ne pas pouvoir retrouver mon chemin, afin de me remettre à l'écoute de moi-même.

J'entrepris aussi de rechercher d'autres moyens pouvant m'aider à atteindre mon potentiel maximum. L'important pour moi avait toujours été d'être le mieux possible et de finir par atteindre le but de ma vie, une fois que j'aurais découvert ce que j'étais. Désormais, ma mort étant proche, il me restait très peu de temps. Bien qu'acceptant de mourir, je voulais atteindre le but premier pour lequel je me trouvais sur cette planète. Il était important pour moi de découvrir ma « raison d'être », comme on dit en Belgique. Je m'ouvris à la question et attendis patiemment la réponse, en comptant sur le silence et non plus sur le temps, puisque celui-ci était devenu mon ennemi.

Finalement, une question encore plus fondamentale surgit et je me demandai : « Quel est exactement mon potentiel maximum ? » Là encore, je me laissais simplement aller et restais ouverte pour recevoir la réponse, sans essayer d'en avoir une toute prête d'avance. Pour moi, l'exploration de cette danse entre la question et la réponse est l'une des plus grandes motivations qui puisse pousser à vivre. Si je me laissais simplement baigner dans le silence de la question, sans mes conclusions préconçues, la réponse surgissait des profondeurs de mon être : mon potentiel maximum est de vivre dans l'amour pour moi-même et pour les autres et de créer de l'amour et de la beauté autour de moi en un cercle infini... Une danse entre donner et recevoir.

Je me rends compte maintenant qu'avant ma maladie, la vie que je menais allait dans l'ensemble contre ma vraie nature, alors que je prétendais que c'était ainsi que je voulais vivre. J'avais passé mon temps à expérimenter divers styles de vie, depuis la femme au foyer et celle de la jet-société jusqu'au disciple spirituel, en quête de celui qui correspondait à ma vraie nature.

Jouer à « que la vie est belle » avait tellement stressé mon organisme que celui-ci était devenu un sol fertile idéal pour l'éclosion d'une maladie. Mon système immunitaire était si affaibli par cette négation de moi-même et par mon sentiment profond d'indignité qu'il n'était plus capable de maintenir ma santé.

En menant une vie en accord avec mes propres besoins au lieu d'essayer constamment de plaire aux autres comme j'avais été conditionnée à le faire, j'avais un aperçu de ce qu'était « me mettre en tête de ma liste ». Je commençais à m'affirmer et à affirmer mes besoins, même si beaucoup de mes amis et de mes proches ne comprenaient pas mon « étrange comportement ». Il était temps de redécouvrir enfin ce que Niro voulait à l'origine. C'était extrêmement effrayant. Tout mon conditionnement s'y opposait. J'ai d'ailleurs encore des difficultés avec le problème de l'opposition service/ plaisir, surtout dans les relations sentimentales. Mon conditionnement était si fort et mon désir d'être appréciée et acceptée si puissant que je devais faire un grand effort pour rester fidèle à ce qui me semblait juste pour moi. Au début de mon voyage de guérison, je ne faisais pas la distinction entre servir les autres et essayer de leur plaire. Je sais maintenant qu'il y a une immense différence qualitative. Le désir de servir naît d'un débordement du cœur, dans lequel donner devient recevoir ; essayer de plaire provient d'un besoin désespéré d'approbation, avec l'espoir de ne pas être rejeté et blessé.

Comme il ne me restait pas assez de temps pour me compliquer la vie en essayant de plaire au monde, je me mis en tête de liste. Jusque-là, j'avais cru qu'en me faisant passer en premier, je rabaisserais les autres, et je ne voulais pas être égoïste. Je vois maintenant que cet « égoïsme » fut un ingrédient clé de ma guérison. Me mettre en tête de liste était un véritable défi, parce que j'avais appris que, pour aimer les autres, je devais me rabaisser. Bien que cette notion ne fût pas enseignée ouvertement, elle était subtilement sous-entendue dans mon éducation religieuse. Elle venait d'une tradition catholique de souffrance et de répression, dans laquelle les martyrs sont canonisés comme saints. Ironiquement, plus je me rabaissais, moins j'étais disponible pour aimer véritablement les autres. J'avais toujours cru que si je donnais une certaine quantité à quelqu'un, je recevrais de cette personne la même quantité en retour. Soudain, une fois que je me fus mise en tête de liste, l'amour des autres devint le reflet direct de l'amour de moi-même. Je renonçai à essayer de plaire à tout le monde pour donner à partir de la simplicité de mon cœur.

Quand je pris le risque de m'affirmer et de réclamer ce que je désirais, beaucoup de mes amis eurent l'impression que je me conduisais comme une enfant gâtée et capricieuse. Quelques amitiés s'évanouirent, tandis que d'autres s'approfondirent. Même si je commis de nombreuses erreurs au long du chemin, le fait de me mettre en tête de liste m'aida à établir mes prorités. Les choses importantes, comme des relations d'amour vrai avec ma famille et mes amis, restèrent, et celles qui étaient superflues, comme les obligations sociales, tombèrent.

En fin de compte, j'étais en train d'apprendre à établir mes limites. Mon incapacité à en créer avait été un facteur émotionnel majeur dans l'apparition de ma maladie. Ma honte de ne pas vivre selon les critères imposés par mes parents m'avait rendue vulnérable aux abus des autres. Dans la recherche de mon potentiel maximum, j'avais donc besoin de découvrir quelles étaient mes limites par rapport aux autres.

Par exemple, Nado se rendait souvent en ville pour deux ou trois jours, sans me dire où il allait ni quand il reviendrait, me laissant m'occuper à sa place de ses obligations. A son retour il s'écartait de moi, évitant tout contact visuel, comme s'il avait honte de sa conduite. Parfois, quand il rentrait de son voyage dans les ténèbres, il paraissait si désespéré et si perdu que tout ce que j'avais envie de faire était de le prendre dans mes bras et de lui dire : « Tout va bien, chéri, tu vas être bien », mais il ne me le permettait jamais. Je sentais la souffrance due à sa culpabilité et sa lutte contre son identité sexuelle et sa dépendance. Malheureusement, tout dialogue sur ces sujets était impossible.

Je commençais à en avoir assez. Il me fallait non seulement tenir le coup face à ma propre souffrance et à ma mort prochaine, mais aussi m'occuper des tourments non exprimés de mon amoureux, qui s'éloignait et refusait de s'ouvrir à moi. Ses mystérieuses disparitions devenaient insupportables au point que je me réveillais au milieu de la nuit, complètement paniquée, délirant à cause des sueurs nocturnes et hurlant son nom.

Nos vies étaient tellement pleines de confrontations en elles-mêmes que nous faisions notre possible pour ne pas y ajouter d'autres conflits. A l'époque, nous raccrocher l'un à l'autre nous semblait être la meilleure solution, mais elle ne faisait qu'accroître notre solitude et notre ressentiment réciproque.

Finalement, durant une session de thérapie avec l'un de mes collègues, je vis clairement que je ne voulais pas continuer à me sentir aussi mal pour les derniers mois que j'avais à vivre. Jusque-là, il ne m'avait pas paru évident que j'avais le droit d'établir des limites et de dire : « Assez, cette situation me fait trop mal. Elle me tue davantage que la maladie elle-même. » Je revins à la maison le lendemain de la session et demandai à Nado de faire ses bagages et de partir. Il me regarda en silence pendant un moment, puis s'éloigna. Peu après, je montai dans ma chambre et découvris un magnifique manteau rose cendré accroché devant ma penderie, avec un mot d'amour de Nado. Ce fut horrible. Le moment semblait très mal choisi, mais le moment semblait toujours mal choisi quand il s'agissait de respecter mes limites.

En fin de compte, le fait de m'affirmer et de demander à Nado de s'en aller, tout en sachant qu'il était plus malade que moi, fut l'un des actes les plus courageux de ma vie. Je devais non seulement abandonner le rêve de passer notre vie ensemble, mais aussi accepter que je n'étais pas la personne infiniment patiente et compatissante que je pensais être.

Ce fut très pénible de le regarder rassembler toutes ses affaires. J'étais complètement désespérée, comme si j'avais une fois de plus commis une faute. Pourtant, à mon grand étonnement, je me sentis vraiment soulagée lorsqu'il s'en alla. Je respirais de nouveau. Ce n'est qu'après son départ que je vis à quel point je m'étais reniée durant ces deux années avec lui. Le temps était venu de redécouvrir qui j'étais dans la solitude. Mon choix me donnait la force de croître parce que j'avais enfin cessé de renforcer la victime en Nado et en moi. Je pouvais désormais vivre sainement dans ma solitude jusqu'à ma mort.

Jusque-là, j'avais été terrorisé à l'idée d'être seule, confondant « être seule » avec « être solitaire ». Adolescente, je n'osais pas emprunter seule un moyen de transport public et préférais me cacher dans un taxi. Une fois Nado parti, je pus passer mes journées entières seule avec moi-même, à méditer et à faire de longues promenades sur la plage. Jour après jour, je découvrais timidement l'étendue de mon véritable amour pour moi-même. La méditation était la clé de cette découverte. C'était le début d'une véritable histoire d'amour avec moi-même qui continue encore aujourd'hui.

La plupart des méditations que je pratiquais étaient des méditations actives, conçues par Osho pour aider l'homme occidental moderne à se vider de toutes les émotions refoulées  qui l'empêchent de connaître le silence intérieur. Elles impliquent le corps dans sa totalité, d'une façon dynamique et parfois intense. Mon énergie étant réduite et mon corps encore fragile au début, je choisis la méditation Nadabrahma, de toutes la moins exigeante physiquement. Nadabrahma est basée sur une ancienne technique tibétaine de bourdonnement. C'est une belle méditation centrée sur l'harmonie entre donner et recevoir.

Après la méditation, je ressentais une paix intérieure tellement délicieuse que je ne pouvais plus m'en passer.

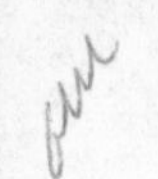

J'aimais méditer parce que c'était ainsi que j'aspirais à vivre, d'instant en instant, dans l'appréciation du miracle de la vie. Je n'étais plus en train de juger, de réagir ni d'essayer de changer ce qui était ; j'étais simplement un témoin. Je ne méditais pas dans le but d'obtenir quelque chose - la guérison ou l'illumination - mais seulement parce qu'ainsi j'étais ce que j'étais à cet instant-là. Je me sentais très excitée et intéressée par la vie. Peu m'importaient mes nuits pénibles ou mes difficultés à sortir du lit. C'était ma vie à ce moment précis et je lui disais oui.

La méditation m'aidait à combattre ma tendance à rester dans le passé et à me faire du souci pour l'avenir. Grâce à elle, j'apprenais à vivre dans le moment présent. Non seulement je m'arrêtais pour méditer plusieurs fois par jour, mais tout ce que je faisais devenait méditation. C'est cette pratique qui sauva ma santé mentale.

Par exemple, quand je préparais des pains moufflets, je concentrais toute mon attention sur l'acte de cuisiner. Au lieu de partager mon attention entre mes actes et mes pensées - pourquoi est-ce que je fais de la cuisine, les pains vont-ils être bons, que vais-je faire ensuite ? etc. - je m'efforçais d'observer ce qui se passait dans le moment présent. Je me posais sans cesse la question : « Que se passe-t-il maintenant ? Je prépare des pains moufflets. Mes pieds nus reposent sur le sol et je sens la fraîcheur du carrelage. Que se passe-t-il maintenant ? Mes mains ouvrent le sachet et versent une partie de la farine dans un bol doseur. Que se passe-t-il maintenant ? Mon dos me fait mal, mon estomac gargouille et je sens l'air dans mes poumons quand je respire. » Lorsque je travaillais dans le jardin, je me concentrais totalement sur les plantes et sur le sol, éliminant tout le reste. Quand je marchais sur la plage, je me laissais complètement envahir par la beauté et la tranquillité

du moment. Cette attention consciente me maintenait dans la réalité de l'instant et m'empêchait de me perdre dans le pénible « film » d'hier et de demain. Comme le disent les Alcooliques Anonymes dans leur programme de guérison : un jour à la fois. Je vivais littéralement un instant à la fois. C'était mon seul moyen de surmonter les vagues de peur terrible qui envahissaient sporadiquement mon rivage tout au long de la journée. Autrement, j'aurais perdu la tête bien avant de perdre la vie.

J'avais toujours voulu apprendre à vivre dans le moment présent et le temps semblait venu de développer une discipline dans ce but, pour la sauvegarde de ma santé mentale. Je n'avais pas besoin d'une discipline exigeante, mais de la volonté de vivre avec une attention consciente. Au début, c'était assez difficile et demandait beaucoup d'énergie. Je vivais un paradoxe : je voulais désespérément échapper aux démons de mon esprit mais, automatiquement, je les laissais faire. C'était comme si je n'étais pas capable d'arrêter le cours de mes pensées.

Grâce à la méditation, je découvrais que les pensées n'avaient pas de pouvoir par elles-mêmes. Je pouvais choisir de les suivre ou de ramener ma conscience vers ma respiration dans l'instant présent. J'observais les réactions qu'elles entraînaient. En regardant simplement chaque pensée, suivie de la réaction, je ralentissais le processus automatique, ce qui créait un court intervalle entre la pensée et la réaction. Bientôt je pus commencer à choisir d'avoir une réponse différente, à la pensée ou même aucune réponse. Au bout d'un moment, je m'aperçus que me laisser envahir par mes pensées de peur était aussi une forme de permissivité. J'avais le choix et faire un choix conscient à chaque instant relevait de ma responsabilité.

8

Mon travail de conscience quotidien

Un jour, pendant la méditation, guidée par le bon sens de mon intuition, je créai ce que j'appelle mon travail de conscience quotidien. Celui-ci consistait en méditation, alimentation saine, exercices réguliers, longues promenades sur la plage et hygiène de mon corps, que j'avais négligé jusque-là. Je me mis à employer les uns après les autres les instruments que j'avais appris dans divers séminaires et trouvés dans d'innombrables livres. Cette fois-ci, cependant, ma discipline ne m'était pas imposée par quelqu'un d'extérieur, mais par ma propre sagesse intérieure. Je me soumettais à mes propres règles, destinées à accroître mon pouvoir, et non à celles d'une quelconque organisation ou autorité extérieure.

Le travail de conscience quotidien que je développais était le mien et, bien qu'il me demandât des efforts, je ne lui opposais que peu ou pas de résistance. Atteindre mes buts augmentait mon pouvoir et, si certaines règles devaient être adaptées aux circonstances, il était facile d'employer ma créativité à les ajuster. Ce processus était toujours guidé par ma réponse aux questions : « Qu'est-ce que je veux ? » et « Cela m'aidera-t-il à atteindre mon potentiel maximum ? »

Ce changement dans mon attitude fut un ingrédient clé pour me permettre de définir le mot « intégrité ». Quand je suivais les règles qui m'étaient « imposées » (même si je savais que c'était moi qui choisissais de faire partie de cette organisation), le rebelle en moi résistait, par crainte d'être contrôlé et peut-être blessé. La révolte est bien sûr un mécanisme de défense naturel ; d'un autre côté, c'est un état tellement réactif qu'il me rendait prisonnière de ce contre quoi je me révoltais.

Mais mon besoin de suivre le groupe était généralement plus fort que ma résistance et je me soumettais aux règles. Malheureusement, ce n'était pas grâce à l'aisance due à la reddition, mais par peur du rejet. Je devenais lentement, par ma façon de faire, une victime du système. C'est la raison pour laquelle je conseille aujourd'hui à mes étudiants et à mes clients de ne pas copier ce que je fais ou ce que d'autres font, mais plutôt de découvrir ce qui résonne en eux pour créer ce que j'appelle leur propre « ordonnance ». Tout peut alors se mettre en place naturellement.

Au lieu d'obéir aux nombreux « tu devrais » imposés par l'autorité, je commençais à être motivée par l'autodiscipline. En d'autres termes, au lieu de céder à ou de me rebeller contre un pouvoir extérieur, je puisais dans mon pouvoir intérieur authentique. Par exemple, j'avais appris que nous devrions « manger une pomme par jour pour éloigner le docteur ». Souvent, le rebelle en moi méprisait la sagesse de cette pratique - ce qui était une façon de dire non à mes parents ou à mes professeurs. Continuer à agir ainsi à quarante ans est plutôt stupide, mais ne sommes-nous pas tous encore rebelles d'une certaine manière ? Avec cette conscience nouvelle, je choisis de me plier à la règle de manger la pomme. J'embrassai ma liberté de choix par un acte que je savais positif et nourrissant. Maintenant, manger la pomme accroît mon pouvoir parce que je le fais de ma propre volonté et non parce que cela m'est imposé.

Toute l'énergie que je gaspillais auparavant en révolte, puis en justifications, était désormais libre pour m'aider à explorer la simplicité et la magnificence de la vie elle-même. N'ayant plus d'indulgence pour le rebelle en moi, j'appris à ne plus sentir la victime en moi, mais pris conscience de la relation qui existe entre eux (oh, la découverte de la victime ne fut pas un plaisir !).

Je faisais mon travail de conscience quotidien dans une atmosphère de beauté et d'harmonie que je créais autour de moi. Je passais mes journées dans la solitude ou avec les personnes qui m'aimaient et que j'aimais aussi. La félicité et la paix qui en résultaient étaient merveilleuses. J'apprenais à vivre dans la joie simple. Je n'avais jamais vraiment vécu ainsi auparavant. Ma joie avait toujours été dépendante de quelqu'un ou quelque chose en dehors de moi : une relation amoureuse, beaucoup d'argent, des vêtements de luxe ou une belle maison. Mon attitude ayant changé, ma joie n'exigeait rien de plus que ce que j'avais déjà.

L'un des instruments de mon travail de conscience quotidien, la visualisation ou imagerie mentale, fut le résultat d'un « accident ». J'étais en train de pratiquer la méditation Kundalini, une méditation active dans laquelle on s'agite violemment pour atteindre un état de conscience supérieur et une densité physique moindre. Tandis que je sautais sur une musique très rythmée qui a pour but de faciliter le lâcher prise, il y eut une coupure de courant et la musique s'arrêta.

Le silence me surprit et je me figeai. Puis quelque chose de très étrange arriva. Je pus en quelque sorte voir l'intérieur de mon corps, mon foie, mon estomac, mes intestins et mes autres organes. Ils étaient d'une couleur vert jaunâtre de putréfaction. Cette expérience ne dura que quelques instants, mais son impact fut si fort que je dus m'asseoir pour l'assimiler. Choquée par ce que je venais de voir et poussée par mon intuition, je commençai à utiliser l'imagerie mentale pour purifier et régénérer mes organes. Comme j'étais écœurée par l'horrible couleur que j'avais vue, j'imaginais les chutes du Niagara enlevant à grands jets toute cette substance verte de mon foie et mon estomac. Depuis, j'ai entendu des visualisations guidées qui utilisent l'image d'une cascade, mais dans mon cas je savais que seule la terrible puissance des chutes du Niagara pouvait faire ce travail.

Je modifiais ma façon de me nourrir, privilégiant les aliments sains et légers pour nettoyer mon organisme de ses toxines. Comme je l'ai déjà dit, j'étais très laxiste au niveau de mon alimentation. Bien que me considérant comme végétarienne, je mangeais très peu de légumes. Je m'abstenais effectivement de viande, de volaille et de poisson, mais je ne consommais pas non plus la plupart des aliments ayant une valeur nutritionnelle (à mon avis, le café et les baguettes ne peuvent être considérés comme un régime bien équilibré, même à Paris).

Le doux reproche et la guidance concrète que je recevais de mon intuition à propos de ma mauvaise alimentation étaient extrêmement puissants. Je me mis à détester le goût du chocolat, tout en continuant à me l'autoriser encore pendant un temps. Certains de mes clients, anciens alcooliques, sont également passés par cette phase durant leur processus de guérison : tout en ne supportant plus le goût ou l'odeur de l'alcool, ils ne pouvaient cesser de boire. Je crois que cette période de dégoût envers l'objet de notre dépendance est très importante, car elle nous donne l'occasion de prendre pleinement conscience de l'étendue et des conséquences de notre conduite autodestructrice. Elle nous pousse, en disant non à notre dépendance, à dire oui à nous-mêmes et à notre potentiel maximum.

Suivant ma guidance intérieure, j'allai faire un séjour dans une clinique spécialisée dans les cures d'amaigrissement, appelée Health Management. Je commençai, sous surveillance médicale, une diète liquide constituée de poudre de protéines à base de blanc d'œuf et équilibrée en vitamines, minéraux, glucides et lipides. J'y pris plaisir. Elle simplifiait ma relation avec la nourriture. Je n'avais qu'à choisir entre vanille et chocolat, ouvrir une enveloppe et mélanger avec de l'eau. La nourriture devenait tout d'un coup une partie tout à fait insignifiante de ma vie. De toute façon, avais-je le temps de manger ? Mon temps était trop précieux pour moi.

A l'époque, je ne considérais pas mon alimentation comme un moyen de guérison. Guérir du sida était impensable. Je voulais perdre du poids, ramener mon corps à son état naturel de santé et de beauté, afin d'atteindre mon potentiel maximum. Il était trop facile de se gaver de sucreries et de rester au lit toute la journée. Je décidai de ne pas jouer au jeu du « pourquoi moi » et de ne pas me plaindre de la manière dont l'univers avait distribué mes cartes. Je n'avais plus de temps à perdre avec ce type de relâchement. Je voulais seulement me sentir le mieux possible et vivre à mon potentiel maximum.

Je me rends compte maintenant que cette alimentation liquide tint lieu de jeûne pour détoxiquer mon organisme. Je recommande vivement le jeûne à mes clients - sous surveillance médicale stricte - comme moyen de nettoyer et purifier l'organisme de ses poisons. Que ce soit une diète liquide modifiée comme la mienne ou un jeûne avec des jus ou de l'eau, c'est un excellent moyen pour régénérer le corps.

Je n'insisterai jamais assez : il est important qu'un jeûne soit supervisé par un professionnel qualifié car, comme l'organisme se détoxique, cela entraîne généralement diverses réactions. Si le système immunitaire est très affaibli, une détoxication rapide serait trop brutale pour l'organisme. Dans mon cas, mon corps répondit à l'arrêt du sucre, de la caféine et des autres produits chimiques par des gaz et une constipation terribles (ce changement, après des mois de diarrhée, fut le bienvenu). Puis, comme il continuait à se nettoyer, ma respiration prit une odeur âcre et ma peau - notre plus grand organe - vit éclore des boutons : les poisons sortaient par les pores. Les bains de sel et le brossage à sec (en passant une brosse sèche sur le corps pour enlever la peau morte), ainsi que des séances régulières de respiration profonde, contribuèrent au processus de détoxication.

Un autre symptôme courant dont je souffris fut d'intenses maux de tête, résultat du sevrage du sucre. J'eus aussi quelques nausées. Heureusement, mon conseiller en nutrition suivit mes progrès et m'assura que ces signes étaient une réaction normale au jeûne et non des symptômes avancés de ma maladie. En fait, peu après avoir commencé mon travail de conscience quotidien et modifié mon alimentation, je remarquai un changement dans mes symptômes physiques. Ma diarrhée cessa et j'avais davantage d'énergie. Je me sentais mieux que je ne l'avais été depuis très, très longtemps.

Les tâches ménagères, dans la propriété dont je m'occupais, faisaient également partie de mon travail de conscience quotidien. Deux de mes occupations favorites étaient le soin des plantes d'intérieur et la création de beaux arrangements floraux pour mon employeur. Elles me permettaient des contacts enrichissants avec la nature et apportaient beaucoup de joie dans ma vie.

Je me mis également à faire de l'exercice. Au début, je n'arrivais à marcher que quelques minutes. Mais, au lieu de me dire qu'il était malheureux d'être en si mauvaise forme, je me félicitais d'avoir le courage de le faire. Je finis par parcourir six kilomètres par jour : trois sur la plage le matin et trois autres sur les routes de campagne le soir. Je pratiquais aussi le tai-chi sur la plage, ce qui non seulement me centrait, comme une méditation, mais aussi tenait lieu d'exercice d'étirement et de raffermissement pour mes muscles et mes ligaments.

J'aimais prendre soin de moi et, à mon grand étonnement, je n'avais aucune difficulté à trouver du temps pour le faire. L'impression de « faire ce qu'il fallait » créait une légèreté d'être qui me comblait finalement beaucoup plus que le chocolat. Tous les jours, je me réveillais vers six heures du matin, selon le rythme naturel de mon corps. Je m'asseyais sur le toit dominant l'océan pour la méditation au lever du soleil, généralement Nadabrahma, puis je prenais mon petit déjeuner en silence. Ensuite, tranquillement, je m'occupais de mon corps, avec de longues douches et un brossage à sec complet de ma peau. Ce rituel à lui seul me prenait presque une heure et demie.

Cette discipline m'obligeant à avoir l'air en forme était très importante pour moi, car elle me permettait de me sentir bien avec moi-même. Je prenais le temps de m'habiller, de me coiffer, de me maquiller légèrement et d'avoir la meilleure apparence possible. Il me semblait que si j'avais l'air en meilleure santé, je me sentais effectivement en meilleure santé. Aujourd'hui, beaucoup de mes clients suivent cette consigne. Lorsque je rendis visite à un ami cher qui était hospitalisé, il ne portait pas le pyjama de l'hôpital, mais un pantalon d'un rouge tapageur et un T-shirt vert turquoise splendide. Il me dit que c'était de tels détails qui l'aidaient à garder son entrain. Ils lui donnaient aussi l'impression de participer activement à sa guérison et de ne pas être à la merci de l'atmosphère parfois dégradante de l'hôpital. Il est très important de respecter ces petites choses qui nous donnent de la force pour notre voyage de guérison. C'est une simple indication, mais elle a souvent un impact puissant. Plus nous avons l'air d'être bien, mieux nous nous sentons.

Je remarquais que j'abordais tout à fait différemment mes instruments de guérison. Avant, chaque fois que je voulais en apprendre un nouveau, commencer une nouvelle discipline spirituelle ou même un régime, je m'y lançais avec tant de fanatisme qu'il devenait mon seul centre d'intérêt. Au bout d'un moment, bien sûr, les autres aspects de ma vie, comme ma famille ou mon travail, réclamaient mon attention et je finissais par abandonner ; c'était « tout ou rien ». Cette fois-ci, je continuais simplement à mener ma vie, qui comprenait entre autres l'utilisation de mes instruments de conscience quotidiens. Ces instruments n'étaient pas ma vie, ils n'en constituaient qu'une partie.

Après quatre mois de jeûne liquide strict, je me remis à prendre des aliments solides, en m'orientant vers le régime Fit for Life et les combinaisons alimentaires. Ce régime, rendu populaire par les Diamond dans leur livre, *Le Régime Plus,* était basé sur le végétarisme et l'hygiène naturelle. Les principes fondamentaux de la combinaison correcte des aliments reposent sur la manière dont les enzymes digestives réagissent entre elles au cours de la digestion. Les protéines sont acides et les amidons alcalins ; c'est pourquoi ils ne vont pas bien ensemble. La théorie dit que si nous mangeons en même temps un amidon et une protéine (viande et pommes de terre, ou pain et fromage), les enzymes alcalins et acides s'annulent mutuellement. Quand cette neutralisation a lieu dans l'estomac, la nourriture n'est pas bien digérée et notre système digestif ne travaille pas aussi efficacement qu'il le devrait. Pour cette raison, nous ne bénéficions pas pleinement de la valeur nutritionnelle des aliments absorbés.

La reprise de l'alimentation solide fut une nouvelle découverte. Pour la première fois, je mangeais consciemment bien pour améliorer ma santé plutôt que pour tenter de perdre du poids. Ironiquement, la partie vaniteuse en moi fut en extase lorsque que j'eus perdu trente-trois kilos : je me sentais de nouveau belle et sensuelle. Bien que cette idée fût pénible autant qu'excitante, je pensais que, tant qu'à faire, je voulais mourir dans un beau corps (pourquoi pas ?). Je ne me souciais plus des réactions des hommes que j'attirais, ni des problèmes que cela pouvait créer. Je me donnais la permission d'être de nouveau une femme belle et investie de son pouvoir et d'abandonner tout jugement ou toute honte qui auraient pu m'inhiber. L'ancienne peur d'être attirante demeurait, mais je la ressentais sans la laisser m'arrêter. Je commençais à découvrir la joie de voir ma beauté appréciée honnêtement, sans aucune manipulation de ma part.

J'étais ouverte et disponible à la vie telle qu'elle était, au-delà de la réaction et du conditionnement. Je me concentrais simplement sur mon travail de conscience. Au fur et à mesure que mon lien avec la douceur de la nature, la vacuité du silence et les royaumes intérieurs de ma conscience augmentaient, la méditation devenait un état d'être naturel, non un faire. La vie devenait méditation.

Une simple et étonnamment tendre confiance en ma nouvelle vie commençait à se faire jour. En me mettant en tête de liste et en pratiquant mon travail de conscience quotidien, je pouvais abandonner mon besoin de contrôler tous et tout autour de moi et être ouverte à ma vie telle qu'elle était. Je vivais dans l'interrogation et accueillais le mystère de la vie - un mystère qui ne demande pas à être compris, mais vécu.

9

Satori

J'aimais ma nouvelle vie. Elle était très simple, exactement telle que je la voulais. J'avais toujours beaucoup apprécié le moment du réveil, le matin, mais j'éprouvais désormais un véritable sentiment de gratitude. J'étais surtout reconnaissante pour le simple fait d'être en vie.

J'approfondissais mon lien avec le rythme de la nature durant mes longues promenades sur la plage. Chaque jour, je me mettais en harmonie avec la douce énergie de l'océan en donnant une attention totale aux vagues qui s'écrasaient sur la plage ou au vent qui dansait sur les dunes d'un blanc cendré. Cette attention soutenue me forçait à rester consciente de ce que je vivais dans l'instant, au lieu de me perdre à penser « Et si je » et « Si seulement », ce que je faisais trop souvent.

Ma priorité était de marcher sur la plage en méditant. Ces promenades quotidiennes le long de mon océan bien-aimé constituaient une partie essentielle de mon travail de conscience quotidien. Je les appelais mes « promenades vipassana ». Vipassana est une technique de méditation qui nous permet de développer une attention consciente en étant simplement les témoins de nos pensées et de nos actions. Grâce à ces promenades, l'acte de marcher, si ordinaire qu'il m'avait paru évident pendant des années, devenait un moment de communion extraordinaire avec moi-même et avec la nature qui m'entourait. Ma technique consistait à faire un pas à la fois, lentement et consciencieusement, en sentant mon pied se soulever du sable doux, venir progressivement en avant de mon autre pied et se redéposer lentement sur le sable. Je me concentrais intensément sur chaque pas, le subdivisant en de nombreux moments différents. Je dirigeais mon regard vers le bas à un angle de quarante-cinq degrés et faisais plusieurs kilomètres en étant seulement le témoin de ma marche, un instant après l'autre.

Bien que ce fût le milieu de l'hiver, le froid ne me dissuadait pas de faire ma promenade quotidienne sur la plage. J'aime la plage en cette saison, car elle est totalement déserte et très nostalgique. Elle éveille en moi une douce mélancolie que j'accueille volontiers à cause de son parfum exquis. Dans ces moments, j'avais l'impression de draper mon corps nu dans un velours de soie.

Un jour froid et clair de la fin mars, je m'étais bien emmitouflée pour faire ma promenade. La plage, couverte de neige, offrait un aspect réellement magique. Ce n'était pas la première fois que je la voyais ainsi mais, ce jour-là, la lumière était particulière et le ciel d'un bleu intense. Le bruit de la mer était fort et doux en même temps, comme des mots d'amour murmurés dans l'intimité d'un rapport amoureux. J'étais seule, à l'exception d'un groupe de goélands jouant dans le sable recouvert de neige.

En marchant le long de la côte, je prenais de plus en plus conscience de l'infinité de l'océan. J'étais touchée par le caractère unique de chaque vague et en même temps émue par la manière dont chacune se fondait dans l'océan. Là, devant mes yeux, il y avait un exemple parfait d'unité. Je ressentais de plus en plus cette unité entre les vagues et l'océan, si bien que je finis par faire moi-même partie de l'expérience de fusion. J'avais l'impression incroyable de « rentrer chez moi ». J'étais profondément touchée par la scène majestueuse qui se déroulait devant moi. Des larmes de gratitude s'échappaient de mes yeux, comme des gouttes de pluie retournant à la mer.

Tout en marchant, j'écoutais le bruit particulier que font les bottes lorsqu'elles quittent leur empreinte dans la neige fraîche et prenais plaisir à m'enfoncer dans le sol gelé à chaque pas. Dans cet instant parfait, j'étais pleinement consciente du miracle de chaque respiration, ainsi que de la façon magique dont les os et les muscles de mes jambes et de mes chevilles se déplaçaient lorsque je faisais passer mon poids d'un côté à l'autre. Je n'avais jamais ressenti autant de ravissement et de plaisir d'être en vie qu'à ce moment-là. C'était un vrai miracle, bien au-delà de la félicité. C'était simplement une pleine « être-té ».

Chaque pas était le premier et le dernier. J'étais totalement en harmonie avec le rythme de la nature et un profond sentiment de légèreté émanait de l'intérieur de mon être. Je n'avais jamais connu une telle sensation : c'était comme si les limites physiques de mon corps disparaissaient. J'avais l'impression de devenir une avec le vaste espace qui m'entourait. Ma présence se fondait dans la neige, l'océan, le ciel, les oiseaux. Il n'y avait plus de séparation entre moi et la chaleur du soleil, la bise glaciale ou le grondement des vagues. Ma respiration devenait de plus en plus lente et finit par sembler presque suspendue. Il ne restait plus que cette sensation d'absence de limites.

Mon corps s'immobilisa de lui-même et je fis face à l'océan. Je sentais mon unité avec les vagues et mes bras commencèrent à s'élever au-dessus de ma tête, mus par leur propre énergie. Soudain, dans une vision, Osho m'apparut. Jusque-là, je l'avais toujours tenu en très haute estime, ne me considérant que comme son humble disciple, et me rabaissant ainsi subtilement. Cette fois-ci, c'était différent : mon maître bien-aimé m'apparaissait au même niveau que moi et nous nous unissions en une profonde étreinte. Je ne m'étais jamais sentie autant en sécurité et si totalement engagée dans une partie vitale de mon existence que lors de cette rencontre sacrée. Dans un éclair, je compris que les réponses ne se trouvaient pas à l'extérieur de moi, mais qu'elles avaient toujours été en moi.

J'avais l'impression d'être enveloppée d'un confortable duvet et me sentais bien - non pas guérie, mais simplement bien. Cette impression pénétra profondément en moi, me réchauffant et nourrissant chacune de mes cellules.

Lorsque nous avons un aperçu de la perfection de la vie et que nous nous rendons compte qu'elle est beaucoup plus grandiose que nos rêves les plus fous, notre identité individuelle et nos limites personnelles disparaissent. Il ne reste qu'harmonie et amour. L'amour est une « être-té ». Ce n'est pas une chose que nous pouvons nous forcer à faire. Il est notre être propre. Ce n'est pas le sentiment intense engendré par le désir ou la sexualité - avec lesquels il a en fait peu de rapports. A cet instant, je compris qu'il est l'être dans sa totalité, sans séparation. Dans l'amour, la maladie est acceptée comme faisant partie du tout. L'amour est toujours disponible ; nous n'avons qu'à sortir légèrement de nos rails pour lui être ouverts. Il découle de la confiance totale, de l'acceptation et de la reddition à l'unité, quand le « je » disparaît. Il est la fusion ultime.

D'après moi, j'ai vécu ce que l'on connaît sous le nom de satori, mot japonais signifiant « aperçu ». Ce fut en effet un aperçu de ce qu'est la conscience totale. L'espace d'un instant, j'avais vécu dans un état modifié de conscience, un état dans lequel il n'y a aucune question, où il n'y a que la perfection.

Après ce moment de satori, je perdis complètement la notion du temps. Je ne me rappelle plus très bien comment je suis retournée à la maison, ni ce que j'ai fait ensuite. Tout était simplement parfait. Je crois, si je me souviens bien, que j'ai dormi longtemps.

Des années auparavant, j'aurais probablement sauté de joie en croyant avoir atteint l'accomplissement, mais désormais il était clair qu'il n'y avait ni lieu à atteindre ni rien à accomplir. Ce moment fut un sommet ; ensuite, je me retrouvai dans une vallée, mais dans une paix tellement extraordinaire que je me laissais simplement porter par elle. J'étais totalement en paix avec la mort et même avec la souffrance. J'étais réellement prête à accepter la mort au moment où elle viendrait et plus seulement à un niveau intellectuel. Je me réjouissais aussi de ma réunion avec Osho, qui atténuait momentanément la perte que j'avais ressentie à cause de la décision prise par son organisation d'interdire aux personnes séropositives l'entrée à l'ashram.

Cette expérience avait été très forte et en même temps très fragile. J'étais incapable de la raconter à qui que ce fût et j'avais besoin de temps pour l'assimiler. Aujourd'hui encore, j'ai toujours des réticences à en parler à certaines personnes à cause de son caractère ésotérique. Et pourtant, cet aperçu que j'ai eu du sentiment de fusion continue à me toucher lorsque j'y pense. Quelquefois, le seul fait de fermer les yeux me ramène à l'impression produite par cette mystérieuse expérience. La fusion et son contraire, le rejet, auront été le thème de ma vie. Je suis très reconnaissante d'avoir pu connaître ce cadeau qu'est la fusion totale et de découvrir les deux faces d'une même énergie. Ma vie aurait pu s'arrêter à ce moment-là ; cela n'aurait aucune importance. J'avais une impression de parfaite complétude. Je comprenais que les deux faces avaient pour source la même unique lumière. Rien de plus n'était nécessaire. Une confiance inébranlable était désormais enracinée en moi et, à partir de ce jour, je sus qu'il était sans importance que je meure du sida, d'un accident de la route ou de n'importe quoi d'autre. J'étais certaine de mourir consciente et cela me donnait beaucoup de joie. Avec cette certitude, la vie prenait un sens très différent. C'était une porte donnant sur le plus grand des cadeaux : la conscience.

Je me sentais mieux que jamais depuis des années. Mon corps allait parfaitement bien et était superbe ; j'étais plus heureuse que je ne m'étais jamais permis de l'être. Comme tous mes symptômes avaient disparu les uns après les autres et que mon énergie était plus grande et plus disponible qu'elle ne l'avait été depuis des mois, mon intuition me suggéra d'aller me faire faire un autre test. Ce ne fut qu'une idée subite, venant de nulle part, que mon esprit rationnel condamna et à laquelle il résista. Logiquement, un changement aussi « miraculeux » n'était pas possible. Je ne me posais jamais de questions sur mon scénario futur : tôt ou tard, j'aurais le sida lui-même et, quelques mois après, je deviendrais un légume et mourrais. Il n'y avait de place ni pour un changement ni pour un choix, parce que c'était la victime en moi, opposée au guérisseur, qui dirigeait le spectacle. Le fait était indiscutable. Tout comme l'eau bout à 100°, Niro mourra du sida.

Mais mon intuition que cela pouvait ne pas être vrai fut renforcée par mon amie et conseillère Waduda. Elle a des dons de médium et, pendant une séance, m'assura que, d'après elle, la maladie avait quitté mon corps. Ce soir-là, en revenant de New York, je me disais : « Je 'sais' que Waduda a [illegible], mais une partie de moi n'a pas encore le courage de le dire. » Pour moi, l'idée elle-même était une folie totale, le souhait futile de voir un rêve impossible devenir réalité. Je n'avais jamais remis en question la croyance universellement acceptée selon laquelle le sida était fatal. A quoi bon ?

Pourtant la voix insistante du guérisseur en moi répétait fidèlement le message : « Tu vas bien, va refaire un test. » Je l'écoutais encore et encore jusqu'à ce que mon esprit rationnel finisse par abandonner, se disant que je n'avais rien à perdre. Tout en ayant l'impression d'aller vraiment trop loin, je rassemblai tout mon courage et téléphonai pour prendre un nouveau rendez-vous. En réalité, ce n'était pas tant du courage que de l'audace.

En me rendant à la clinique, j'étais très calme, sans attentes bien définies. Je suivais simplement la voix intérieure qui me disait de refaire un test. Pourtant, j'avais derrière la tête une petite lueur d'espoir qu'il puisse être négatif.

A mon entrée dans le bureau de ma conseillère, je savais que je rayonnais. La « pauvre de moi », la victime ne se trouvait nulle part dans la pièce. Ma conseillère m'avoua plus tard avoir été intriguée par mon attitude et s'être demandé si mon cerveau était touché par la maladie ou si je pratiquais « la pensée positive ».

Durant les trois semaines de délai nécessaire pour obtenir les résultats (une amélioration par rapport aux six semaines qu'il avait fallu attendre la fois précédente), je ne pensais même pas à mon test. Je baignais dans une sorte d'exaltation, une confiance sans question en « ce qui est ». Puis ma conseillère m'appela, ce qui est contraire au protocole en raison de l'anonymat, pour me demander de revenir. Lorsque j'arrivai, elle m'invita à m'asseoir et me demanda si je voulais bien refaire un test. J'acceptai que oui, mais demandai pourquoi. Elle m'expliqua que mon dernier sérodiagnostic était négatif ; puisque les tests montraient des résultats discordants, l'un des deux était sûrement faux et ils avaient besoin d'une confirmation.

Mon cœur explosa de joie ! Je le savais : mon corps avait transcendé la maladie. J'avais appris la leçon qu'elle m'avait donnée en vivant dans l'instant, guidée par ma véritable essence ; l'enseignant - la maladie - pouvait donc s'en aller.

Ma conseillère me préleva une nouvelle fois du sang pour le faire tester et me demanda de revenir deux semaines plus tard. Lorsque je revins pour la confirmation « officielle » de ma séronégativité, je me mis immédiatement à la disposition de la communauté médicale. Je ne me considérais pas comme un être à part et si j'étais capable de me guérir, d'autres aussi. Je coopérai pleinement avec les médecins, qui me prélevèrent une bonne quantité de sang, mais malheureusement je n'entendis plus parler d'eux et ne sais donc pas à quoi il leur servit. J'avais été naïve, je le devine, d'avoir cru que l'institution médicale serait ouverte et prête à étudier les solutions alternatives pouvant contribuer à résoudre la crise du sida. J'aurais au moins pu les aider à comprendre une *partie* de la guérison qui pourrait se prêter à l'étude : le lien entre le corps, l'âme et l'esprit.

Ma partie intuitive acceptait le miracle de ma guérison comme un don et j'avais un besoin urgent de partager ce que j'avais appris. Le principe paraissait si simple ! Quand nous vivons véritablement dans le présent, dans l'acceptation de nous-mêmes aussi bien que de notre environnement, des miracles peuvent se produire. J'étais très reconnaissante d'avoir vécu réellement ce que les Maîtres illuminés enseignent depuis le début des temps. Je savais intuitivement que ma guérison était le résultat organique d'une vie menée en harmonie totale avec l'essence même de la vie.

Mon esprit rationnel, de son côté, était complètement dérouté. J'étais paralysée comme après mon premier diagnostic de séropositivité, ayant même du mal à parler de ma guérison. Je l'annonçai timidement à mes amis ce jour-là au repas et, bien sûr, appelai immédiatement mes enfants. Je n'étais pas vraiment surprise, mais n'arrivais pas non plus à être heureuse. J'éprouvais surtout de l'embarras à raconter mon expérience, mais aussi un profond sentiment d'honneur.

Mon guérisseur intérieur me rappela qu'une telle expérience n'est pas personnelle, mais fait partie de l'expérience collective de l'univers. Je n'étais pas libre de la considérer comme allant de soi et de la garder pour moi. Il me fallait la partager afin de faire réfléchir les personnes confrontées au même défi et de les aider à lutter contre le sentiment de fatalité lié au sida. Je ne me posais pas de questions, je n'avais aucune hésitation sur ce que je devais faire, mais je ne sus pas tout de suite comment procéder. Les médecins auxquels j'avais offert mon aide m'avaient ignorée et j'étais trop peu sûre de moi, vu la nouveauté de mon expérience, pour parvenir à m'exprimer face à des gens qui n'étaient pas disposés à m'écouter.

A l'époque, j'étais attachée à la guérison physique et je me rends compte maintenant que j'étais assez exigeante à ce propos, en particulier avec Nado. Comme j'avais très peur de le perdre, j'agissais à certains moments comme si je connaissais toutes les réponses sur la guérison. Je n'avais pas encore compris que l'on pouvait guérir dans la mort ; je suis reconnaissante à Nado de m'avoir ouvert cette porte.

10

Guérir dans la mort

Plusieurs mois après ma guérison, un jour de novembre froid et gris, Nado m'appela et sa voix me parut étrange. Après une période de séparation, nous étions redevenus amis. Ne vivant plus ensemble, nous ne cherchions plus à jouer un rôle ni à remplir quelque attente et nous pouvions donc redécouvrir notre lien différemment. « Bonjour Niro », dit-il, à peine audible. « Désolé de ne pas t'avoir appelée. Je suis à l'hôpital Saint Claire depuis trois semaines. Veux-tu venir me voir ? » Eberluée, je sautai immédiatement dans ma voiture pour me rendre à New York.

Pendant le trajet, j'éprouvai de la panique mêlée à un sentiment d'échec. Je priais Dieu, faisant un marché avec lui en échange de la vie de Nado. « Je promets d'être bonne. S'il te plaît, ne le laisse pas mourir. » Comme un mantra, je répétais sans cesse ma prière. « S'il te plaît, Dieu, ne le laisse pas mourir. Nous n'en avons pas terminé. Nous avons encore tant de choses à partager ! » A ce moment-là, mon amour pour lui effaçait l'amertume et le ressentiment que j'avais pu nourrir contre lui. Soudain, toutes les raisons que nous avions de ne pas être ensemble disparaissaient, comme les voitures qui me dépassaient sur l'autoroute.

Lorsque j'arrivai enfin dans le service du sida à l'hôpital Saint Claire, je fus submergée par l'impression de condamnation qui régnait dans toute cette aile. Sans en être pleinement consciente, je fis à ce moment-là le vœu de changer l'énergie qui entourait le sida, transformant peur et condamnation en espoir et possibilité. Personne ne pouvait guérir au milieu d'une énergie aussi sombre.

En entrant dans la chambre de Nado, je le vis assis dans un fauteuil, le dos vers moi. Il reconnut mon pas et tourna son visage dans ma direction. Je n'étais pas préparée à son aspect de fantôme. Mon cœur battait à tout rompre et j'avais du mal à respirer, comme si j'avais reçu un coup terrible dans l'estomac. Nado avait l'air de sortir d'un camp de concentration. Ses yeux immenses me regardaient du fond de son visage émacié. Je tentai de me calmer et de lui demander ce qui s'était passé, mais j'étais sans voix.

Comme s'il devinait ma question, il commença à m'expliquer que, trois semaines auparavant, il avait perdu connaissance et s'était réveillé dans cette chambre d'hôpital. On lui avait diagnostiqué une pneumonie à Pneumocystis carinii et une toxoplasmose, deux maladies rares mais pourtant courantes chez les malades du sida.

Tout mon conditionnement sur la manière de se comporter dans ce genre de situation s'envola par la fenêtre et des larmes jaillirent de mes yeux. Je ne pus que le prendre dans mes bras, pleurant du plus profond de mon cœur. Je ne supportais pas de voir ce qui avait été un homme fort, brillant et dynamique, réduit à l'ombre de lui-même.

Nous pleurâmes ensemble un moment, puis je sentis une énorme vague de colère monter en moi. J'étais terriblement révoltée par cette fichue maladie qui détruisait mon bien-aimé. Incapable de retenir mes émotions, je me mis à faire les cent pas dans la minuscule chambre. Je bouillais. Nado me regarda en silence, puis il sourit et son sourire se transforma en rire. Me prenant doucement la main, il m'attira à lui et me prit dans ses bras. Caressant mon visage comme il l'avait fait si souvent, il me dit combien mon honnêteté était précieuse pour lui et lui faisait du bien. Presque tout son entourage l'avait renié et il s'était retrouvé très seul. Il se sentait coupé de ses amis et de leurs tentatives forcées pour l'encourager et le réconforter, qui étaient leur façon d'éviter leur propre peur et leur propre malaise face à la mort.

Je lui rendais visite tous les jours. Au début, je lui donnais sans cesse des conseils sur ce qu'il fallait faire, ne pas faire, et pratiquement sur ce qu'il fallait penser. Il les acceptait patiemment, sachant que c'était ma manière de l'aimer. Je voulais tant qu'il aille bien ! Comme on dut le perfuser pour maintenir ses fonctions vitales, la scène devenait chaque jour plus horrible. Les deux parties de moi vivaient la situation à leur manière : d'un côté, mon adulte actuel et le guérisseur intérieur acceptaient calmement ce qui se passait et répondaient de façon créative ; de l'autre, mon enfant intérieur, avec ses nombreux masques de survie, faisait tout ce qu'il pouvait pour éviter le sentiment d'impuissance qui me submergeait chaque fois que j'entrais dans la chambre.

A mesure que son organisme s'affaiblissait, Nado était de plus en plus obsédé par l'idée de sortir de l'hôpital. Bien qu'il reçût les soins appropriés, l'énergie du lieu était tellement étrangère à ses croyances spirituelles et à ses besoins vitaux fondamentaux - et même en si totale opposition avec eux - qu'elle était littéralement en train de le tuer. « Si je reste ici », me prévenait-il, je mourrai bientôt et ce n'est pas ici que je veux mourir. »

Nado rêvait de retourner là où il était né, en Hollande, pour le soixante-dixième anniversaire de son père. Une fête était prévue pour la fin novembre et sa famille tout entière serait présente. Il avait décidé de faire ce voyage plusieurs mois avant son hospitalisation ; c'était une occasion qu'il ne voulait pas manquer car il comptait en profiter pour régler différents problèmes avec son père.

Malheureusement, il était trop mal pour pouvoir quitter l'hôpital immédiatement. Il avait trop de fièvre. Pour qu'il obtienne l'autorisation de sortir, sa température devait être inférieure à 38°. Nous commençâmes donc à nous concentrer sur des techniques de méditation et de visualisation destinées à la faire baisser.

En attendant, nous fixâmes une date pour nous motiver et je fis des réservations d'avion pour deux personnes, puisque j'avais décidé de retourner aussi en Europe. Il fut très ému en apprenant mon intention de faire le voyage avec lui et, saisissant l'occasion, m'affirma avoir fini par comprendre ce que j'entendais par « fusion ». Il m'exprima son étonnement devant la manière dont les choses se passaient entre nous : maintenant qu'il n'y avait plus aucun obstacle à notre relation, elle pouvait nous combler tous les deux. Il n'était plus question de faire des projets d'avenir ou de nous attarder sur le passé, mais de puiser dans la richesse de chaque instant partagé. Nous savions qu'il nous restait très peu de temps à passer ensemble et nous cessâmes donc de différer la pleine expression de notre amour l'un pour l'autre.

Les trois premiers jours de méditation et de visualisation furent magiques. L'organisme de Nado répondit très bien. L'amélioration était également due à des plantes qui lui avaient été envoyées par un guérisseur de Californie. Puis, tout d'un coup, ses symptômes s'aggravèrent sérieusement. Alors que je venais juste de rentrer chez moi après lui avoir rendu visite, je reçus un coup de téléphone de l'hôpital me disant de revenir immédiatement. Le personnel était très préoccupé par la dégradation de son état et craignait qu'il ne passe pas la nuit.

Quand j'arrivai dans sa chambre, il respirait à peine ; chaque souffle semblait lui demander un effort considérable. En le voyant, je craquai. Je demandai à l'infirmière ce qu'on pouvait faire ; elle me répondit qu'ils avaient fait le maximum et qu'il n'y avait plus qu'à attendre. J'essayai de suivre son conseil. Je m'assis près du lit et pris la main de Nado, en me concentrant pour lui donner un maximum de force et de lumière. Je visualisais un clair tunnel de lumière allant de mon cœur vers chacune de ses cellules. J'avais très chaud et sentais une énergie tellement forte me traverser que je ne pouvais rester immobile. Faisant confiance à ce qui allait se passer, je me mis intuitivement à masser ses jambes, qui curieusement étaient froides malgré sa fièvre élevée. Je lui massai ensuite le bras droit, mais ne pus lui masser le gauche, qui était couvert de zona. Je ne m'identifiais plus aux émotions pénibles que je ressentais en voyant son corps tellement abîmé. Je faisais simplement ce qui était à faire. Je le massai entièrement, dans la mesure du possible, le rechargeant en vie et en amour. Il était tellement évident pour moi qu'il avait un besoin énorme de ces caresses aimantes...

Je fis tout ce que je pus pour inonder mon bien-aimé d'amour inconditionnel, puis j'attendis. J'avais dépensé toute mon énergie. Vers cinq heures du matin, il ouvrit les yeux et me sourit. Il demanda doucement quelle heure il était et si nous partions bientôt, comme prévu. Je me mis à rire sans pouvoir m'arrêter, incapable de répondre, et il me regarda sans comprendre mon explosion d'hilarité. Puis il éclata de rire aussi et la vie revint dans ses yeux. Les ombres commencèrent à disparaître de son visage émacié et sa beauté délicate réapparut, sans aucun masque pour la cacher. Je me couchai près de lui et nous nous endormîmes ensemble en nous serrant fort l'un contre l'autre. Je ne savais pas que ce serait la dernière fois.

Le lendemain, nous parlâmes et parlâmes comme jamais auparavant. Il me raconta ses souvenirs d'enfance et le voyage qu'il avait fait lorsqu'il avait quitté l'Indonésie, où il avait grandi, pour rentrer en Hollande, puis finalement partir pour l'Amérique. Il me parla de sa honte à propos de sa bisexualité et de son sentiment de culpabilité de m'avoir transmis le virus. Il me dit qu'il avait fini par comprendre ce que je voulais dire quand je parlais de « l'abandon dans l'amour » ; je me souviens très précisément de ses paroles : « Niro, tu as ouvert la porte de mon cœur. Elle était totalement fermée depuis très longtemps, mais maintenant qu'elle s'est ouverte, elle ne se fermera plus jamais. » C'était tout ce que j'avais besoin d'entendre. Mon cœur aussi était largement ouvert. Rien d'autre n'était nécessaire. A ce moment-là, tout était accompli.

Durant les deux jours qui suivirent, je fis les bagages et préparai notre voyage. Nous discutâmes plusieurs fois par jour pour régler tous les détails. Sa fièvre finit par tomber et sa température se stabilisa autour de 37°.

Pour pouvoir quitter l'hôpital, il devait sortir du bâtiment par ses propres moyens. J'étais très émue en le voyant remonter courageusement le long couloir, appuyé sur une canne. Il était seul. Tout ce que je pouvais faire était de le soutenir moralement. Lentement, régulièrement, il approchait de la porte. Lorqu'il passa enfin le seuil pour retrouver la liberté du monde extérieur, mon ami Vasant le prit dans ses bras et, avec amour, l'aida à s'asseoir sur le siège avant de la voiture.

A l'aéroport, l'équipage se montra très coopératif. Il nous donna une rangée entière de sièges pour que Nado puisse se coucher ; je m'assis devant lui, dans le passage. Durant le vol, il se mit à délirer. Il divaguait, parfois à voix haute, et sa fièvre monta brutalement. J'avais peur que le voyage ne soit trop difficile à supporter pour son organisme affaibli et qu'il meure là, dans l'avion, à des kilomètres de toute assistance médicale. Je me sentais plus impuissante que jamais.

Enfin, ce fut l'atterrissage à Bruxelles, où un fauteuil roulant attendait déjà. Je lui mis son chapeau sur la tête et son écharpe autour du cou pour cacher les lésions du sarcome de Kaposi sur les côtés du visage. Je savais qu'il préférait ne pas effrayer sa famille et que, comme d'habitude, il voulait présenter le mieux possible. Il y réussit : il avait l'air d'un roi sur son trône tandis que je le poussais silencieusement dans son fauteuil roulant.

Nous passâmes les portes après avoir accompli les formalités douanières. Plusieurs personnes de sa famille attendaient. Leurs visages reflétèrent le choc et l'inquiétude lorsqu'ils s'aperçurent que celui qu'ils aimaient, avec ses grands yeux magnifiques dans son visage amaigri, était gravement atteint. Je retournai chercher les bagages pendant que Nado était accaparé par tous ces « étrangers » parlant hollandais. Soudain, c'était moi qui me sentais totalement étrangère.

Presque aussitôt, son frère amena la voiture devant la sortie et y porta les bagages. Nado semblait tellement heureux de parler sa langue maternelle, entouré par sa famille, tandis que je me sentais gênée et mise à l'écart. Je ne savais comment me comporter et me demandais ce que je devais faire. Lorsqu'arriva le moment de nous dire au revoir, nous trouvâmes étrange de nous embrasser ; comme il était assis, je dus me pencher pour déposer un baiser sur sa joue.

Voulant rassurer sa famille sur son état, il refusa l'aide qu'on lui proposait et sortit tout seul de l'aéroport. Il s'appuyait sur sa canne, mais vacillait tellement à chaque pas que j'avais peur qu'il ne tombe. Finalement les portes automatiques s'ouvrirent et, sans regarder derrière lui, il les franchit et monta dans la voiture de son frère. C'est ainsi que Nado sortit de ma vie.

Quelques semaines plus tard, à deux heures du matin, son frère m'appela pour m'annoncer qu'il était mort paisiblement durant son sommeil et que son corps serait incinéré le lendemain, comme il l'avait demandé. Il avait souhaité également qu'on place ma photo sur son cœur, à côté de celle d'Osho, notre maître bien-aimé. Nado mourut en février 1987 - à l'âge de quarante-deux ans, exactement comme il l'avait prédit.

Aujourd'hui, je ressens sa présence vibrante comme une partie importante de ma vie, mais d'une manière tout à fait nouvelle. Le fait de n'avoir pas été présente au moment de sa mort fut un cadeau, car je pus ainsi continuer à le sentir vivant et réel. D'une certaine manière, je n'avais jamais accepté son départ. Une partie de moi croyait toujours qu'il vivait quelque part en Europe et espérait qu'un jour nous serions réunis. Ecrire ces pages m'a permis de renoncer enfin à ce rêve et de clore ce chapitre de ma vie. C'est le passé et il n'existe plus. Il ne subsite dans le présent qu'un profond sentiment de gratitude pour le voyage que nous avons fait ensemble et pour le cadeau que fut notre relation.

11

Un nouveau but

Les informations négatives sur le sida faisant encore les grands titres des journaux, je savais qu'il était urgent de rendre mon histoire publique. Je devais tenir ma promesse. La première étape fut la création d'un cours de dix semaines spécialement destiné aux personnes séropositives atteintes de sida. Le principe était très simple. Le groupe était ouvert à dix participants ; il se réunissait une fois par semaine pendant trois heures pour méditer, explorer les procédés d'autoguérison et parler du voyage de guérison. Chaque participant me voyait également une fois par semaine, pour une séance individuelle de thérapie, afin d'assimiler le travail de groupe et explorer un aspect psychologique plus personnel du voyage. J'organisais le cours ainsi parce je trouve le travail personnel en séance individuelle aussi important que la possibilité de se recharger au sein d'un groupe. Je ne basais pas mon cours sur une approche thérapeutique traditionnelle, mais plutôt sur l'acceptation, la reconnaissance, le respect et surtout l'amour, que je considère comme le meilleur remède qui existe.

Je fus invitée à parler devant un petit groupe de soutien pour personnes atteintes du sida, à Manhattan. La réaction des hommes présents fut très belle. Plusieurs m'appelèrent le lendemain et me remercièrent pour le rayon d'espoir et de lumière que j'avais apporté dans leur vie. Ils étaient très reconnaissants d'avoir enfin pu vérifier ce qu'ils savaient intuitivement, c'est-à-dire que le sida n'est pas fatal à cent pour cent, comme les médias et la communauté médicale voudraient nous le faire croire. J'avais l'impression que toute ma vie avait été une préparation à cette tâche : partager mon expérience avec des gens prêts à s'en inspirer et à intégrer la guérison dans leur vie.

Comme mon programme n'avait pas encore de nom, un de mes clients atteint de sida eut une idée. Je lui avais dit que je voulais un titre comprenant les mots « autoguérison » et « sida ». Cette nuit-là, dans un demi-sommeil, il lui vint le nom d'Expérience d'Autoguérison en Rapport avec le Sida (Self Healing AIDS-Related Experience, qui avait pour acronyme S.H.A.R.E., c'est-à-dire Partager). Ce titre résonna fortement en moi. La seule modification que j'apportai fut de remplacer le mot expérience par expérimentation, parce qu'il correspondait davantage à la réalité. Nous créâmes ensuite une association à but non lucratif portant le titre officiel de Fondation pour l'Expérimentation de l'Autoguérison en Rapport avec le Sida.

Le premier cours de dix semaines débuta en septembre 1987, avec cinq participants séropositifs. A l'heure où j'écris ce livre, ils sont toujours asymptomatiques et se sont mis au service de la communauté des malades du sida en faisant du travail bénévole. A partir de là, le programme de dix semaines crut organiquement et j'étais plus heureuse que jamais dans ma vie. Mais, selon mon habitude, je me surchargeais de travail et me laissais déborder par les demandes de rendez-vous ; c'était de la folie. Une partie de ma tâche consistait à rendre visite aux patients hospitalisés et je trouvais extrêmement difficile de dire non à quelqu'un dans cette situation. Je voulais aussi établir une relation très profonde et intime avec chacun des participants. Résultat : je vivais, dormais et même rêvais S.H.A.R.E. Là encore, je devais apprendre à établir de nouvelles limites, ce qui était dur car l'épidémie entraînait un véritable état d'urgence.

Pour me recharger et rester centrée, je participais à des séminaires dirigés par mon cher professeur et ami Amitabh. J'étais tellement impressionnée par la manière dont Amitabh travaillait avec les gens, les aidant à aller au-delà de leurs peurs pour passer à l'étape suivante, que je lui proposai d'encadrer avec moi le cours de dix semaines. Il accepta avec enthousiasme et trouva immédiatement un titre - « Qui guérit ? » - pour ce nouveau séminaire commun. La fondation continuait à se développer, touchant même la côte ouest.

Très souvent, découragée et envahie par le doute, je me sentais totalement submergée par les dimensions de ma tâche, mais ma voix intérieure de l'intégrité continuait à me montrer le chemin. Après trois ans de séminaires à travers les Etats-Unis et l'Europe, il devient clair pour moi que ce que je crée ainsi est un espace offrant suffisamment de sécurité pour que les gens puissent se relier à leur propre spiritualité et à leur famille spirituelle. Je n'entends pas « spirituel » dans le sens de religion ou de dogme, je parle de la puissante aspiration naturelle de l'âme à connaître l'amour et à en être emplie. Pour moi, c'est là l'essence de la guérison.

Aujourd'hui, le projet le plus cher à mon cœur est la création d'un centre résidentiel de guérison et de méditation. Ce serait un lieu où nous pourrions choisir de vivre et de mourir consciemment, guidés par ce que nous savons dans notre cœur. J'ai déjà fondé la Maison de la Guérison à East Hampton, New York, qui représente une première étape dans la réalisation de cette vision.

Depuis ma guérison, j'ai eu le privilège de partager mon expérience avec des centaines de personnes dans le monde.

Je n'ai pas de mots pour décrire l'inspiration, l'amour et le respect que j'ai reçus en retour. Je serai toujours pleine de gratitude pour la beauté et les prises de conscience, ainsi que pour la lumière qui brille dans chacune de nos réunions et nous guide pour que nous continuions le voyage... malgré notre mental.

2

LES LECONS D'UN VOYAGE

12

Notre appel au réveil

Réjouissez-vous de vos pouvoirs intérieurs, car ils sont les sources de la perfection et de la sainteté en vous.

Hippocrate

Quand la vie nous lance le défi d'une maladie potentiellement mortelle, notre instinct nous dit de guérir. C'est une évidence. Pourquoi nous est-il alors si difficile de puiser dans notre énergie de guérison ?

Comme nous ne sommes généralement pas à l'écoute de nous-mêmes et de notre organisme, notre capacité à entendre le message envoyé par notre corps est réduite. Plus nous nous « civilisons » et nous nous éloignons du flux naturel de la vie, plus nos pouvoirs de guérison sont négligés et s'évanouissent. Nous nous reposons de plus en plus sur les suppresseurs de symptômes « magiques » de la médecine moderne. Depuis des siècles, nous abandonnons nos pouvoirs de guérison au sorcier, à l'homme-médecine, au médecin. Nous nous endormons et perdons notre capacité à écouter notre corps ; sans nous en rendre compte, nous oublions que nous sommes responsables de la disharmonie entre nos moi physique, émotionnel, mental et spirituel.

Quand nous souffrons physiquement, nous voulons que notre maladie disparaisse le plus vite possible et sommes prêts à nous soumettre aux traitements les plus extrêmes pour nous débarrasser des symptômes. Dans notre société, nous avons nié le pouvoir accompagnant l'acceptation du message parfois pénible que nous envoie notre corps et qui nous incite à changer. En traitant exclusivement les symptômes, nous ne faisons que masquer le problème qui les a produits.

Un client me disait récemment qu'il avait l'impression de comprendre enfin le cœur de mon enseignement. **Pour résumer dans ses propres termes : le processus de guérison ne consiste pas à chercher des résultats ; il s'agit plutôt de vivre le plus pleinement possible et de traiter les problèmes qui sont à l'origine de la maladie.** Il me disait qu'il avait mal employé sa précieuse énergie à se faire du souci et à se focaliser sur la guérison des symptômes, ce qui avait eu pour seul effet de les aggraver. En travaillant sur ses problèmes cruciaux de culpabilité et de honte et en abandonnant son attachement aux résultats, il avait commencé à apprécier la vie telle qu'elle était. Il empêchait la souffrance de devenir chronique en acceptant les moments pénibles et en laissant l'énergie se libérer.

Il m'est facile de raconter en détail mon expérience personnelle de la guérison. Mais si quelqu'un veut réellement saisir l'essence même de celle-ci, il lui faut beaucoup de volonté. Je rencontre généralement de la curiosité, mais rarement un engagement total. Pourquoi ? Tous les malades ont un désir authentique de se débarrasser de la maladie ; ils disent qu'ils feraient n'importe quoi pour guérir, mais quand je les invite à pratiquer tous les jours un certain exercice, leur intérêt s'émousse rapidement. Quand ils commencent à examiner leur vie pour découvrir la source de leur maladie et que cela devient trop inconfortable, ils trouvent n'importe quelle excuse pour arrêter. J'ai même rencontré des gens qui connaissent l'origine de leur maladie, mais n'en tiennent pas compte : ils aiment mieux s'empoisonner pour supprimer les symptômes plutôt que de modifier l'attitude ou le comportement qui a contribué à les créer.

Le docteur Bernie Siegel, chirurgien célèbre et auteur du best-seller *L'Amour, la Médecine et les Miracles*, dit dans son livre que la majorité des cancéreux préfèrent subir une grosse opération sous anesthésie générale plutôt que prendre leur vie en main. Ils aiment mieux « passer sur le billard » que changer d'alimentation, renoncer à leur dépendance et faire davantage d'exercice.

Ainsi, même si nous connaissons ce qui doit être guéri dans notre vie et que notre intuition nous pousse à prendre les mesures correspondantes, nous employons notre énergie à trouver des raisons de ne pas le faire. Pourquoi une telle attitude ?

A cause de la peur : celle de souffrir et celle de mourir. Quand nous différons notre confrontation avec notre peur et notre malaise, nous laissons échapper une occasion de prendre la responsabilité de notre vie. Le mental, comme une balle de ping-pong, rebondit entre deux croyances opposées à propos de notre état et fait des ravages en nous.

UN : La situation est inconfortable et, très bientôt, elle risque de devenir pénible. Il faut que je fasse quelque chose pour éviter la souffrance.

DEUX : Si je change d'attitude ou de comportement, cela me semblera bizarre et inconfortable - et peut-être effrayant aussi, parce que je n'y suis pas habitué.

UN : Oh, oh ! Voilà de nouveau la souffrance et de l'inconfort ! Je peux peut-être remettre cela à plus tard...

Nous employons notre créativité pour fuir. Notre corps nous envoie des signaux, mais au début, tant qu'ils sont discrets, nous ne les écoutons pas. Nous ignorons le message et, prenant notre besoin de repos et de récupération pour une faiblesse, nous continuons à forcer notre organisme, à travailler, à sortir, jusqu'à finalement obliger notre corps à tomber gravement malade.

Lorque Julian apprit qu'il était séropositif, il était gros fumeur et gros mangeur. Il suivait des régimes, méditait, lisait tous les livres sur les moyens de se guérir par soi-même et faisait de grands efforts pour s'occuper de lui. Mais il ne cessait ni de fumer ni de manger, comme s'il oubliait totalement les conséquences de ces habitudes sur un système immunitaire fragilisé. Bien que faisant de plus en plus d'exercices, de méditation et de travail sur lui, il éprouvait encore davantage de colère, de ressentiment et de tristesse, ce qui était à l'opposé de ses attentes. Arrivé à un certain point, il fut obligé de voir qu'il omettait l'essentiel et que le prix qu'il payait pour cela au niveau de sa vie et de son bien-être était élevé.

Je l'invitai à cesser de fumer, non par simple volonté, mais en entrant totalement dans l'acte de fumer, avec toute sa conscience et en observant exactement ce qu'il ressentait. D'abord il découvrit qu'il lui était difficile de fumer en étant pleinement conscient de ce qu'il faisait ; puis il se rendit compte qu'il n'aimait pas vraiment le goût du tabac ou de la marijuana, ni l'effet qu'ils avaient sur lui, mais que son comportement n'était qu'une habitude basée sur le souvenir du bien-être et de la détente que lui procurait le fait de fumer. En outre, il n'arrivait même plus à retrouver ces impressions.

Puis il comprit qu'il n'était pas nécessaire de persévérer, uniquement par habitude, dans un comportement qu'il n'appréciait pas. Il avait l'impression d'être devenu une machine qu'il ne contrôlait plus. Pour retrouver ce contrôle, il dut confronter les émotions qu'il avait toujours essayé d'éviter en fumant - la colère et la tristesse principalement - et ce fut un moment pénible pour lui. Mais la sensation nouvelle de « nettoyage » et le sentiment d'être responsable de sa vie finirent par lui donner la force de réussir. Après avoir essayé de nombreux traitements pendant plus de douze ans, Julian cessa de fumer en moins de trois semaines.

Une autre peur, dans laquelle réside la source majeure des maladies, est la peur de vivre associée au désir inconscient de mourir. Nombre de mes clients parviennent à reconnaître honnêtement qu'ils ne veulent pas d'une vie inutile et sans but, mais comme ils ont peur de changer, ils perdent cette nouvelle compréhension en essayant de se justifier et de rationaliser le fait qu'ils ne guérissent pas.

Un défi mettant la vie en danger est l'occasion de regarder en face le caractère inéluctable de notre mort et nous ne pouvons y échapper. C'est une ouverture à une façon totalement nouvelle de vivre dans l'instant qui nous fait changer immédiatement de niveau de conscience. Bien que la maladie paraisse destructrice sur le plan physique, elle nous offre une occasion d'abandonner tout ce qui est faux en nous. Quand nous nous autorisons à dire oui à nos sentiments véritables, nous pouvons abandonner la maladie et guérir - en vivant ou en mourant. La leçon a été apprise.

Si nous ne sommes pas capables de contrôler l'évolution d'une maladie dans notre organisme, nous pouvons au moins décider d'améliorer la qualité de notre vie et de traiter différemment nos symptômes physiques. Quand j'ai appris le résultat de mon test, j'ai compris dans un éclair que ma vie avait totalement changé. J'étais pressée par le temps, par une date limite, et je ne pouvais plus remettre à plus tard. Je me mis à faire ce qui était absolument nécessaire :

- me mettre en tête de liste,
- vivre dans le présent,
- vivre totalement,
- vivre dans la gratitude,
- abandonner la culpabilité et la négation de moi-même, subtiles mais paralysantes, qui m'empêchaient de connaître la paix et l'harmonie.

C'était peut-être simple, mais certainement pas facile. C'est parce que j'ai changé d'attitude face à la vie - je le sais dans mon cœur - que j'ai pu guérir dans tout mon être et donc dans mon corps physique. Encore une fois, lorsque la leçon est apprise, l'enseignant a atteint son but et peut s'en aller.

Ceux parmi vous qui interpréteront ma guérison comme quelque chose que j'ai fait - du type « Niro s'est *guérie elle-même* du sida » - passeront à côté de ce que j'ai à transmettre. Ce n'est pas quelque chose que j'ai *fait*. Il s'agissait d'une permission, d'une reddition à la réalité du fait que j'étais mortelle, et rien ne fut fait qu'un changement qualitatif de ma vie à partir de ce niveau de conscience nouveau. *La guérison physique se produisit en prime*. Elle fut le résultat d'un abandon et non du contrôle de mon corps.

Rappelez-vous que guérir n'est pas un faire, mais une permission. C'est une porte ouverte à une autre dimension de la vie. La clé de cette porte est la souffrance. C'est une opportunité de rencontrer la partie de nous-mêmes dont nous ignorions l'existence. Le chemin de la guérison est une ouverture à la méditation. La maladie est l'instrument qui nous maintient éveillés et la voie vers notre potentiel maximum, une occasion de devenir ce que Bernie Siegel appelle un « patient exceptionnel », c'est-à-dire un individu qui utilise son diagnostic comme un tremplin vers une façon de vivre totalement nouvelle. La vie devient la célébration de chaque instant comme d'un don et n'est plus perçue comme une ennemie. La guérison est, à travers des tempêtes intérieures de confusion et de doute, un voyage vers le silence intérieur. C'est dans ce silence que nous rencontrons le guérisseur intérieur et pouvons accueillir la sagesse de notre cœur.

Mon voyage de guérison fut tissé d'honnêteté envers moi-même. Grâce à lui, je découvris une nouvelle forme de liberté en laissant tomber toutes mes prétentions - y compris celle de ne pas en avoir. Ce fut une communion à la fois délicieuse et douloureuse avec moi-même. Je finis par prendre en considération ces fragments de moi que j'avais jugés inacceptables et par les reconnaître comme faisant partie de moi. Je dis oui à la danse entre l'être magnifique, puissant et divin que je suis, et le survivant désespéré, qui a peur et veut tout contrôler, que je suis aussi.

Je vais partager avec vous les leçons que j'ai apprises au cours de mon voyage, pour vous aider à découvrir ce dont vous disposez pour le vôtre. Je vous invite à prendre pour vrai ce qui résonne en vous et à laisser le reste. N'essayez pas d'aller contre votre *vérité* pour obtenir des résultats. Ceux-ci évolueront au fur et à mesure que vous reprendrez votre pouvoir et que vous ferez confiance à ce qui résonne en vous.

Nous allons explorer notre « non » à toutes nos émotions cachées comme la colère, le désespoir et la peur, y compris notre terreur de la souffrance physique. Nous examinerons notre incapacité à exprimer nos besoins ou nos sentiments réels, afin de nous rendre disponibles à notre « oui » et à la sagesse de notre voix intérieure.

Nous allons découvrir que nous avons tendance à percevoir notre environnement comme un univers fait de polarités extrêmes, un monde de « ou bien - ou bien », alors qu'un espace existe entre les deux. Par exemple, en regardant un verre d'eau, certaines personnes le voient à moitié plein et d'autres à moitié vide. Je le vois simultanément à moitié plein *et* à moitié vide. Voir les deux aspects d'une chose, c'est être conscient de la totalité, c'est dépasser le concept de « ou bien - ou bien ». Dans cet état de complétude, la guérison est possible ; nous nous rappelons ce que nous sommes réellement, nous acceptons le bon avec le mauvais et reconnaissons que nous en savons davantage sur notre guérison que n'importe quel thérapeute, médecin ou spécialiste.

Prévoyez, parmi vos instruments de guérison, un journal que vous rangerez dans un endroit sûr, mais facilement accessible. Ce journal aura deux fonctions. D'abord il sera le lieu où vous noterez vos pensées, vos sentiments, vos rêves et tout ce qui vous paraîtra important dans votre progression, jour après jour. Gardez votre journal avec vous, surtout au travail, où les stress sont fréquents et les peurs réactivées. Considérez-le comme un partenaire silencieux acceptant tous vos sentiments de peur, de frustration et de tristesse afin de vous libérer de ces émotions négatives.

La seconde fonction de votre journal sera de servir de partenaire passif pour les procédés de découverte de soi-même décrits dans ces pages. Certains de ces procédés, très simples, consistent à faire la liste de tous les choix ou « ingrédients » dont vous disposez. Une fois que vous avez écrit ceux-ci noir sur blanc, ils cessent de tourner en rond dans votre tête et vous paraissent plus clairs et plus simples. Je vous conseillerai également d'établir une « ordonnance » en vue de votre guérison et de mettre au point votre propre travail de conscience quotidien.

Employez votre créativité à décorer la couverture de votre journal et à le personnaliser. Qu'il soit bien à vous et rien qu'à vous. Souvenez-vous, il est sacré et privé. Ne le faites lire à personne. Il a une énergie très particulière. Ne le partagez pas avec qui que ce soit, jusqu'au jour où vous aurez assez de confiance en vous pour vous révéler pleinement.

La guérison est un voyage très personnel, surtout au début. A ce stade, des changements de comportement drastiques sont absolument nécessaires, mais ils représentent souvent une menace pour notre entourage. Nous nous apercevons parfois avec regret que, même si nos proches nous aiment, ils ont quantité d'idées préconçues sur ce que nous devrions faire et ne pas faire et sur ce que nous devrions être. Ils risquent de se sentir menacés par nos nouvelles attitudes et de tenter de nous contrôler par des conseils truffés de bonnes intentions. Ne parlez de votre journal qu'à des personnes ayant la même démarche que vous et capables de comprendre ce que vous vivez - par exemple, celles avec qui vous vous sentez en harmonie dans des cercles de guérison, des réunions du programme en douze étapes et des groupes de soutien.

Votre journal reflétera concrètement les progrès rapides que vous ferez à partir du moment où vous entamerez votre voyage de guérison. Si vous ne l'avez pas encore fait, je vous invite à vous arrêter un moment, à fermer les yeux et à prendre envers vous-même l'engagement de participer pleinement à ces procédés, grâce auxquels vous pourrez accéder à votre guérisseur intérieur.

Guérir, c'est découvrir qui vous êtes à chaque instant et dire oui à cet être, sans essayer de changer quoi que ce soit. Le changement survient de lui-même si nous lui laissons le champ libre. Pour guérir, nous devons avoir le courage d'abandonner les décisions prises alors que nous en étions encore à découvrir les comportements de nos proches et à les apprendre - décisions qui viennent de notre besoin de survivre - et d'ouvrir la porte à la question de l'inconnu. En nous vidant de nos émotions refoulées, de notre conditionnement ancien et de nos pensées limitées, nous nous rendons disponibles à la guidance du guérisseur intérieur. Je vous invite à vous ouvrir pour accueillir le message de votre appel au réveil et à commencer à le vivre dès aujourd'hui.

13

L'énergie

Quand l'énergie coule, déborde, sans aucune motivation, elle devient délice. C'est le moment où vous avez commencé à vous déverser en Dieu. Et au moment où vous commencez à vous déverser en Dieu, Dieu commence à se déverser en vous. Les deux mouvements sont simultanés.

William Blake

Dans l'univers où nous vivons, tout est énergie. Il y a une énergie très dense et solide - comme notre corps physique, un arbre ou un rocher. Une autre énergie, un peu moins dense, se manifeste sous forme liquide, comme l'océan, la pluie ou le sang qui coule dans nos veines. Enfin, une vibration d'énergie plus fine, se trouve à l'état gazeux et peut être visible, comme les nuages ou la fumée, ou invisible, comme l'oxygène, l'azote et tous les autres gaz invisibles.

L'énergie est partiellement définie dans le dictionnaire comme « force permettant d'entrer en action » ou « force et puissance utilisées pour produire un résultat ». A un certain niveau, elle est simplement cela. Lorsque nous sommes fatigués, nous disons souvent : « Je n'ai pas l'énergie » de m'atteler à la tâche. Ou bien, avant de nous attaquer à quelque chose de difficile, nous pensons : « Il ne faut pas que je gaspille mon énergie. » Einstein élargit cette définition lorsqu'il comprit que toute matière est énergie. Même un rocher est de l'énergie pulsante suivant le cycle universel de contraction et d'expansion.

Nous reconnaissons aisément la plupart des formes d'énergie existant dans la dimension physique, mais nous réagissons et répondons aussi en permanence à des formes plus éthérées d'énergie. Nous pouvons les ressentir même si elles ne sont pas physiquement concrètes. Les émotions, par exemple, sont de l'énergie éthérée qui produit des réactions en nous : nous n'avons pas besoin du langage pour savoir si une personne à côté de nous est tendue ou décontractée, en colère ou contente. De nos jours, on parle sans cesse d'énergie : énergie de guérison, énergie d'amour, énergie psychique, énergies positive et négative... Certains concepts et termes que j'utiliserai seront peut-être nouveaux pour certains d'entre vous ; j'essayerai donc d'être aussi claire que possible, mais je ne ferai que vous rappeler ce que vous savez déjà à un autre « niveau d'énergie ».

Se relier à son énergie

Essayez cet exercice pour percevoir consciemment la pulsation de votre propre énergie. Secouez une de vos mains pendant une minute, aussi fort et aussi vite que vous le pouvez, puis cessez brusquement et soyez attentif à ce que vous ressentez au niveau de cette main. Allez-y, essayez.

Que ressentez-vous ? Votre main vous paraît probablement très grande et très vivante. Maintenant, imaginez ce que vous ressentiriez si vous faisiez la même chose avec tout votre corps. En secouant vigoureusement celui-ci pendant quinze minutes, les yeux fermés, vous ressentiriez au maximum votre énergie physique. Cet exercice est en fait la première étape de la méditation Kundalini conçue par Osho pour l'homme occidental moderne, que j'enseigne dans mes séminaires. « Energie de la kundalini » signifie « énergie de la force de vie » ; à travers les âges, de nombreux maîtres ont élaboré diverses techniques de yoga et de méditation pour nous permettre d'entrer en contact avec elle. Ce contact avec notre force de vie est extraordinaire parce que, grâce à lui, nous nous apercevons que nous sommes beaucoup plus puissants que notre maladie.

Pour comprendre la manière dont agit l'énergie, prenons pour l'instant comme hypothèse qu'elle se déplace suivant un schéma circulaire, verticalement ou horizontalement. Nous voyons ce phénomène partout dans le monde physique, dans la vie d'un arbre par exemple : une graine est plantée, elle grandit, devient un arbre qui fleurit, puis la graine tombe de l'arbre et retourne à la terre. C'est le cycle de la vie et de la mort.

Endiguer son énergie

Nous, les êtres humains, sommes d'étranges animaux : nous croyons pouvoir contrôler le cercle de l'énergie qui se dirige vers nous et sort de nous. Mais si nous essayons de contrôler l'énergie, nous la déformons. Par exemple, si de l'énergie positive ou négative est dirigée vers nous, elle nous affecte positivement ou négativement, puis continue simplement à se déplacer. Telle est sa nature. Mais si nous tentons de la contrôler, elle peut devenir nocive pour nous, parce qu'en raidissant notre corps, nous la retenons à l'intérieur. Quand nous sommes tendus, nous sommes sur la défensive, nous attendant au pire. La guérison nécessite la détente du corps et de l'esprit. Lorsque nous laissons l'énergie dirigée vers nous nous traverser, sans lui résister ni la contrôler, elle ne nous affecte pas autant, qu'elle soit positive ou négative.

En abandonnant le contrôle, nous devenons un canal pour le flot d'énergie, qui est comparable à une rivière s'écoulant constamment à travers nous. Si nous contrôlons ou réprimons ce flot, nous créons un barrage et la rivière se transforme en un marécage stagnant. Cette énergie réprimée s'installe en nous, mais continue à essayer de sortir. Si les voies d'évacuation normales ont été condamnées, elle peut finir par s'échapper à travers la peau grâce, par exemple, à une éruption, un zona ou une tumeur cancéreuse.

Quand Sally commença mon cours de dix semaines, elle était dans un fauteuil roulant ou marchait parfois avec des cannes. A la dernière session, à East Hampton, elle sautait par-dessus les vagues.

Dans un groupe de soutien, deux ans plus tard, je remarquai que, bien qu'étant très touchée par ce qui se passait dans la pièce et en elle-même, elle était assise dans une position tendue, la mâchoire serrée. Je voyais qu'elle souffrait de nouveau beaucoup physiquement et que marcher lui demandait de gros efforts.

Quand je lui demandai comment elle allait, elle me répondit d'une voix plaintive qu'elle était épuisée par les émotions. Je lui rappelai simplement que c'était peut-être l'inverse : c'était le fait de contrôler ses émotions qui l'épuisait. Elle rit et dit :

« J'avais de nouveau oublié. » Elle se transforma sous nos yeux et en moins de cinq minutes, toutes ses douleurs dans les jambes avaient disparu - elle avait libéré l'énergie qui y était bloquée. Il faut parfois plusieurs rappels pour créer un nouveau comportement, ne l'oubliez pas.

La guérison est un pur flot d'énergie lumineuse. C'est l'équilibre harmonieux de l'énergie, au-delà du contrôle et du jugement, au-delà de ce que nous aimons et de ce que nous n'aimons pas. Grâce à l'énergie de guérison, nous sentons que tous nos sens sont en éveil, que notre conscience s'élargit. Tant que notre énergie vibre puissamment à travers nous, il n'y a ni fin ni commencement. Elle est toujours à notre disposition. Cet état d'équilibre harmonieux est ce que nous sommes venus apprendre à ce stade de notre évolution.

L'énergie créatrice de l'âme

Quand notre énergie est équilibrée, elle est créative. Quand elle est déséquilibrée, elle est réactive. L'énergie réactive est la réponse de notre mental au conditionnement du passé. L'énergie créative apparaît quand nous nous concentrons sur ce qui se passe maintenant. Quand nous nous harmonisons avec notre énergie créative, nous nous harmonisons avec l'énergie de l'âme.

L'âme est hors du temps, au contraire du mental, qui est limité par le temps. C'est dans l'énergie de l'âme que nous sommes tous un, que nos identités individuelles disparaissent pour faire apparaître notre unicité. C'est dans cette énergie que nous pouvons non seulement fusionner et accepter ce qui est, mais aussi guérir car là, comme par magie, notre corps physique répond.

Pour comprendre ce processus, il faut comprendre d'abord le processus créatif. La vie physique commence par une pensée, une image mentale ou une idée. Cette pensée devient l'impulsion créatrice de l'objet physique. Elle est ensuite renforcée par une attitude émotionnelle qui pousse l'idée à entrer en action. C'est cette action qui porte la pensée dans la réalité du monde physique.

On trouve dans les arts une merveilleuse métaphore de ce processus créateur. Un artiste ou un musicien est divinement inspiré par une idée, qui semble venir de nulle part ou de ce qu'on appelle parfois les « éthers ». Il fait alors passer l'idée à travers le filtre de sa passion personnelle, qui le pousse à manifester son inspiration sur le plan physique. Des heures et des heures de dur labeur ont pour résultat la création d'un magnifique tableau ou d'une belle composition musicale. L'artiste a littéralement canalisé la beauté depuis les royaumes célestes éthérés jusque dans la dimension terrestre physique.

Il en est de même pour les scientifiques et les inventeurs, qui souvent travaillent uniquement à partir d'une inspiration ou d'une intuition. Notre conscience collective allant en s'élargissant, nous apprenons à comprendre et à utiliser l'énergie comme un instrument de progrès. Les réalisations scientifiques de ce seul siècle sont fantastiques. Des outils de communication, qui envoient par satellites nos voix et nos images à l'autre bout de la planète, nous aident à unifier le monde. L'exploration de l'espace extérieur et de l'espace intérieur nous aide à comprendre ce que nous sommes en tant qu'êtres et comment nous nous intégrons à un cadre plus grand. Tout en continuant notre apprentissage dans la maîtrise de l'énergie via l'énergie atomique, la haute technologie, les ordinateurs et les lasers - nous devons garder à l'esprit que cette énergie peut être utilisée pour tuer ou pour guérir. Il nous appartient de choisir.

L'énergie mal employée et la maladie

La maladie suit, elle aussi, le schéma de la manifestation physique. Au départ, c'est une pensée, qui l'individualise à partir de la totalité de l'esprit. Cette pensée est ensuite « nourrie » par les émotions négatives telles que la peur, le ressentiment, la culpabilité et le désir, qui donnent à la maladie la force de se manifester. Les émotions ont un effet d'autant plus important sur le corps physique qu'elles sont refoulées, car l'énergie est alors bloquée et la force de vie incapable de suivre son cycle naturel de contraction et d'expansion. Quand les symptômes physiques apparaissent, ils ne sont pas les premiers signes de la maladie, comme le croient certains, mais les derniers signaux d'avertissement d'un processus qui a débuté beaucoup plus tôt.

C'est parce que notre corps fonctionne parfaitement bien qu'une maladie se développe. Quand nous sommes malades, notre organisme ne fait que répondre aux pensées et aux décisions malsaines que nous retenons ou réprimons dans notre mental, alors que nous l'accusons habituellement de mal fonctionner. Mais nous regardons rarement ce qui est à l'origine de la maladie : la négligence, les abus et les mauvais traitements auxquels nous le soumettons.

La santé est un état d'être naturel. Elle s'épanouit quand notre énergie s'écoule en suivant son équilibre harmonieux spontané. C'est pourquoi, quand nous sommes confrontés à une maladie physique, il est vital de libérer les émotions refoulées et de retourner à la source, à la pensée ou à la décision qui a « inspiré » la manifestation physique de cette maladie. Des affirmations comme « Je ne suis pas digne » ou « La vie est un combat » donnent le ton à toute notre vie. Une culpabilité profondément ancrée par rapport à la sexualité, par exemple, peut conduire à un schéma d'excès et de punition, qui risque de se manifester physiquement par une maladie sexuellement transmissible comme l'herpès ou le sida.

Les scientifiques et les médecins commencent enfin à reconnaître l'importance du lien corps-esprit pour la guérison et la maladie, en particulier dans la discipline scientifique nommée psychoneuroimmunologie, décrite dans le livre de Léon Renard, *Le Cancer apprivoisé*. La négation du lien entre notre corps physique d'une part et nos pensées et nos émotions d'autre part a engendré la monstrueuse industrie médicale, avec ses hôpitaux, ses praticiens et ses médicaments chimiques coûteux. Mais l'apparition de tant de maladies « incurables » comme le cancer et le sida contribue à entamer ce monopole. Certains soignants encouragent maintenant leurs patients à employer l'imagerie positive, le rire et les attitudes allant dans le sens de la vie pour favoriser le processus de guérison. Ces techniques d'équilibrage des émotions peuvent être très bénéfiques pour inverser le cours de la maladie.

L'énergie émotionnelle

Les émotions sont simplement de l'énergie vibrant à des fréquences différentes. On pourrait écrire « é-motion » :

énergie en mouvement. La colère vibre à un certain niveau, la tristesse à un autre, la joie à un autre encore. Lorsque nous en sommes conscients, nous pouvons retrouver notre harmonie intérieure par la méditation et des exercices très spécifiques, destinés à travailler sur le corps émotionnel. Nous pouvons également déterminer quelle sorte d'énergie contribue à notre bien-être et laquelle est destructrice.

Par exemple, rappelez-vous un moment où quelqu'un, peut-être une figure d'autorité, vous a reproché de mal faire quelque chose et était très en colère. Rappelez-vous votre réaction émotionnelle à cette énergie de colère. Maintenant imaginez un professeur doux et aimant vous expliquant avec gentillesse que vous avez fait une erreur et vous indiquant avec amour comment éviter cette erreur dans l'avenir. Notez votre action face à cette énergie. Vos deux réactions sont deux vibrations énergétiques différentes.

C'est pourquoi certains disent qu'une personne a de « bonnes vibrations » ou de « mauvaises vibrations ». Ce qu'elles expriment en fait est : « Près de cette personne, je me sens 'bien' ou 'mal' ».

Depuis des siècles, nous réprimons nos émotions, nous autorisant à manifester uniquement les « positives » telles qu'amour, espoir et courage et désavouant les « négatives » telles que colère, tristesse et peur.

Résultat : nous avons créé un monde de contrôle, de séparation et d'inimitié, aux antipodes de l'harmonie et de l'unité que nous pouvons connaître dans les expériences de fusion.

L'énergie, force de vie

L'énergie est le miracle d'être vivant, maintenant, en cette seconde même. Nous pouvons employer cette énergie dans la direction que nous souhaitons, soit en la dirigeant vers la colère, soit en la canalisant dans l'amour. C'est la même énergie ; nous pouvons l'utiliser comme nous l'entendons. Nous avons le choix. Quand nous l'employons à résister, notre vie entière bascule dans un schéma de résistance ; l'énergie ne s'écoule plus et risque de former un marécage stagnant et putride. Là encore, c'est nous qui choisissons ce triste état, en général inconsciemment ; personne ne le fait à notre place. Le meilleur moyen de contrôler notre énergie est de dire non à la vie, alors que le meilleur moyen de la libérer est de lui dire oui. Mais pour dire oui, nous devons nous réveiller.

Nous avons été conditionnés à utiliser notre énergie pour la résistance, la défense et la séparation. Cette attitude repose sur une multitude de normes venant de notre enfance et de notre programmation concernant le bien et le mal. Une fois que nous avons assimilé cette programmation, nous la remettons rarement en question et nous l'acceptons comme notre « vérité ». Ce n'est que lorsque nous sommes confrontés à une crise que nous commençons à nous demander quels éléments de cette programmation ont encore un intérêt dans notre vie et lesquels ne nous sont plus utiles.

L'énergie est la force de vie. Elle doit être respectée comme un don unique et sacré. Malheureusement, on ne nous apprend pas cette attitude à l'école. Pour ma part, je la respectais très peu et en gaspillais une grande partie en disant non à ce que la vie m'offrait. Ces souvenirs me sont très pénibles mais, curieusement, je ne les oublierai jamais, parce qu'ils représentent pour moi de puissantes leçons.

Depuis des siècles, nous utilisons habilement notre énergie à des fins limitées et destructrices. Maintenant les signes sont partout autour de nous. Nous sommes allés trop loin, presque jusqu'au point de non retour. Il est temps de changer de direction, de dire oui et d'employer notre énergie dans le sens de l'expansion, en suivant la voie du cœur.

14

La danse de la contraction et de l'expansion

En vérité, vous êtes suspendus comme une balance entre votre chagrin et votre joie. Ce n'est que lorsque vos plateaux sont vides que vous êtes immobiles et en équilibre.

Khalil Gibran
Le Prophète

Comme je l'ai appris en observant l'océan, toute énergie est gouvernée par la loi universelle de contraction et d'expansion : le jour et la nuit, l'hiver et l'été, la naissance et la mort, le positif et le négatif, le masculin et le féminin. Cet équilibre naturel des contraires, appelés yin et yang dans le Tao chinois, régit notre univers dualiste. Nous n'avons qu'à observer le flux et le reflux de la marée pour apprécier la beauté et la perfection de cette danse au sein de la nature.

Nous, les êtres humains, avons déformé la danse. Sans l'exprimer, nous jugeons l'expansion plus désirable et lui sommes attachés. Nous préférons les vacances au travail et apprécions parfois davantage nos temps de repos que notre pleine créativité. Nous choisissons souvent la sécurité plutôt qu'une vie bien remplie et l'exploration de nouvelles possibilités. Nous n'acceptons plus le flux naturel de contraction et d'expansion et tentons stupidement de le contrôler, parce que nous craignons que la contraction soit mauvaise. Ironiquement, cette peur accentue encore la contraction et nous devenons ainsi de plus en plus dépendants des sources artificielles d'expansion.

Contraction et expansion sont les deux composantes du tout, mais nous ne comprenons plus ce qu'est le tout. Quand nous nous éveillons à cette conscience, nous pouvons abandonner l'illusion d'être capables de tout contrôler et vivre dans le flux naturel.

Dans le sein maternel, nous répondons naturellement à la danse harmonieuse des énergies contraires. Puis vient le traumatisme de la naissance, qui bouleverse ce rythme parfait et crée la première contraction artificielle. Bébés, nous sommes encore largement influencés par la pulsation naturelle de la vie : nous jouons et dormons, mangeons et déféquons, rions et pleurons. Ce n'est que lorsque maman et papa entreprennent de nous discipliner que nous commençons à perdre le contact avec notre rythme naturel. Pour mériter l'amour de nos parents et « entrer dans le moule », nous apprenons rapidement à nous conduire comme de bonnes petites filles ou de bons petits garçons. Nous comprenons vite que si nous pleurons, nos parents nous apportent de la nourriture ou nous câlinent, mais que si nous faisons pipi ou caca par terre ou dans notre lit, ils ne sont pas contents. Nous apprenons à nous adapter à notre environnement en contrôlant nos fonctions naturelles, qui deviennent des réponses conditionnées aux instructions de nos parents.

Nous nous adaptons pour survivre. Nous faisons de notre mieux pour devenir la personne que nos parents, nos professeurs et nos prêtres veulent que nous soyons. Nous finissons par ressembler à une corde tendue, bourrée de nœuds, et par voir la vie à travers nos filtres de comportement appris. Nous nous perdons dans le labyrinthe, errant entre le « bien » et l'indignité. Nous ne sommes plus des *êtres* humains, mais des *faires* humains. Notre rythme spontané est cassé. Dans cet état de déséquilibre, nous réprimons notre énergie naturelle, notre joie, notre amour, notre angoisse et notre peur. Nous ne sommes plus capables d'exprimer simplement ce qui se passe en nous dans l'instant présent.

Pour que la vie puisse danser sa danse, il faut qu'il y ait de la place pour notre rythme naturel. Comme, généralement, nous nous sommes désynchronisés par rapport à celui-ci, nous croyons à tort pouvoir le contrôler. Quand nous sommes dans la contraction, nous ferions pratiquement n'importe quoi pour retrouver l'expansion et nous sentir « bien ».

Tant que nous sommes bébés, nous pouvons retrouver ce sentiment d'amour et de sécurité en tétant le sein de notre mère ou un biberon. Le contact de notre mère ou les bras de notre père peuvent créer une impression de paix et d'expansion. Mais lorsque nous grandissons, ces sources d'expansion naturelles sont rapidement remplacées par des succédanés souvent très malsains. La nourriture, l'alcool, les drogues récréationnelles, la sexualité, la télévision, les achats, toutes sortes de « récréations » peuvent être utilisées pour retrouver ce sentiment d'expansion. Mais ces « hauts » temporaires ne peuvent compenser le profond « bas » au cœur de notre être, la contraction à laquelle nous cherchons désespérément à échapper. Celle-ci nous offre l'opportunité de regarder en nous, mais généralement nous avons peur et fuyons. D'après mon expérience, la compulsion à vivre exclusivement dans l'expansion est l'une des causes majeures de dépendance dans notre société si sévèrement touchée par ce phénomène.

« Récréation » et dépendance

Certains d'entre nous utilisent les drogues récréationnelles et l'alcool, d'autres les relations sexuelles avec des partenaires qu'ils n'aiment pas réellement. D'autres encore achètent leurs vêtements chez les grands couturiers, conduisent une voiture de sport ou prennent une plus grosse hypothèque pour s'offrir une maison plus chère. Certains, comme moi, mangent trop de chocolat et de friandises, d'autres passent des heures devant la télévision, au cinéma, à des jeux ou à des passe-temps nationaux. Beaucoup consacrent toute leur vie à un travail qu'ils détestent, dans le seul but de gagner l'argent nécessaire pour payer ces récréations. Nous travaillons cinquante semaines par an pour payer nos hypothèques, nos biens, les symboles de notre statut social, puis pour prendre des vacances coûteuses afin de nous détendre et oublier. Nous sommes prêts à faire appel à toutes ces formes de récréation - la récréation est véritablement une re-création du sentiment d'expansion - pour ne pas sentir le poids de nos émotions refoulées : honte, colère, peur et tristesse.

Nous gaspillons notre énergie à rechercher les « hauts » pour éviter les « bas ». Malheureusement, ces faux hauts ne sont pas réellement enrichissants, puisque nous allons les chercher dans des sources extérieures d'expansion avec l'intention d'échapper à nous-mêmes. La véritable expansion prend son origine en nous ; elle s'écoule vers l'extérieur et exprime ce que nous sommes.

Je ne dis pas que nous ne devrions pas apprécier les récréations. Pour moi, une délectable coupe de glace suisse de praliné à la vanille, un délicieux bain dans l'océan ou un dîner romantique aux chandelles peuvent certainement être considérés comme de véritables sources d'expansion, dans la mesure où ils ne sont pas un moyen obsessionnel de fuir mes sentiments.

L'expansion vient de l'être, non du faire. Quand nous sommes occupés à faire, nous passons à côté de l'expansion naturelle de l'être. Souvent, lorsque nous arrivons à la fin d'une expérience grâce à laquelle nous nous sommes sentis bien, nous désirons intensément recommencer, parce que nous ne sommes jamais réellement satisfaits. Pour moi, j'ai envie de manger un peu plus de chocolat ; un autre voudra boire davantage, un autre encore désirera une voiture plus rapide ou une plus grande maison. Parfois, nous nous sentons même plus contractés après notre faux haut qu'avant - par exemple, quand nous avons la gueule de bois, que nous doutons de nos somptueux achats ou, au lit, quand nous nous sentons encore plus séparés et seuls après le départ de notre partenaire sexuel. Ce schéma crée et entretient la dépendance, problème qui prend aujourd'hui des proportions épidémiques dans notre culture.

La dépendance est l'attachement de notre mental à une substance ou à un comportement particulier, censé créer le sentiment d'expansion auquel nous aspirons tant. Les drogues donnent à leur utilisateur un premier aperçu de la félicité, mais celle-ci ne peut être entretenue artificiellement. L'alcool détend les gens, de sorte qu'ils peuvent temporairement abandonner leurs peurs et leurs inhibitions pour connaître une impression de liberté et d'expansion. Ils laissent alors remonter à la surface, en public, leurs sentiments ou leurs comportements refoulés mais, à la lumière de la sobriété, ils ne s'en condamnent que plus durement. La contraction qui résulte de cette condamnation et de cette honte crée le besoin de boire davantage d'alcool pour y échapper et donc un cercle vicieux de contraction et d'expansion artificielles.

Celui-ci ne doit pas être confondu avec le cycle naturel de contraction et d'expansion, qui amène dans notre vie un sentiment d'harmonie et d'équilibre. Ce cycle naturel est autoguérisseur. Le cycle artificiel ou contrôlé apporte le chaos et ajoute au sentiment de confusion et de désespoir. Il est autodestructeur.

La dépendance sexuelle

Il existe une autre dépendance, beaucoup moins reconnue en tant que telle dans notre société : la dépendance sexuelle. Comme la dépendance aux drogues intraveineuses, elle est directement liée à l'extension du sida et, comme toutes les autres, découle de la recherche d'une expansion artificielle dans le but d'éviter la contraction ; mais elle est plus complexe parce que ses schémas de comportement sont souvent confondus avec l'amour.

Notre culture présente la sexualité d'une manière romantique en en faisant une imitation de l'amour, mais la sexualité et l'amour sont deux énergies distinctes. L'amour est une expansion naturelle. La sexualité, quand elle est utilisée comme un simple « truc », est une expansion artificielle. Au contraire de l'amour, qui naît de l'intimité avec nous-mêmes et avec notre partenaire, la sexualité sans amour ni respect a pour origine le conditionnement de notre mental. Elle vient du passé et n'a pas grand-chose à faire avec le moment présent ou avec notre partenaire. Pour fuir la vulnérabilité qu'amène l'intimité, nous projetons les fantasmes de notre mental sur le partenaire avec lequel nous vivons notre dépendance, que ce soit au niveau de la sexualité ou de la relation amoureuse. Ces fantasmes font partie de la programmation de notre petite enfance et ont de multiples origines : nos parents, les romans d'amour, les films d'Hollywood et les magazines pornographiques. Pour beaucoup d'entre nous, ils correspondent à un acte de révolte contre notre éducation religieuse. Quelles que soient ses origines, la dépendance sexuelle est une expérience artificielle créée par le mental pour échapper à la peur de l'intimité et du rejet. Quand nous utilisons la sexualité de manière compulsive, nous nions nos sentiments. La guérison approche lorsque nous ressentons véritablement ces derniers et acceptons tout ce que nous sommes.

Quand la sexualité naît de l'amour et que les deux partenaires sont totalement présents l'un à l'autre au lieu d'être dans leurs fantasmes, elle peut les mener au-delà du mental, dans une expérience de fusion. C'est alors une source de profond enrichissement et de satisfaction sans attachement. C'est cet amour-là que beaucoup recherchent dans les bars pour célibataires et dans leurs rêveries amoureuses. C'est l'amour qui guérit. Quelque part au plus profond de nous, nous savons que cet amour est possible, même si nous avons oublié comment nous relier à lui.

Dire oui au changement

Notre intuition nous dit que le désir d'expansion artificielle qui est à la source de la dépendance n'est pas réellement enrichissant. Mais comme nous vivons dans une société de dépendance qui approuve notre conduite (regardez les publicités à la télévision), il nous est plus facile d'ignorer notre voix intérieure que de changer. L'un des nombreux paradoxes de la vie est que, bien que le changement en fasse naturellement partie (voyez les saisons), nous faisons un mauvais usage de notre précieuse énergie afin de lui résister.

C'est comme si nous nagions à contre-courant. Si nous pouvions simplement nous abandonner et flotter, la vie nous entraînerait dans son mouvement et serait bien plus passionnante que toutes les sources artificielles d'expansion dont nous sommes dépendants. Nous ne voudrions d'ailleurs probablement plus de celles-ci. Malheureusement, nous sommes attachés à ce qui nous semble être une vie « confortable ». Nous redoutons les changements que nous ne contrôlons pas. Nous jouons la sécurité et nous nous contentons de ce qui nous paraît « naturel » pour nous protéger d'une éventuelle souffrance, de la destruction et de la mort. L'ironie de la chose est que, si nous y parvenons, nous devenons souvent des morts vivants.

Dans la vie, le changement est le seul élément permanent. Il est éternel. Le changement est la vie en perpétuel mouvement. C'est la danse entre contraction et expansion. Nous ne préférons pas l'inspiration à l'expiration ; alors pourquoi accordons-nous davantage de valeur à l'expansion qu'à la contraction ? Ce n'est pas du tout naturel. Allez-y : essayez de ne faire qu'inspirer dans les dix minutes qui viennent. C'est impossible ! Puisque nous reconnaissons que le cycle de la respiration est un phénomène physique naturel, pourquoi n'acceptons-nous pas aussi ce cycle fondamental dans le reste de notre vie ?

Pour certains, ce peut être une maladie potentiellement mortelle, pour d'autres une dépendance mettant leur vie en danger, pour d'autres encore une dépression dont ils ne voient pas la fin : quelle que soit la crise, elle nous fait prendre conscience que quelque chose ne va pas dans notre vie et que nous n'avons pas atteint notre potentiel maximum.

Une fois que nous nous sommes réveillés, nos tentatives pour atteindre artificiellement l'expansion deviennent de plus en plus laborieuses. Nous nous heurtons à une source plus intense de contraction, un sentiment de désespoir. Si nous écoutons notre appel au réveil, il nous emmènera dans un voyage intérieur à la recherche d'une expansion naturelle, car les hauts artificiels paraîtront ne plus produire les mêmes effets qu'auparavant.

L'un des nombreux paradoxes de la guérison est qu'au début de notre voyage à l'intérieur de nous-mêmes, nous connaissons des moments d'expansion et acceptons simplement ce que nous découvrons. Grâce à cette expansion naturelle, nous commençons à relâcher notre surveillance et notre contrôle et, par conséquent, à laisser émerger une grande quantité d'énergie émotionnelle emmagasinée dans notre subconscient : habituellement viennent d'abord la colère, puis la tristesse, souvent étiquetée à tort « dépression ». Celle-ci est suivie par l'apathie et le découragement. A ce moment-là, nous touchons le fond du désespoir. Ensuite, si nous nous mettons à nous poser des questions et à écouter, de nouveaux choix et de nouvelles solutions apparaissent, nous poussant à une action créative. En respectant le flux naturel entre contraction et expansion, en abandonnant les uns après les autres nos jugements et nos attachements, nous pouvons laisser nos pleurs se transformer en rire.

Guérir implique de dire oui à tout ce que nous sommes : notre maladie et notre dépendance, notre colère et notre tristesse, notre peur et notre dénégation. En commençant à nous intéresser à la partie de nous-mêmes que nous avions l'habitude de désavouer et que nous avions peur de regarder, nous créons une ouverture pour la guérison. Notre voyage de guérison nous fait traverser l'obscurité pour retourner vers la lumière.

Quand nous apprenons à nous relier à nous-mêmes par la méditation, nous commençons à accepter le cycle d'expansion - qui consiste à regarder à l'extérieur de nous - et de contraction - qui consiste à regarder à l'intérieur. En acceptant peu à peu les circonstances extérieures de notre vie grâce à la recherche, aux questions et à l'observation, nous apprenons à accueillir la contraction comme une occasion de faire un voyage en nous-mêmes. Si nous prenons le temps d'intégrer notre moi intérieur et de régler nos affaires en suspens, nous pouvons nous relier au don que représente notre sagesse intuitive et découvrir combien la vie, dans sa simplicité, est magnifique.

15

Intégrer l'enfant intérieur

On ne voit qu'avec le cœur, l'essentiel est invisible pour les yeux.

Antoine de Saint-Exupéry
Le petit Prince

A la naissance, chacun de nous est un être pur et innocent, que j'appelle l'âme enfant. Comme notre mental n'est pas encore pleinement développé, notre énergie oscille naturellement entre contraction et expansion, sans résistance. Quand notre mental n'essaie pas de la contrôler, elle peut passer d'un extrême à l'autre, de la lumière à l'obscurité, comme elle est destinée à le faire. Notre mental vierge ne juge pas encore la lumière meilleure que l'obscurité.

Mais en grandissant, nous nous construisons une personnalité, pleine de jugements reposant habituellement sur des messages confus de nos parents et de nos professeurs. Par exemple, quand un enfant tombe et se blesse le genou, sa réaction instinctive est de pleurer ou de hurler de douleur. Mais souvent les parents tentent de le réconforter parce qu'ils se sentent impuissants face à sa souffrance ou coupables de l'avoir laissé se blesser. Si une mère dit à son enfant : « Ne pleure pas, ça va passer. Ce n'est rien », elle nie sa réaction naturelle. C'est comme si elle sautait une étape pour essayer d'arranger les choses. Même si l'enfant est réconforté sur le moment, il apprend à ne plus faire confiance à ses sentiments. Il apprend aussi, à un niveau subtil, subconscient, que la souffrance est mauvaise et qu'il faut faire quelque chose pour l'éliminer.

C'est souvent le jugement subconscient des parents sur la souffrance qui intervient. Si la mère n'avait pas été là, par exemple, ou si elle avait laissé l'enfant exprimer sa douleur, l'énergie émotionnelle aurait suivi son cours naturel et l'enfant serait reparti jouer. Les parents peuvent littéralement bloquer l'évolution spontanée de l'émotion et commencer à limiter le flux naturel de l'énergie.

Nous avons presque tous été élevés par des individus qui n'étaient pas très libres et qui donc nous imposaient leur conditionnement restrictif. Je ne veux pas dire qu'ils étaient mauvais. Ils faisaient de leur mieux pour nous discipliner et, très certainement, quelqu'un leur avait aussi imposé son propre conditionnement lorsqu'ils étaient jeunes. Mais cette éducation crée des blocages du flux naturel de notre énergie émotionnelle. Si par exemple, enfants, nous étions coléreux ou avions besoin de manifester notre rage, nos parents nous autorisaient rarement à aller jusqu'au bout de nos émotions, car ils les considéraient comme mauvaises ; parfois, ils menaçaient même de nous punir. Ils ne laissaient pas les êtres émotionnels que nous étions s'exprimer librement.

Dans mon cas, chaque fois que je jouais avec mon frère et que je m'amusais bien, mes parents criaient : « Arrêtez, vous allez vous faire mal. Si vous ne vous calmez pas, ça va finir par des larmes. » C'était effectivement ce qui arrivait. La libre expression de mon énergie les dérangeait. Ils ne savaient que faire face à ma joie simple et à ma célébration de la vie parce qu'ils étaient trop mal à l'aise avec leurs propres sentiments.

Sans nous en rendre compte, nous apprenons à nous conduire exactement comme nos parents et devenons des êtres conditionnés. Notre énergie ne coule plus naturellement et nous commençons à la refouler pour entrer dans le moule. En grandissant, nous nous adaptons aux normes de la société, ce qui est pour nous un moyen de survivre. Nous nous construisons une personnalité et devenons de « bonnes » petites filles et de « bons » petits garçons. Nous nous adaptons pour faire partie de la société et obtenir ce dont nous pensons avoir besoin : une relation amoureuse, la réussite professionnelle, une belle garde-robe, un physique parfait, de l'argent à la banque, une voiture, un manteau de fourrure, un voyage dans les pays exotiques... Bien sûr, la plupart de ces éléments sont des instruments utiles et ne sont pas intrinsèquement mauvais ; c'est dans notre désir et notre attachement que réside la source du problème. La personnalité devient dépendante du système. Elle a du mal à exister sans tout ce qui la rattache au monde matériel.

Lors d'une crise, la première réaction de la personnalité est : « Que puis-je faire pour la résoudre ? » Elle s'agite. Elle trouve des solutions. C'est ainsi que nous menons notre vie. Comme des robots sophistiqués, nous faisons tout ce qu'il faut pour obtenir ce que nous voulons. Nous gagnons de l'argent pour acheter notre bonheur. Si nous avons un problème, nous le résolvons. Nous ne prenons pas le temps de voir s'il est le symptôme de quelque chose de plus important. Il ne nous vient pas à l'idée qu'il est peut-être le moyen choisi par la vie pour nous envoyer un message. Nous ne le considérons pas comme un appel au réveil. Nous nous félicitons simplement de l'avoir résolu et d'y avoir échappé une fois de plus. La personnalité est passée maître dans l'art de la survie par la manipulation et la fuite.

Avec chaque crise, notre dépendance vis-à-vis des solutions extérieures s'accroît et le masque de notre personnalité s'étoffe ; nous sommes moins vulnérables et nous nous éloignons progressivement de notre vrai moi, l'âme enfant. L'âme ne connaît pas l'effort, tandis que la personnalité lutte. L'âme est naturelle. Elle est divine. Elle est ce que nous sommes et pourquoi nous sommes vivants. Elle est la voie de l'amour.

La guérison exige une volonté de nous relier à la grâce intérieure de notre âme enfant. Pour moi, la maladie est un cri de l'âme, nous rappelant qu'il nous faut vivre dans notre cœur et retrouver la dimension verticale. Quand nous lui sommes confrontés, notre reddition à l'angoisse et à la contraction dues à la souffrance physique peut nous permettre de retrouver le chemin de l'âme.

L'âme enfant

C'est dans les premières années de notre vie que nous sommes les plus proches de la vie de l'âme. On ne nous oblige à rien, on s'occupe de tous nos besoins fondamentaux (sauf, bien sûr, dans le cas d'un bébé maltraité ou négligé). Dans cet état d'innocence et de félicité, nous n'avons rien à cacher. Nous manifestons ouvertement la joie de notre être. Nous jouons, rions et pleurons avec une égale intensité, suivant la danse de contraction et d'expansion. Notre mental est vide et neuf. L'univers est pour nous un mystère magique. Chaque jour est un miracle.

L'énergie de cet enfant vit encore en nous aujourd'hui, bien que nous n'y attachions généralement pas d'importance. L'un des aspects les plus tristes de notre évolution vers le stade adulte est vraiment cette coupure inconsciente qui se produit lorsque nous abandonnons l'âme enfant pour nous adapter à notre communauté. Vous avez peut-être travaillé, dans certains séminaires ou au cours de certaines thérapies, sur l'accès à cette partie de vous-même appelée aussi « enfant magique ». Cet enfant est une merveilleuse source de joie et d'inspiration, un esprit libre qui donne son amour inconditionnellement. Si, dans notre enfance, nous nous étions sentis suffisamment en sécurité pour pouvoir être nous-mêmes, nous n'aurions peut-être pas abandonné cette partie de nous. Que le monde serait merveilleux si nous apprenions à faire de nouveau confiance à notre âme enfant et à vivre selon notre cœur !

Enfants, nous percevons très vite la peur et l'hypocrisie qui nous entourent. Comme cela heurte nos sentiments innocents de compassion et d'honnêteté, nous nous demandons pourquoi certains d'entre nous meurent de faim alors que d'autres croulent sous la nourriture, pourquoi certains font souffrir les autres et les blessent pour la simple raison qu'ils ont l'air différents. Nous nous demandons pourquoi le monde n'est pas plus beau et pourquoi nous ne pouvons pas jouer tous ensemble. Nous nous demandons pourquoi il faut se battre, faire la guerre et tuer. Pourtant, on fait semblant d'ignorer nos innocentes questions ou on y répond malhonnêtement. A la longue, nous commençons à croire que quelque chose ne va pas en nous.

L'enfant survivant adapté

Pourquoi passons-nous automatiquement de la voie naturelle de l'âme à la voie conditionnelle de la personnalité ? Parce que c'est le seul moyen que nous connaissions pour survivre. A la naissance, nous sommes impuissants et dépendons totalement de nos parents. Leur approbation ressemble à l'amour et leur désapprobation au retrait de l'amour. L'amour de nos parents est de la plus haute importance pour nous. Sans lui, nous mourrions littéralement, puisque nous sommes incapables de prendre soin de nous-mêmes.

Nous découvrons rapidement que si nous sourions d'une certaine manière à papa, il nous rendra caresses et baisers, mais que si nous jouons avec nos excréments, il n'aura pas l'air content. Nous apprenons que si nous pleurons assez longtemps et assez fort, maman nous donnera à manger, mais que si nous répandons notre nourriture partout, elle nous l'enlèvera. Tout d'un coup, nous avons une sorte de contrôle sur notre destinée. Nous nous apercevons que si nous nous conduisons d'une certaine façon, maman et papa nous aiment, mais que si nous nous conduisons d'une autre manière, même si elle nous paraît naturelle, ils ne nous aiment plus. Evidemment, nos parents ne nous retirent pas vraiment leur amour ; ils croient apprendre à leurs enfants le comportement juste, mais leur changement d'énergie ressemble à un retrait d'amour. Notre instinct de survie est si fort que nous apprenons rapidement à nous adapter au monde extérieur afin de conserver leur amour, trahissant ainsi notre cœur d'enfant.

Les enfants sont si sensibles à l'énergie qu'ils captent immédiatement les vibrations négatives des jugements, des mensonges et de la désapprobation de leurs parents. Ils deviennent également très vite conscients de la malhonnêteté et de l'hypocrisie qui existent entre adultes. Ils sentent que maman est bouleversée même si ses paroles disent le contraire. Ils découvrent l'hypocrisie lorsqu'ils entendent papa dire qu'il rentrera à la maison pour leur dire bonsoir et qu'en fin de compte ils doivent aller au lit sans l'avoir embrassé, à cause de ses horaires tardifs. Ils apprennent à s'adapter aux mensonges et aux promesses non tenues. En fait, ils apprennent aussi à mentir. L'enfant qui casse innocemment quelque chose ment pour se protéger de l'accusation et des menaces de ses parents. Il craint de perdre l'amour de son père si celui-ci apprenait la vérité et de ne pas survivre à cette perte.

Je le répète, cette peur de la mort est une réponse réelle à une menace très réelle contre la survie. Si, enfants, nous étions abandonnés, nous mourrions. Heureusement, notre corps et notre raison se développent, si bien que nous apprenons à prendre soin de nous-mêmes. Mais, malheureusement, nous développons en même temps un conditionnement, bagage qui influence chacun de nos actes, et un système de croyances, filtre à travers lequel nous percevons notre réalité. L'un des plus puissants parmi ces filtres est la croyance : « Je suis indigne. »

Notre chute de l'Eden

Obligés par les circonstances de la vie à nous adapter, nous nous coupons lentement mais sûrement des sentiments réels de notre cœur. Nous faisons des compromis pour obtenir ou garder l'amour qu'au niveau de l'âme, nous sommes certains de mériter. D'une manière naturelle, nous aimons les gens qui nous entourent sans conditions et, d'une manière non naturelle, cet amour nous est retourné avec des conditions. Cette distorsion fait naître notre premier sentiment d'indignité.

Chaque fois que nous nions notre vérité intérieure pour entrer dans le moule, nous programmons dans notre mental une décision subconsciente permanente, une croyance disant que le monde n'offre pas assez de sécurité pour nous permettre d'exprimer ce que nous sommes réellement. Nous commençons à voir notre environnement à travers le filtre de la méfiance et élaborons un système de défense pour protéger notre âme enfant. Coupés de notre confiance innée, nous contrôlons, jugeons et manipulons le monde qui nous entoure pour satisfaire nos besoins.

A ce moment-là, nous passons de l'énergie d'êtres humains à celle de faires humains. C'est ce que symbolise la chute de l'Eden. Nous nous sommes détournés de Dieu et avons perdu notre confiance dans le flot parfait de l'univers ; c'est là le péché originel. Cette chute hors de l'univers de la grâce survient habituellement vers quatre ans, âge auquel nous avons appris les manières du monde et les ficelles du métier.

Lorsque nous devenons plus autonomes, nous continuons à utiliser nos astuces pour satisfaire nos besoins. Nous vivons dans le cycle perpétuel du désir. Nous connaissons l'expansion quand nos besoins sont satisfaits et la contraction quand nous craignons qu'ils ne le soient pas. C'est alors que nous commençons à rechercher des sources artificielles d'expansion, pour échapper à la peur qui nous accable : *si mes désirs ne sont pas satisfaits, je mourrai*. Même lorsque nos besoins fondamentaux de nourriture, d'eau, d'air et d'abri sont assurés, nous continuons à ressentir un manque. Dans notre programme d'adaptation, nous prenons pour de l'amour l'expansion que nous procure la satisfaction de nos désirs et qui, pour l'enfant en nous, équivaut à la survie.

Cette confusion est due au fait que nous sommes coupés de la grâce naturelle de l'expansion et de la félicité que nous avons connue en tant qu'âme enfant. Cette félicité, qui est source de guérison, ne peut exister que dans l'innocence de notre être. L'innocence, comme la guérison, est une permission, non un faire ; nous ne pouvons la faire se produire. Notre seule possibilité est de lui créer une ouverture en abandonnant le contrôle (ce besoin de rendre la vie comme nous pensons qu'elle devrait être) et de nous ouvrir à ce qui est à notre portée dans l'instant.

Procédé

Dialogue avec l'âme enfant

(Lisez le procédé en entier avant de le faire.)

Installez-vous dans une pièce tranquille où vous ne serez pas dérangé par rien ni personne, en particulier pas par le téléphone. Asseyez-vous confortablement sur votre lit ou par terre et placez un oreiller ou un coussin devant vous, à une distance d'environ soixante centimètres. Vous pouvez également utiliser deux chaises face à face, l'une pour vous asseoir et l'autre pour poser l'oreiller, si vous êtes plus à l'aise ainsi.

Les yeux ouverts, observez simplement votre respiration. Passez doucement vos mains sur vos cuisses et prenez conscience de votre position dans la pièce, ainsi que de votre environnement physique : température, sons et odeurs éventuels. Pensez ensuite aux circonstances actuelles de votre vie et à la résistance que vous leur opposez. Observez-vous, sans juger. Soyez simplement présent à l'instant, avec tout ce qu'il comporte, ses émotions et ses réactions. Prenez le temps d'observer le flot de vos pensées et leur changement perpétuel.

Ralentissez ce flot et laissez-vous simplement être. Pendant deux ou trois minutes, regardez l'activité de votre mental. Puis observez comment vous vous sentez. Etes-vous assis sur un volcan d'émotions ? Etes-vous anxieux ? Avez-vous peur ? Etes-vous mal à l'aise ? Voyez les sentiments que provoque le fait d'être assis seul dans cette pièce. Notez combien il vous faut d'énergie pour rester concentré sur ce qui se passe dans le moment présent. Soyez simplement là, à vous regarder respirer et vous passer les mains sur les cuisses. Laissez l'enchaînement de vos pensées être là aussi, sans vous y engager. Mais si cela arrive, revenez tranquillement à l'observation de votre respiration.

Vous vivez maintenant l'état que j'appelle l'être actuel, c'est-à-dire la partie capable de vous, qui peut vous procurer de la nourriture, un abri et des vêtements. Il existe seulement dans le moment présent.

Une fois que vous vous sentez bien là, imaginez-vous petit enfant et voyez-vous assis devant vous sur le coussin. Ayez confiance : votre subconscient vous fournira l'image juste de vous-même. Si celle-ci n'est pas nette, ne vous arrêtez pas pour autant. Si vous ressentez seulement l'âme enfant en vous sans avoir d'image, cela suffit.

Quand vous êtes prêt, entamez le dialogue à votre manière. Vous pouvez commencer par : « Bonjour, comment vas-tu ? », puis inviter votre âme enfant à vous raconter tout ce qu'elle ressent. Changez ensuite physiquement de siège, asseyez-vous sur le coussin devant vous et fermez les yeux.

Devenez ce jeune enfant innocent. Entrez dans son vécu. Sentez sa joie de vivre si pure, sa curiosité, sa crainte et toutes ses questions. Ressentez la vie comme fraîche et neuve. Peut-être êtes-vous intrigué par la conduite des adultes autour de vous, ou ne comprenez-vous pas pourquoi les gens ont faim, sont sans abri ou se tuent les uns les autres.

Prenez le temps de vivre dans cette énergie pure et innocente, si étroitement liée à notre âme collective. Faites part de vos sentiments à votre être actuel. Percevez l'amour, la gratitude et la confiance, ainsi que votre désir authentique de partager. Sentez que votre corps est détendu et que vous vous acceptez, simplement parce que vous êtes en vie. Respirez et soyez joyeux.

Si une question surgit, posez-la à haute voix à votre être actuel. Puis, physiquement, reprenez votre siège initial et ouvrez les yeux. Retrouvez votre conscience d'ici et maintenant, dans votre corps adulte. Avec une honnêteté totale, répondez à votre âme enfant, dans la simplicité du moment présent, toujours neuf, ouvert et vulnérable. Evitez de répondre en vous basant sur le passé, avec ses jugements et son contrôle. Par exemple, vous pouvez dire simplement : « Je t'entends. Merci de me dire cela » ou : « Je comprends que tu ne veuilles pas parler maintenant et c'est très bien. J'apprécie ton honnêteté. » En tant qu'être actuel, peut-être n'en savez-vous pas beaucoup plus que ce que vous transmettent vos sens dans l'instant. Suivez votre cœur et dites ce que vous ressentez en réponse à ce que vous raconte votre âme enfant : gratitude, compassion ou tristesse. Laissez-vous surprendre.

Maintenant changez encore une fois de siège et fermez les yeux. Laissez votre âme enfant parler de nouveau, soit pour vous répondre, soit pour vous exprimer une autre idée qui lui vient à l'esprit. Ne censurez rien, mais dites les choses telles qu'elles sont. Continuez le dialogue, en changeant de siège chaque fois que vous changez de rôle, jusqu'à ce que l'âme enfant ait l'impression d'en avoir terminé pour cette fois-ci. Finissez le dialogue dans le rôle de l'être actuel. Il est extrêmement important de toujours commencer et terminer le dialogue en étant dans la réalité de l'être actuel.

Guérir ou survivre

Le fait de voir notre vie menacée par une maladie impitoyable comme le sida nous fait passer automatiquement à un fonctionnement de survie. Dans cet état d'urgence, notre mental essaie désespérément de trouver une solution. Malheureusement, ces solutions proviennent le plus souvent des stratégies de l'enfant survivant, destinées à éviter une peur et une souffrance plus grandes, et aboutissent rarement à la guérison escomptée.

Dans le processus de guérison, il est important de ralentir pour se relier à la créativité de l'âme enfant, qui est une porte donnant sur le guérisseur intérieur. Nous pouvons guérir lorsque nous compensons la voie restrictive de la survie par la voie de l'âme où tout coule naturellement. Bien sûr, cela est plus facile à dire qu'à faire. Quand nous craignons pour notre survie, nous avons du mal à rester reliés à notre âme.

En retrouvant ce lien avec l'âme enfant, nous n'avons guéri qu'à moitié notre enfant intérieur. Il est très important également de travailler avec celui que nous sommes devenu, c'est-à-dire le survivant adapté. L'âme enfant et l'enfant survivant sont deux facettes de la même énergie, une énergie jumelle en nous. Le premier répond avec enthousiasme aux défis de la vie, tandis que le second emploie toute son intelligence et son énergie à trouver des raccourcis, sans s'apercevoir que ce sont des illusions.

Nous passons la majeure partie de notre vie coupés de la pureté et de l'innocence de notre âme enfant. Nous comptons davantage sur l'enfant survivant, qui est passé maître dans l'art de résoudre les problèmes ; il s'efforce constamment de protéger du mal l'âme enfant et il y a de la beauté et de l'innocence dans sa fidèle persévérance. Malheureusement, il nous empêche surtout de grandir. Quand la même persévérance est entre les mains de l'adulte actuel, nous sommes libres de transformer notre vie.

La rencontre avec l'enfant survivant

Il y a en chacun de nous un enfant effrayé et vulnérable qui a besoin d'amour. Il a peur du rejet et de l'abandon parce qu'il a peur de la mort. Il est en colère à cause du manque de respect qu'il a dû supporter et de toutes les promesses non tenues qui l'ont déçu. Il est triste à cause de son innocence perdue, ainsi que de son impression de vide et de solitude. Il a peur de vivre parce qu'il a été trop souvent blessé.

Ce côté sombre de nous-mêmes est refoulé au point être totalement oublié. Malheureusement, plus nous le fuyons, plus il nous poursuit. L'enfant intérieur est précieux et digne d'être aimé quand nous nous occupons consciencieusement de lui mais, livré à lui-même, il fait n'importe quoi pour éviter la souffrance et la mort, y compris créer une maladie.

Lorsque nous approchons de la guérison en traversant la résistance et la dénégation, des sentiments refoulés commencent à remonter à la surface. Ce sont sans doute ceux que nous n'avons pas pu exprimer dans notre enfance et que nous avons donc mis de côté en en faisant de jolis petits paquets. Mais il nous faut une énergie terrible pour garder le contrôle de ces émotions.

A l'adolescence, nous avons emmagasiné en nous d'autres paquets d'émotions refoulées. Comme nous avons perdu de vue l'équilibre des contraires, nous ne savons plus faire confiance au flux de leur cycle. Nous limitons notre capacité d'expansion naturelle en émettant sans cesse des jugements sur la vie : elle est « bonne » ou « mauvaise ». Nous nous attachons à l'expansion parce qu'elle est « agréable » et fuyons la contraction parce qu'elle ne l'est pas.

Une fois adultes, nous sommes généralement encombrés par des bagages pleins de ce que nous appelons « émotions négatives » - peur, colère, tristesse - et de toutes ces parties de nous-mêmes que nous trouvons trop pénibles à regarder. Nous croyons sans doute que nous perdrions le contrôle si nous devions ouvrir nos bagages et exprimer enfin ces sentiments refoulés ; cela nous effraie. Malheureusement, la partie de nous qui contrôle a justement été la première à créer ce refoulement. Pour finir, nos bagages vont exploser d'eux-mêmes. Guérir implique de faire un choix conscient pour permettre à cette explosion d'avoir lieu dans de bonnes conditions : par une expression saine des sentiments et dans un environnement sûr.

Les décisions subconscientes sur la vie

Dans notre enfance, nous avons fait certains vœux qui continuent à régir notre vie actuelle. La plupart des affirmations telles que « Le monde n'est pas un lieu sûr », « Je ne laisserai personne m'aimer ou me blesser de nouveau » ou « Je ne suis pas digne » reposent sur l'idée qu'il faut être bien, cette idée ayant elle-même pour origine la peur de ne pouvoir survivre seul.

Ces affirmations ont été faites à un niveau subconscient. Les parents savent manipuler leurs enfants par des attitudes positives ou négatives. Fondamentalement, le subconscient est la source de toutes les notions de « bien » et de « mal », ainsi que le siège de nos décisions ; il est donc très utile d'amener à la conscience ces affirmations de base et leurs variations cachées.

Enfants, nous savions que, dans notre univers, le rejet par nos parents était le plus grand danger pour notre vie et qu'il fallait l'éviter à tout prix.

Lorsque adultes, nous sommes confrontés à une maladie menaçant notre survie, nous devons donc impérativement reconnaître l'impact que ces décisions ont encore sur notre corps. Il est également vital de s'apercevoir que l'enfant survivant peut paralyser l'adulte actuel.

Nous pouvons éliminer ces affirmations subconscientes en revenant à l'événement à l'occasion duquel nous avons pris la décision d'être une victime impuissante. Dans ma vie personnelle comme dans les séances de thérapie avec mes clients, cela signifie revenir à une série de traumatismes de la petite enfance, souvent aggravés à l'adolescence et encore amplifiés à l'âge adulte. Au moment où il s'est produit, l'événement a peut-être paru insignifiant à ceux qui entouraient l'enfant, mais celui-ci l'a littéralement enregistré comme un danger pour sa vie.

Les événements traumatisants de l'enfance

Voici un exemple : une mère dit à son enfant qu'elle ne reviendra plus s'il n'arrête pas de pleurer. Elle sait très bien qu'elle utilise l'un de ses « instruments » pour obtenir de lui le comportement qu'elle désire, mais l'enfant, qui vit totalement dans le présent, craint véritablement pour sa vie quand la porte de sa chambre se ferme et que sa mère disparaît. Il ne sait pas qu'en réalité elle reviendra et, à cause de sa peur intense de ne pas survivre, il a au fond de lui l'impression d'être une victime. Ce sentiment se fixe dans sa conscience. Comme il ne peut littéralement pas vivre sans l'amour et la nourriture de sa mère, il fait le vœu à ce moment-là d'éviter toute situation lui rappelant cette terrible sensation d'abandon.

Un enfant ne connaît pas suffisamment le contexte pour comprendre un retrait d'amour. Il interprète celui-ci comme une atteinte personnelle parce qu'il se perçoit comme le centre de son univers. Un bébé a besoin de l'amour et des soins de ses parents, non seulement sous forme de sécurité, de nourriture et de protection, mais aussi parce qu'en naissant, il ne comprend pas tout de suite qu'il est physiquement coupé de la lumière et de l'amour de la Source. Un enfant est lié à sa mère sur le plan physique, par son besoin de soins et de sécurité, mais il lui est aussi lié au niveau de l'âme. La relation d'un bébé avec sa mère est très profonde, parce que c'est à travers elle qu'il passe de la lumière et l'amour de la Source à ce monde.

Tant qu'un enfant garde un esprit pur, il vit totalement dans son cœur. A son arrivée ici-bas, il est encore relié à ce qui est éternel et ce lien permet aux adultes qui l'entourent de retrouver cet éternel en eux. C'est généralement un moment de grâce profonde. Quand, à la naissance, un bébé est séparé de sa mère par un médecin et mis dans une autre pièce, loin de la personne la plus importante pour lui, il perd l'énergie vitale du cœur et est rapidement exposé à l'énergie de survie du mental.

Il est alors soumis aux diverses façons de faire que quelqu'un a intellectuellement jugées être les meilleures pour lui, mais qui vont en général tout à fait à l'encontre de la nature. Par exemple, qui sur terre peut prouver que nourrir un bébé toutes les trois heures est bon pour lui, alors que son cycle naturel est peut-être de deux heures ? Par suite de cet horaire fixe, il risque d'avoir à attendre une heure entière dans la souffrance et de ressentir cette attente comme un traumatisme - pouvant nécessiter une vie entière pour guérir.

A cause de ces événements et des affirmations que nous avons faites en conséquence - comme « je suis impuissant » ou « je ne suis pas assez bien » - nous vivons dans un état chronique de négation et de doute de nous-mêmes. Ces décisions constituent une prison gardée par le besoin d'approbation extérieure qu'éprouve notre enfant intérieur. Celui-ci peut porter de nombreux masques pour cacher sa honte et échapper à sa peur de l'abandon, mais ces sentiments continuent à influencer tous les aspects de notre vie.

Il est très important de comprendre les décisions que nous avons prises en grandissant et de nous apercevoir qu'elles ne sont plus valables. La plupart du temps, nous ne sommes même pas conscients que, bien qu'étant des adultes à part entière, nous agissons encore par réaction et nous nous révoltons contre nos parents. Nous sommes également inconscients de toutes les conséquences de ces décisions.

Procédé

Dialogue avec notre enfant survivant
(Lire le processus en entier avant de le faire.)

Nous guérissons en devenant maîtres de nous-mêmes lorsque nous retrouvons l'événement qui est à l'origine d'une décision fondamentale, celle qui disait que nous sommes des victimes impuissantes et qui nous a fait perdre notre pouvoir. Il nous est alors possible de libérer les émotions qui y sont rattachées. Le dialogue avec l'enfant survivant est très efficace pour cela.

De nouveau, placez un oreiller devant vous et asseyez-vous par terre ou sur votre lit (ou utilisez deux chaises, en plaçant l'oreiller sur la chaise en face de vous). Vous êtes maintenant votre être actuel. Gardez les yeux ouverts et prenez conscience de ce qui est dans l'instant. Dirigez votre attention sur le présent en vous reliant aux sensations physiques en vous et autour de vous. Mettez-vous à l'écoute de votre corps. Prenez conscience de votre respiration. Percevez les battements de votre cœur. Touchez vos cuisses. Sentez le contact de vos vêtements sur votre peau. Si vous éprouvez une tension ou une douleur, soyez-en simplement le témoin, sans jugement. Prenez conscience de votre environnement physique : la température de la pièce et tous les sons et toutes les odeurs qu'il peut y avoir autour de vous. Faites votre possible pour concentrer votre attention sur l'ici et maintenant.

Une fois que vous avez l'impression d'y être parvenu et d'être totalement présent, imaginez-vous en tant qu'enfant, assis sur la chaise en face de vous. De nouveau, faites confiance à votre subconscient : il vous fournira l'image juste de votre enfant survivant. Si vous avez des difficultés à le visualiser, mettez-vous simplement à l'écoute de ses sentiments.

Quand vous vous sentez prêt, demandez à cet enfant imaginaire de quoi il a peur, ce qui le met en colère ou ce qui le rend triste. Invitez-le à vous faire part de ce qu'il ressent. Puis changez de siège et fermez les yeux.

Devenez votre enfant survivant ; laissez le langage de votre corps et votre voix changer. Exprimez tout haut ses sentiments. Ne contrôlez rien. Laissez simplement le flot de conscience de votre enfant survivant s'écouler sans l'interrompre. Exprimez ses émotions, que ce soit la colère ou la tristesse.

Peut-être vous retrouverez-vous perdu et désemparé, ou chercherez-vous à obtenir de l'amour de quelqu'un sans y parvenir. Peut-être vous sentirez-vous frustré de ne pas être compris, ou bien de ne pas comprendre quelqu'un malgré tous vos efforts. Peut-être éprouverez-vous la douleur due à la perte de l'amour inconditionnel. Notez à quels instruments de survie vous pensez immédiatement afin de retrouver cet amour. Notez quelles décisions vous avez prises par rapport à la vie - la vie n'est pas belle, l'amour fait trop mal, vous ne vous laisserez jamais blesser de nouveau... Rappelez-vous le moment où vous avez commencé à recevoir le message négatif disant que quelque chose n'allait pas en vous.

Exprimez toutes les émotions qui remontent. Laissez sortir les larmes ou la colère ; que cette libération émotionnelle efface toutes les décisions primordiales qui sont maintenant des obstacles à votre guérison, simplement parce qu'à l'époque, votre enfant survivant ne s'était pas senti suffisamment en sécurité pour exprimer ses sentiments. Finissez-en avec les histoires que vous n'avez pas encore réglées et exprimez vos sentiments. Autorisez-vous enfin à dire tout haut les choses que vous ne pouviez pas dire à l'époque, mais que vous portez toujours en vous.

Laissez sortir les émotions dues au fait que vous avez été forcé à devenir un survivant et à vous adapter à un monde toujours sur la défensive, agressif et soupçonneux. Votre enfant peut avoir ressenti une profonde douleur à la perte de sa confiance innée, qui a été violée tant de fois. Notez la décision fondamentale que vous avez prise à ce moment-là.

Laissez votre enfant survivant finir d'exprimer tout ce qu'il ressent. Au début, il peut ne rien vouloir dire ou ne pas avoir confiance en vous. Acceptez-le. Il peut aussi vouloir blâmer, juger, se plaindre ou vous manipuler, ou bien être très en colère. Quand il semble en avoir terminé pour l'instant ou qu'il vous pose une question, reprenez votre place initiale et ouvrez les yeux.

De nouveau, concentrez-vous sur la réalité actuelle et, quand vous répondez à l'enfant, faites-le avec la simplicité du moment présent, qui est toujours neuf, ouvert et vulnérable. Evitez de donner des réponses conditionnées par le passé, avec ses jugements et son contrôle. Ne jouez pas le rôle du parent autoritaire, donnant des conseils et essayant d'influencer les sentiments de l'enfant. Soyez simplement là pour lui, avec attention et compréhension, avec ce qui est maintenant.

Dans le moment présent, peut-être n'en savez-vous pas beaucoup plus que ce que vos sens vous transmettent. Il se peut que vous ressentiez de la gratitude pour la bonne volonté que l'enfant met à parler ou de la compassion pour son incapacité à vous faire confiance. S'il est méfiant, dites-lui que vous acceptez son attitude. En le rassurant sur votre compréhension, demandez-lui de vous expliquer la raison de sa réticence. Il est important d'accepter tout ce qu'il exprime, y compris sa colère et son silence. Ecoutez votre cœur et répondez avec compassion à ce qu'il vous a raconté, de sorte qu'il se sente suffisamment en sécurité et finisse par s'ouvrir.

Quand vous avez terminé, demandez-lui s'il a encore quelque chose à exprimer. Puis changez de nouveau de siège et fermez les yeux. Laissez l'enfant parler, soit pour répondre à ce que vous venez de dire, soit pour vous communiquer quelque chose d'autre qui lui revient. Là encore, ne le censurez pas, permettez-lui simplement de libérer ses sentiments refoulés. Continuez le dialogue, en changeant de siège chaque fois que vous changez de rôle, jusqu'à ce que l'enfant ait l'impression d'avoir fini ; puis terminez en tant qu'adulte actuel. Je le répète, il est très important de toujours entamer et terminer le dialogue dans le moment présent.

Une fois redevenu l'être actuel, vous aurez peut-être envie de prendre votre enfant (le coussin) dans vos bras et de l'embrasser. Vivez simplement ces retrouvailles, en ressentant de la gratitude pour la profonde honnêteté et la bonne communication qui existent entre vous. Réconfortez votre enfant, s'il a besoin d'être tranquillisé, en lui disant que vous serez toujours là pour lui ; assurez-lui qu'il est en sécurité dans vos bras et que vous prendrez soin de lui. Prolongez ce moment aussi longtemps que vous en avez envie, puis ouvrez les yeux doucement, à votre propre rythme.

Un simple dialogue sert de trame au procédé. Rappelez-vous, tout ceci n'est qu'une indication. Pour l'enfant survivant, il n'y a pas de façon « juste » de répondre.

Bien dans le présent, attentif à votre respiration, descendez dans la chaude compassion de votre cœur et invitez votre enfant à la partager avec vous. Pensez toujours à écouter sans juger.

ETRE ACTUEL : Eh, petit, de quoi veux-tu parler ?

ENFANT SURVIVANT : Je n'ai pas vraiment envie de te parler. Tu me dis sans cesse ce que je dois faire et comment le faire. Cela me met en colère. [Sur ces mots, il se tait.]

E. A. : [Pensez à vous relier à l'énergie de l'acceptation avant de répondre à l'enfant. Il vous a peut-être seulement testé pour voir si vous lui donniez réellement la place de s'exprimer.] Je comprends ce que tu ressens, mais maintenant je te promets que je n'essayerai pas de t'obliger à faire quoi que ce soit. Si tu veux, nous pouvons parler de ce que tu éprouves quand on te dit ce que tu dois faire et comment tu dois le faire. Es-tu d'accord ?

E. S. : Oui, mais je ne veux pas que tu m'interrompes.

E. A. : [Respirez profondément.] D'accord, c'est possible.

E. S. : Tu ne me respectes pas. Tu es comme ma mère. Tu me corriges sans arrêt. Tu me dis tout le temps ce que je dois faire et surtout tu m'interromps quand je commence vrai-ment à m'amuser. Chaque fois que je me mets à rire, tu te précipites avec quelque chose de sérieux à faire tout de suite. Ce n'est pas juste. Rien n'est plus important que de s'amuser et d'être heureux. Je t'en veux vraiment de m'en empêcher.

E. A. : Je comprends. Cela m'énerverait aussi.

E. S. : Vraiment ? Alors pourquoi le fais-tu ? Je ne comprends pas : tu es exactement comme maman.

E. A. : Dis-moi comment tu trouves maman.

E. S. : Oh, elle me met en colère. Je la déteste, elle ne me laisse jamais jouer avec mes jouets. Il faut toujours que je les range dans le débarras. A quoi cela me sert-il de les avoir, si je ne peux pas jouer avec ? Et nous ne pouvons jamais non plus recevoir nos amis. Nous n'avons jamais d'amis qui viennent jouer avec nous. Je me sens très seul.

E. A. : Je suis désolé d'apprendre que tu es seul, mais pour l'instant je suis avec toi et que tu le croies ou non, je suis aussi un ami. Si tu me montres comment faire, peut-être pourrons-nous jouer ensemble.

E. S. : Je veux bien.

E. A. : Merci beaucoup pour ta réponse. Je ne sais pas trop m'amuser, mais je suis sûr de vouloir essayer ; tu en parles si bien ! A partir de maintenant, je vais te montrer ce que c'est que de s'amuser ici, dans mon monde à moi. Ce sera peut-être légèrement différent de tes jouets et de tes jeux, mais ce sont aussi des jeux. Cela te ferait-il plaisir ?

E. S. : Peut-être. Si tu ne vas pas trop vite. Tu vas souvent trop vite. Mais oui, j'aimerais jouer avec tes jouets. Les miens sont parfois ennuyeux.

E. A. : [Embrassez l'oreiller.] Merci beaucoup pour ton honnêteté envers moi. Je t'apprécie et je t'aime beaucoup. Je te promets de ne jamais te laisser tomber. Je suis là pour toi, pour être ton ami. Ensemble nous apprendrons à nous amuser.

Notez dans votre journal les décisions fondamentales que vous vous rappelez avoir prises à un âge précoce et les sentiments qu'elles réveillent encore en vous. Notez également toutes les autres choses qui peuvent vous sembler importantes (par exemple, les principales peurs de votre enfant, ses sujets de colère ou de tristesse, ou bien son refus de parler), de façon à engager le dialogue sur ce thème spécifique la prochaine fois et à poursuivre ainsi le processus de guérison.

Cela vous aidera à comprendre que ces décisions avaient été prises avec le point de vue limité d'un jeune enfant, qui ne pouvait connaître ni tous les éléments entrant en ligne de compte, ni d'éventuelles circonstances atténuantes. Elles étaient peut-être appropriées à l'époque, mais elles ne le sont plus.

Vous pouvez poursuivre ce dialogue quotidiennement afin de connaître votre enfant survivant et l'utiliser chaque fois que vous vous sentez contracté - par la peur ou la colère, par exemple. En faisant parler cet enfant blessé et en l'amenant progressivement dans votre réalité présente, vous commencez à le guérir. Si vous lui montrez que vous prenez désormais la responsabilité de votre vie, vous pouvez, en tant qu'adulte capable d'aujourd'hui, jouer le rôle de parent par rapport à vous-même.

Exemples de questions

Voici quelques exemples de questions que vous pouvez poser à votre enfant survivant pour engager le dialogue quotidien. Sentez-vous libre de les formuler dans vos propres termes, d'une manière simple et aussi directe que possible.

1. Que ressens-tu à propos de cette maladie ?
2. Que ressens-tu à propos de notre docteur ?
3. Que ressens-tu à propos de nos traitements actuels ?
4. Pourquoi es-tu dans la confusion ?
5. Que ressens-tu à propos de la mort ?
6. Que ressens-tu à propos de la manière dont nous vivons actuellement ?
7. Que ressens-tu à propos de notre relation avec notre partenaire ?
8. Que ressens-tu à propos de maman ?
9. Que ressens-tu à propos de papa ?
10. Qu'aimerais-tu apprendre ?
11. A quoi aspire ton cœur ?
12. As-tu confiance en moi ?
13. Comment trouves-tu ta relation avec moi ?
14. Veux-tu me dire une chose que tu ne m'as pas dite depuis longtemps ?
15. Pourquoi es-tu en colère ?
16. Pourquoi es-tu triste ?
17. De quoi as-tu peur ?
18. Qu'est-ce qui te rend heureux ?
19. Qu'est-ce qui te ferait plaisir ?
20. Comment puis-je mieux m'occuper de toi ?

16

Les masques de survie de l'enfant

Il y a l'amour, qui est le même partout dans le monde... Et à moins que l'amour ne domine cette exposition, nous ferions mieux de décrocher tous les tableaux avant le vernissage.

Edward Steichen

Quand nous sommes mis au défi par la vie, nous tentons de nous tirer d'affaire avec les instruments de survie limités d'un enfant de quatre ans. Ceux-ci sont : se coucher, séduire, manipuler, se retirer, fuir et faire un accès de colère. Une fois adultes, nous pouvons porter des masques sophistiqués et jouer une grande variété de rôles pour cacher notre tactique, mais nous utilisons toujours les instruments mis au point alors que nous étions des enfants impuissants. Ces masques - la victime, le juge, le contrôleur et l'indulgent - constituent notre personnalité.

Ces divers aspects de notre personnalité s'efforcent de s'en sortir de leur mieux face à ce qu'ils perçoivent comme des événements mettant la vie en péril, tels que la peur, le rejet et la critique. Ils sont utiles par moments, mais ne savent que survivre et non pas guérir. En fait, certains de ces masques sont les premiers responsables de la maladie.

Nous les avons créés lorsque nous étions très jeunes ; ils étaient pour nous des moyens de survie dans le monde extérieur. Nous avons développé ces aspects de notre personnalité parce que notre environnement ne nous offrait pas toujours suffisamment de sécurité ou parce que nos parents étaient parfois incapables de nous apporter l'amour et la nourriture dont nous avions besoin.

Les masques de la personnalité

Généralement, nous croyons que nous *sommes* notre personnalité, avec ses nombreux masques. Comme ceux-ci sont très proches de notre visage, nous oublions que nous les portons. Ces masques ou subpersonnalités sont les mécanismes de défense qu'emploie notre enfant survivant pour se tirer d'affaire dans la vie quotidienne, ainsi que la partie de nous chargée d'affronter d'éventuelles crises.

L'enfant survivant change constamment de masque ; il s'adapte aux circonstances de la vie avec l'habileté d'un magicien. Les masques évoluent : le juge peut se changer en contrôleur, puis en amuseur public et enfin en monsieur « je-sais-tout ». Du fait de cette existence de caméléon, il est extrêmement difficile de découvrir qui se cache derrière ces masques.

Par exemple, examinons la stratégie qu'utilise l'enfant survivant dans son domaine de prédilection : l'évitement de la souffrance. Pour ne pas souffrir ou pour connaître un sentiment superficiel de plaisir, il entreprend une certaine action. Au début, il est très enthousiaste mais, en y réfléchissant, il se rend compte que cette action risque aussi de le faire souffrir. Il revoit alors sa stratégie et fait passer au premier plan le masque du contrôleur, dont la tâche est de le protéger. Il le prévient : « Tu risques de te faire mal, ne fais pas cela. Fuis. » Alors apparaît le saboteur, qui interrompt l'action entreprise, éventuellement par le biais d'un accident. S'il réussit, l'enfant revêt le masque du « plaignant » pour justifier son action et prendre d'autres personnes à témoin de ses malheurs, dans l'espoir qu'elles lui manifestent de la compréhension et du soutien.

Quand nous fonctionnons sur le mode de la plainte, nous préparons le terrain pour le masque très populaire de la victime. Nous pouvons grâce à lui obtenir beaucoup d'attention, en prenant l'attitude de « pauvre de moi ». L'enfant confond alors l'attention qu'il obtient avec l'amour auquel il aspire. Il a par là un bon prétexte pour ne plus rien entreprendre et se sent bien ainsi. Il reste donc dans le rôle de victime et finit par croire au masque au point d'en oublier le mécanisme.

Les programmes de survie périmés

La guérison devient possible lorsque nous nous apercevons que nous sommes davantage que notre personnalité, basée sur les programmes de survie d'un enfant de quatre ans. Cette prise de conscience nous permet d'accéder à l'adulte actuel en nous, qui est pleinement capable de trouver des solutions créatives aux crises de la vie.

La plupart du temps, nous portons en nous des programmes de survie subconscients périmés, nous disant que nous ne sommes pas en sécurité et que nous n'avons pas intérêt à être ouverts, honnêtes et vulnérables. Dans ces programmes, nous confondons la plupart du temps amour et souffrance : « Si je me laisse aimer de nouveau, je serai rejeté et blessé » et nous concluons : « Si je suis rejeté, je mourrai. »

Ces programmes subconscients, basés sur des événements qui menaçaient la survie d'un enfant impuissant, ne sont plus d'actualité pour les adultes capables que nous sommes généralement aujourd'hui. Pourtant, même si notre vie est bien remplie et réussie, ils continuent à filtrer nos perceptions. Ils nous maintiennent constamment dans un état d'urgence entraînant une anxiété et un stress élevés.

Ces masques étant d'anciens mécanismes de défense élaborés en réponse à des événements de notre enfance, période à laquelle nous étions reéllement impuissants, il est important d'aider l'enfant intérieur à se sentir en sécurité aujourd'hui. Si nous y parvenons, il s'épanouit et s'exprime ouvertement avec une joie spontanée. Avant qu'il ne recommence à vous faire confiance, il peut être nécessaire que vous dialoguiez plusieurs fois avec lui, en lui répétant souvent qu'il est en sécurité avec vous.

Pour guérir l'enfant intérieur, nous devons d'abord avoir la volonté de regarder en nous et d'y saluer notre partie vulnérable, ainsi que tous les masques de survie que porte l'enfant. Cette étape une fois franchie, nous pouvons abandonner le jugement et le contrôle. Nous apprenons alors à dire oui à ce que nous sommes et à la vie telle qu'elle est - et donc à dire oui d'une manière créative aux circonstances présentes. L'énergie de guérison peut ainsi remplacer l'énergie défensive de survie.

Il est très important de reconnaître les différents masques de l'enfant survivant et d'engager un dialogue avec eux non pas pour voir ce qu'ils ont de faux, mais pour comprendre qu'ils s'opposent directement à l'âme enfant et au guérisseur. En fait, tous trois veulent la même chose : aimer et être aimé. Une fois que nous avons compris cela, nous pouvons commencer à être pour nous-mêmes des parents mûrs et justes et nous donner enfin la permission d'être pleinement ce que nous sommes.

Le juge

Quand nous sommes confrontés à une situation désagréable, une partie de nous souhaiterait qu'elle soit différente : c'est le masque de survie du juge. Celui-ci, tout comme notre enfant vulnérable, juge les gens et les circonstances de la vie.

Sa tâche est d'évaluer une personne ou une situation et de déterminer si elle nous fera du bien ou du mal. Dans le premier cas, l'enfant survivant abondera dans son sens et pourra même croire que sa survie en dépend. Dans le cas contraire, il s'y opposera et utilisera tous ses instruments de survie pour l'éviter.

Malheureusement, notre jugement sur le bien et le mal repose sur les anciens programmes de survie d'un enfant impuissant. Nous traversons donc la vie en réagissant à nos fantasmes et à nos projections plutôt qu'aux événements réels.

Le juge, instrument utile

De par sa nature, le juge est utile : c'est la partie de notre mental qui tire des leçons de nos erreurs. Si, enfants, nous nous sommes brûlé la main contre un poêle brûlant, le juge nous le rappellera chaque fois que nous nous approcherons d'un poêle brûlant, pour éviter que l'incident ne se reproduise.

Le juge a un but fonctionnel dans notre vie quotidienne, puisque c'est la partie de nous qui détermine ce qui est réel. Sans lui, par exemple, nous ne pourrions pas savoir si tel objet est une chaise avant de nous y asseoir ou si telle substance est comestible avant de la manger.

Les filtres de perception

Malheureusement, le programme de notre juge nous maintient prisonniers de nos erreurs et de nos décisions passées et limite notre capacité à vivre dans le moment présent. Quand nous percevons la vie à travers le filtre du juge, basé sur le conditionnement d'un enfant impuissant, notre « moment présent » est coloré par la programmation du passé. C'est pourquoi nous opposons à toute personne ou à toute situation que nous rencontrons un bagage fait d'anciennes perceptions et de vieilles décisions.

Cette attitude entraîne un sentiment de peur inutile et pousse à vivre dans la réaction plutôt que dans la créativité. L'univers du survivant est réactif : nous croyons que la vie *se fait en dehors de* nous. Celui du guérisseur est créatif : nous sommes pleinement responsables des choix que nous faisons.

Le juge contre l'être actuel

Pour guérir, nous devons découvrir la voix du juge en nous et décider consciemment si le jugement est toujours approprié à notre vie actuelle ; il nous faut donc contacter une partie très consciente de nous-mêmes, qui ne juge pas mais se contente d'observer ce qui est : l'adulte actuel ou le « témoin ». Elle n'existe que dans le présent (comme lorsque je faisais cuire des pains moufflets et que je me posais la question : « Que se passe-t-il maintenant ? »).

Le juge ayant entre autres stratégies celle de porter le masque de l'adulte actuel pour garder le contrôle, il risque de nous tromper. Il parle souvent comme notre mère, notre père ou tout autre adulte ayant joué un rôle important dans notre vie. La méditation est un instrument puissant pour nous aider à faire la différence entre l'énergie du juge et celle de l'adulte actuel.

Il est également utile d'examiner les autres masques que l'enfant survivant porte conjointement avec celui du juge.

Le contrôleur

Lorsque nous sommes confrontés à une crise, nous avons comme autres instruments de survie le contrôle, la dénégation et la résistance. Le contrôleur est la partie de nous qui veut que la vie soit exempte de souffrance afin de protéger l'enfant vulnérable. Il refuse la vie telle qu'elle est à cause d'une image ou d'une idée lui disant comment elle « devrait » être. Il limite notre comportement et notre capacité à dire oui à chaque instant tel qu'il est. Quand nous disons non à la vie, nous avons l'impression de garder le contrôle ; l'enfant en nous se sent alors en sécurité, comme si rien de mal ne pouvait lui arriver.

Nous estimons cette protection nécessaire parce que nous percevons le monde comme séparé de nous. Son immensité nous intimide. Poussés par la peur, nous cherchons à contrôler notre environnement. Voilà de quoi est faite l'histoire : une nation en conquiert une autre ; les hommes séduisent les femmes ; les êtres humains dressent et exploitent les animaux ; et l'espèce humaine détruit la planète en essayant de contrôler la nature. Quand nous mettons le masque du contrôleur, nous oublions peu à peu la loyauté envers la vie.

L'évitement par le contrôle

Le contrôle est également une forme subtile d'évitement. J'ai refusé de prendre la responsabilité de mon état en essayant de contrôler les circonstances et les gens. Ce type de contrôle mène facilement à l'accusation et à la dénégation, masques de survie que l'enfant porte pour échapper à la peur. Si nous nous cachons derrière le contrôleur, l'enfant survivant peut rester indéfiniment dans la dénégation, en ayant l'impression que tout va bien. Malheureusement, avec cette illusion, nous fuyons nos responsabilités et négligeons de modifier l'attitude ou le comportement qui est à l'origine de notre maladie.

Quand mes premiers symptômes apparurent, je n'avais pas conscience que mon contrôleur m'interdisait d'écouter les messages envoyés par mon corps. Mais il ne faisait que son travail : il protégeait mon enfant vulnérable de ce que celui-ci redoutait le plus, c'est-à-dire la maladie et la mort.

Le contrôleur contre le guérisseur

Quand les symptômes furent tels que je ne pouvais plus les nier, la voix intuitive de mon guérisseur intérieur m'offrit sa guidance. Le guérisseur intérieur, qui est étroitement lié à l'âme enfant, me conseilla de mettre fin à ma relation avec Nado, de demander à mes amis de me soutenir sur le plan émotionnel et d'exprimer mes sentiments refoulés. Craignant les répercussions, le contrôleur résista : sous le couvert d'excuses fumeuses, il nia que les choses allaient mal. Comme je faisais confiance à mon contrôleur plutôt qu'à mon guérisseur, l'indulgent entra en scène et je repris mes anciennes habitudes, qui me paraissaient plus familières et plus confortables. Je retombais dans le comportement qui avait favorisé l'installation de ma maladie.

Le contrôleur est la Némésis du guérisseur, dont le chemin est la vérité, l'acceptation et la reddition. Il est important d'identifier le contrôleur de façon à pouvoir décider consciemment, instant après instant, d'abandonner le contrôle. C'est cette autodiscipline qui permet la guérison. Contrôle et discipline peuvent sembler synonymes, mais leur impact est très différent. Le contrôle est restrictif et répressif, tandis que la discipline est expansive et libératrice.

Par exemple, je savais instinctivement qu'il me fallait abandonner mes anciennes attitudes face à la vie. Même en luttant pour les changer, j'étais paralysée par la peur de ne pouvoir « faire comme il faut » et de ne pas correspondre aux critères du juge. Au lieu de laisser simplement ma vie se dérouler, je continuais à contrôler chaque instant. Pour éviter ce que mon enfant vulnérable craignait le plus, j'employais toute mon énergie à le nier. Lorsque je lâchai prise et appris à faire constamment confiance à ce qui se passait en moi, une autodiscipline émergea naturellement et je m'aperçus que je n'avais plus besoin de me forcer à « faire comme il faut ».

La dénégation

Parmi les instruments du contrôleur, il y a les mécanismes de défense que sont la dénégation, la résistance et la culpabilité. La dénégation est directement liée au contrôle. Tous deux sont engendrés par la croyance que la vie se fait en dehors de nous, que nous en sommes les victimes plutôt que les cocréateurs. Quand nous sommes dans la dénégation, nous essayons de contrôler au maximum les personnes qui nous entourent et les circonstances de notre vie afin de fuir nos sentiments d'impuissance et de rage.

La dénégation, instrument utile

Comme je l'ai expliqué dans l'histoire de ma guérison, la dénégation a initialement un but positif, celui de constituer une transition ; mais si elle dure trop longtemps, elle risque de devenir destructrice. Par exemple, quand nous apprenons une mauvaise nouvelle, qu'il s'agisse de la perte d'un être aimé ou de notre propre diagnostic, notre première réponse est : « Non ! » Il est parfaitement naturel de commencer par rejeter les mauvaises nouvelles. C'est une réaction aussi instinctive qu'un éternuement.

C'est souvent aussi notre seule façon de nous en tirer. Il est parfaitement humain, après tout, de nier notre état, au moins durant la péride initiale d'ajustement. Quand j'ai appris mon diagnostic, le sol s'est dérobé sous mes pieds : il n'y avait plus de base. J'étais perdue, hébétée, ne sachant ni que faire ni que ressentir. La période transitoire de dénégation me donnait le temps d'assimiler la nouvelle et ses conséquences sur ma vie.

La dénégation chez les autres

Je ne peux assez insister sur l'importance qu'eut pour moi cette période de transition. Je vous conseille de donner à vos proches ou à vos patients le temps d'intégrer leur diagnostic à leur vie. Leur persistance dans ce qui peut sembler une dénégation peut être simplement une tentative de leur part pour garder un minimum de dignité.

Cette phase peut être très pénible pour nous en tant qu'amis, proches ou soignants, mais si nous tentons d'aider la personne à « dépasser » sa dénégation, nous ne faisons qu'accroître sa résistance. La dénégation chez les autres réactive notre propre sentiment d'impuissance et nous donne envie de résoudre le problème à leur place. Quand quelqu'un est dans la dénégation, le mieux est de le laisser en sortir naturellement de lui-même. L'amour et l'acceptation du stade où il en est - ainsi que de celui où nous en sommes - sont les instruments les plus efficaces pour favoriser la guérison.

La dénégation par la volonté

L'une des formes de dénégation que j'ai fréquemment rencontrée chez mes clients venant d'apprendre qu'ils ont le sida est : « Je ne mourrai pas du sida. » Au contraire de « Je n'ai pas le sida », cette réaction est considérée par les soignants et les patients comme une réponse saine. Pour ma part, je la vois comme une cause potentielle de destruction et comme une source inutile de contraction et de stress. L'énergie nécessaire pour soutenir ce type de dénégation pourrait être employée dans le sens de la guérison si le patient acceptait de s'abandonner et de faire confiance au flot naturel de sa vie.

Dans cette réponse, la peur et la dénégation sont mêlées. La peur de se retrouver face au désespoir est tellement grande qu'une contraction comparable à une paralysie mentale s'installe ; le système de survie automatique prend le dessus, s'exprimant par la phrase : « Je ne mourrai pas de cette maladie. » Ce système de défense produit une forte énergie qui peut nous faire tenir un certain temps, mais qui, comme toute énergie née de la contraction, finit par s'épuiser. D'après mon expérience, tout ce qui est issu du pouvoir de la volonté finit par lâcher quand celle-ci cède et que la permissivité prend le dessus.

Si nous reconnaissons que la dénégation est une phase parfaitement normale, faisant partie d'une série complexe de réactions comprenant la résistance, la peur, la culpabilité, etc., nous permettons à la guérison de survenir beaucoup plus rapidement et instaurons une relation plus saine avec les aspects de nous-mêmes que nous refusons.

La résistance

Si la dénégation est la mise en place d'une barrière temporaire face à nos sentiments pour négocier avec le choc et la souffrance, la résistance est le durcissement, la transformation de cette barrière en un mur permanent. Ce mur nous protège de la souffrance due à la contraction, mais nous empêche aussi de ressentir la joie de l'expansion. Brique après brique, nous nous coupons de nos sentiments. Le fait de vivre dans la résistance, de dire non à notre vie telle qu'elle est, gêne l'écoulement de notre flot naturel d'énergie et prépare un sol fertile idéal pour la croissance de la maladie.

Lorsque la dénégation s'atténue, le prochain mécanisme de défense employé par l'enfant survivant pour sortir de la crise est la résistance. Malheureusement - comme le dit l'ancien dicton : « Ce à quoi nous résistons persiste » - plus nous résistons à ce que nous redoutons, plus nous le rendons réel.

La résistance est également une forme de contrôle. Si notre énergie cherche à s'écouler dans une direction et que nous lui opposons une résistance, nous la bloquons totalement. Quand, face à une crise, nous refusons notre réaction émotionnelle naturelle, nous limitons en même temps notre énergie naturelle de guérison.

La résistance, instrument utile

La résistance peut également avoir un côté positif, lié à cette limitation de l'énergie. Nous nous créons beaucoup d'inconfort en résistant à ce que la vie nous offre et la nécessité d'une transformation personnelle finit alors par devenir péniblement évidente. La résistance crée une tension comparable au malaise que nous éprouvons si nous retenons notre respiration avant de pleurer ou de crier. Il faut une quantité croissante d'énergie pour résister longtemps. Quand nous prenons conscience de notre résistance, l'énergie accumulée peut être libérée, telle une source, et nous pousser vers l'acceptation.

Quand enfin nous sommes prêts à accepter notre état et à ressentir notre souffrance, nous pouvons commencer à abandonner la résistance. C'est la première étape vers la guérison : accepter simplement ce qui est. Lorsque nous admettons que nous sommes malades et impuissants face à la situation, la guérison peut commencer. En ayant le courage d'accepter nos sentiments, nous trouvons la force de les exprimer. La résistance s'atténue lorsque nous libérons l'énergie émotionnelle refoulée et nous créons ainsi une ouverture pour la guérison.

La négation de soi-même

Si nous restons trop longtemps dans la résistance, nous risquons d'aboutir à une forme plus destructrice de dénégation : la négation de soi-même. Quand je regarde mon schéma de résistance tel qu'il se dessine dans ma vie, je vois que son origine est la peur profonde d'être ce que je sais être. Bien que, dans mon cœur, je sois en contact avec le maître en moi, je suis incapable de l'intégrer pleinement à ma vie car mon passé est rempli de nombreux épisodes dans lesquels j'ai trouvé trop difficile de m'affirmer ou de dire ma vérité à d'autres. Ces souvenirs pénibles me semblent en quelque sorte plus réels que les rares moments où j'ai agi guidée par le maître que je suis. En laissant le passé limiter mes expériences du présent, je refuse d'affirmer ce que je suis. C'est une autre forme d'indulgence pour la victime en moi.

Notre société préfère des individus sans pouvoir qui ne se réveillent pas pour redevenir maîtres d'eux-mêmes. Si trop d'individus prenaient leur vie en charge, les gouvernements et les religions ne pourraient plus nous contrôler. La société deviendrait alors naturellement une communauté saine et autonome. Chaque membre serait pleinement responsable de sa participation à une société de partage.

Afin de contrôler cette évolution et de maintenir le statu quo, ceux qui sont au pouvoir rendent l'univers de la victime très séduisant pour les masses. Nous recevons beaucoup plus de reconnaissance sociale et de « caresses » émotionnelles en tant que victimes qu'en tant que maîtres ; c'est donc le choix le plus populaire. Vivre avec une véritable maîtrise de soi exige beaucoup de discipline.

La négation de soi-même est une maladie

La négation de soi-même est une maladie qui affecte la plupart d'entre nous sous une forme ou une autre. Nous désavouons et nions une partie de nous-mêmes depuis si longtemps que cela nous paraît presque naturel. Ayant grandi dans des familles perturbées, nous avons dû constamment nier ce que nous étions pour maintenir la paix ou pour éviter d'être battus. A l'école, nous nions ce que nous sommes pour entrer dans le moule. Dans nos relations amoureuses, nous cachons la partie de nous-mêmes que nous n'apprécions pas pour que l'autre nous aime, puis nous nous jugeons indignes lorsqu'il nous quitte. Nous refoulons nos émotions et cachons notre honte. Nous nous blâmons, ce qui nous culpabilise. Nous faisons des régimes et de la gymnastique pour améliorer notre aspect physique, nous achetons de nouveaux vêtements et nous nous accrochons à des professions au statut social élevé pour masquer l'indignité que nous ressentons.

La véritable maladie ayant besoin d'être guérie est là. C'est la plus grande plaie de notre temps. Elle ressemble à une maladie génétique transmise de génération en génération. Nous empoisonnons nos enfants sans nous en apercevoir parce que nous ne nous rendons pas compte à quel point nous sommes atteints. Il est temps de comprendre d'où vient cette maladie, comment nous la perpétuons et ce que nous sommes réellement quand nous sommes sains.

La négation de soi-même peut prendre de nombreuses formes, en particulier la dépendance, le manque de respect envers soi-même et la tendance à la destruction. Elle a pour origine un profond sentiment d'indignité. L'affirmation clé - « Je ne suis pas assez bien » ou « Je ne fais rien de bien » - nous est inconsciemment transmise par nos parents, notre Eglise et notre culture. La honte et la culpabilité sont les pierres angulaires de ces croyances destructrices.

La honte et la culpabilité

Si la honte reflète ce que nous croyons être - « J'ai tellement honte de moi » - la culpabilité concerne ce que nous faisons - « Je me sens coupable de ce que j'ai fait. » La honte et la culpabilité nous empêchent de voir ce que nous sommes réellement. Elles nous protègent également des émotions pénibles. Elles nous permettent de fuir la responsabilité de nos actions (elles sont en cela similaires au blâme, qui est un moyen de nous libérer de la culpabilité et de la honte).

Notre sentiment de culpabilité engendre une forme subtile de punition, suivie d'une contraction. Celle-ci nous condamne à répéter la conduite négative à l'origine de ce sentiment de culpabilité. Ce cycle de punition et d'expiation constitue un mauvais usage de notre énergie vitale. Quand nous nous sentons coupables, nous disons non à ce que nous sommes, tout en essayant de le revendiquer.

Il y a beaucoup de justifications et de pharisaïsme à propos de la culpabilité. Quand nous n'écoutons pas l'intuition de notre guérisseur, nous manquons de respect envers nous-mêmes et, après coup, nous nous culpabilisons. Nous croyons qu'en nous soumettant à l'inconfort de la culpabilité, nous nous repentons de nos péchés et que nous pouvons donc répéter notre conduite, puisque nous avons déjà souffert pour elle.

La culpabilité est un moyen de justifier un schéma de conduite indésiré. Il s'agit d'une technique très primitive. C'est comme si nous nous offrions en sacrifice aux dieux pour qu'ils prennent pitié de nos souffrances et nous absolvent de nos péchés. Malheureusement, ce cycle primitif épuise notre énergie, qui pourrait être dirigée de manière plus créative vers des choix favorisant la guérison.

La honte et la sexualité

Si nous sortons de ce cycle et cessons de retomber dans le piège de la culpabilité, nous pouvons commencer à regarder les sentiments de honte auxquels nous essayons si désespérément d'échapper. Par exemple, un de mes clients, particulièrement tourmenté par son homosexualité refoulée, aurait fait n'importe quoi pour échapper à la honte de ses préférences sexuelles. Il avait tellement peur du rejet qu'il mentait sur ses sentiments. Il prétendait être ce qu'il n'était pas, tout en niant ce qu'il était.

A dix-neuf ans, il se fiança avec une camarade de classe qui ne se doutait de rien mais, à force de cacher ses vrais sentiments, il finit par éprouver du ressentiment. Il sabotait la relation en provoquant des disputes, puis il culpabilisait et suppliait sa fiancée de ne pas lui en vouloir. En thérapie, il finit par admettre son attirance pour les autres hommes et commença à dire oui à ses sentiments. Durant une séance clé, il éclata en sanglots, libérant des années d'énergie refoulée. Sa nouvelle capacité à dire oui à ce qu'il était créa de l'espace pour la guérison. Peu de temps après, il rompit poliment son engagement et se mit peu à peu à reconnaître son homosexualité vis-à-vis de lui-même, de sa famille et de ses amis.

La honte de mon client n'était pas seulement renforcée par la société ; elle était d'une certaine manière créée par elle. La violence cachée aussi bien qu'ouverte, ainsi que la discrimination envers les homosexuels et autres minorités qui polluent notre société, favorisent la conscience de victime en nous. Si nous condamnons quelqu'un afin de nous sentir supérieurs, nous sommes nous-mêmes prisonniers de cette condamnation. Si nous acceptons le jugement des autres, c'est probablement qu'il reflète ce que nous pensons de nous depuis l'enfance. Alors, pour nous défendre, nous mettons le masque du blâmeur et blâmons la société, créant un cercle vicieux sans espace pour la compréhension.

Nous trouvons un exemple de cette attitude dans l'atmosphère de culpabilité et de honte créée par l'Eglise et les médias autour du sida. Certains penseurs limités suggèrent cruellement que les homosexuels devraient avoir honte d'être malades du sida et qu'ils devraient se sentir coupables de ce qu'ils ont fait pour l'attraper. Cette croyance repose exclusivement sur la peur et non sur la réalité.

Si un patient atteint de sida tient une telle croyance pour vraie, c'est très certainement qu'il a, au fond de son subconscient, la même croyance basée sur la honte. Une fois qu'il a compris cela, il peut commencer à abandonner l'ancienne programmation, issue de sa petite enfance, disant que l'homosexualité est mauvaise, et la remplacer par une affirmation d'acceptation et d'amour de lui-même.

J'ai observé ce phénomène chez un grand nombre de mes clients, lorsqu'ils passent de leur identité de victimes du sida à celle de personnes atteintes de sida. Mais, s'ils veulent sortir de la conscience de victime, il leur faut extirper encore d'autres croyances fondamentales. Ces mauvaises herbes doivent être arrachées avec la racine.

La punition

Un jour, j'étais en séance avec un client qui était également un ami très cher. Je lui demandai ce qu'il pensait de la punition. Il me fit part de sa théorie selon laquelle la punition n'existait pas réellement dans notre univers et me dit qu'il avait largement dépassé ce niveau de conscience. M'harmonisant avec lui, je remarquai que son énergie de défense était très forte ; j'avais l'impression de me heurter à un mur de béton. Il était donc trop tôt pour explorer la vérité qui se cachait derrière ces mots.

A la séance suivante, il arriva assez agité et me dit que mes questions sur la punition l'avaient révolté. Il continua en exprimant sa surprise et sa consternation de voir un être aussi évolué spirituellement que moi en rester à un tel niveau de conscience. Puis il changea rapidement de sujet pour passer à ses difficultés amoureuses et la séance fut consacrée à ce problème.

A la séance d'après, il aborda de nouveau la question de la punition. Il me dit qu'elle l'agaçait prodigieusement et que j'étais responsable de son état. Très doucement, je lui rappelai sa théorie - la punition n'existait pas et il avait dépassé ce stade. Il se mit en colère et put enfin exprimer sa frustration. Il avoua que sa théorie n'était qu'un concept intellectuel et qu'il était encore incapable de la vivre. Je lui demandai de fermer les yeux et d'exprimer ses sentiments concernant la punition. Il me parla de celle-ci, ainsi que de culpabilité et de honte, ce qui déclencha une tempête de larmes et d'émotions. Après cette décharge, il se sentit léger et libéré.

Nous ne pouvons pousser la rivière de la guérison. Je ne cesse de vous le rappeler, la guérison est une permission. Pourtant nous nous impatientons parfois et, au lieu de laisser le temps effacer naturellement notre résistance et résoudre certains problèmes liés à notre état, nous cherchons à précipiter le processus. Nous le faisons quand nous mettons le masque du « pousseur ». En fait, ce masque de survie apparaît dans tous les domaines de notre vie et est souvent l'un des premiers facteurs ayant contribué à l'effondrement de notre organisme.

Le « pousseur »

Notre société est névrosée lorsqu'elle ne nous laisse pas nous occuper de nous-mêmes à notre propre rythme. A moins d'être confrontés à un état très grave, nous sommes en quelque sorte obligés de vivre sur la voie rapide. Pour cela, il nous faut porter le masque du pousseur et affirmer « je m'en sortirai » jusqu'à ce que notre organisme ne puisse plus s'en sortir.

Le pousseur peut réellement barrer la route à la guérison. Un certain aspect de la pensée du Nouvel Age, entre autres, est le résultat direct du pousseur. Ces dernières années, j'ai entendu de nombreux clients faire ce genre de déclaration : « Je dois confronter ma colère » ou : « Je dois éliminer ma dénégation ». Le plus souvent, en fouillant un peu plus profondément, je découvrais que « dénégation » était une étiquette posée sur mes clients par un thérapeute, un enseignant ou un associé qu'ils avaient connu auparavant.

Par exemple, je travaillais avec un client qui se jugeait sévèrement parce qu'il n'était pas capable de dire à ses parents et à ses collègues de travail qu'il était atteint de sida. Il avait participé à un groupe de soutien pour personnes séropositives qui insistait sur le fait de « se montrer » et de revendiquer la maladie, disant que c'était une étape positive vers la guérison. Cette affirmation est bien sûr exacte à un certain niveau, mais si elle est forcée et prématurée, elle risque de faire plus de mal que de bien. Dans le cas de mon client, il se soumettait aux critères d'autrui et avait honte de ne « pas bien faire les choses ».

Le « compareur »

La comparaison est un poison et un moyen de perpétuer notre sentiment d'indignité. Comparer notre corps, nos vêtements, nos voitures, nos amoureux, nos succès ou même nos faiblesses nous empêche d'apprécier ce que nous sommes, où nous en sommes, et ce que nous faisons dans le moment présent.

Nous renforçons notre sentiment de honte et d'indignité en nous comparant aux images et aux messages dont les médias nous bombardent. Les idéaux présentés par la culture d'aujourd'hui sont tellement hors d'atteinte que très peu d'individus parviennent à ne pas s'y sentir inférieurs.

La comparaison est un cancer du cœur ; elle consume notre amour. En jugeant continuellement selon les critères du bien et du mal, nous créons des attentes et limitons notre expérience. Nous ne sommes plus capables d'accepter notre unicité et nous paralysons ainsi notre participation consciente au miracle de la vie.

La comparaison nous empêche de ressentir la plénitude du moment présent. Quand j'ai appris mon diagnostic, j'ai immédiatement comparé les nouvelles circonstances avec les anciennes et pleuré ce que j'avais perdu. J'ai comparé ma situation présente avec la vie normale, je me suis lamentée sur mes rêves brisés et affligée de ne plus avoir la santé.

En même temps, je me suis sentie presque libérée de ne plus devoir endurer le stress de mon ancienne vie et la souffrance due au rejet de Nado. Je comparais de nouveau mon présent avec mon passé, mais cette fois-ci en rationalisant d'une manière malsaine : j'en arrivais à me dire que j'étais mieux malade. J'acceptais d'ailleurs volontiers « l'attention particulière » que je recevais grâce à ma maladie.

Le manipulateur

Comme je l'ai déjà dit, enfant, j'utilisais la maladie pour manipuler mon entourage. Ma mère ne me donnait l'attention particulière à laquelle j'aspirais tant que quand j'étais malade. Lorsque mon problème de sida débuta, je crus que c'était pour moi un moyen de manipuler Nado, mais comme je l'ai découvert plus tard, la personne que je manipulais était en fin de compte moi-même.

Notre société met tellement l'accent sur la confiance en soi et l'indépendance que nous avons souvent l'impression de ne pas avoir le droit de réclamer de l'aide ou du soutien dans des circonstances normales. Mais après un diagnostic de maladie grave, il devient soudain socialement acceptable de dépendre d'autrui pour les soins et la compassion dont nous avons besoin et auxquels nous avons droit.

Même si ceux-ci nous sont naturellement acquis, l'enfant intérieur en nous a l'impression que nous ne les méritons pas, sauf si nous souffrons. Comme il confond attention particulière et amour, c'est-à-dire survie, il fera n'importe quoi pour obtenir ce qu'il veut, y compris mettre le masque du manipulateur et utiliser la maladie comme moyen d'obtenir de l'amour. Cette attitude malsaine entretient et perpétue le rôle que joue la maladie dans notre vie ; c'est une façon de manquer de respect vis-à-vis de nous-mêmes.

L'indulgent et le manque de respect vis-à-vis de soi-même

En tant que culture collective, nous avons perdu notre sentiment inné de confiance ; notre société commet par conséquent beaucoup d'abus. De nombreuses personnes ont connu des perturbations émotionnelles et parfois subi des agressions physiques ou sexuelles dans leur enfance, ce qui a fait naître en elles une profonde méfiance.

La plupart du temps, l'appel au réveil que nous adresse l'univers doit être très puissant pour que nous prenions conscience de son plein impact. Il nous faut alors une discipline rigoureuse et un système de soutien efficace pour que nous oubliions le modèle de comportement qui consiste à manquer de respect envers nous-mêmes et les autres et à subir le manque de respect d'autrui. Curieusement, nous devenons dépendants de l'intensité de ces mauvais traitements. Nous nous apercevons souvent trop tard de toutes leurs conséquences sur notre organisme.

Chez beaucoup de patients atteints de sida, le manque de respect envers eux-mêmes, se manifestant par des relations sexuelles répétées et anonymes ou un abus de drogues, a engendré des blessures profondes et destructrices, même s'ils ne s'en sont pas aperçu à l'époque. Par exemple, la recherche de relations sexuelles est en réalité une quête d'amour, un besoin d'être tenu dans les bras, de se relier à un autre être humain. Pourtant, elle est souvent sabotée par une peur encore plus grande face à l'intimité et au rejet. Pour les utilisateurs de drogues, celles-ci sont un moyen d'échapper à la contraction par une expansion artificielle. De nombreux drogués recherchent la lumière qu'ils ont aperçue lors de leur première expérience, quand leur conscience s'est ouverte pour la première fois, dépassant l'illusion de la « réalité ».

En tant que thérapeute, je vois de nombreux clients qui ne se sont pas respectés dans l'utilisation de leur énergie. Même si certains savent maintenant ce qu'ils doivent faire pour favoriser leur guérison, ils s'autorisent encore à satisfaire les

« besoins » de leur enfant survivant, en croyant que le jeu en vaut la chandelle. Beaucoup continuent à justifier et rationaliser leurs choix de garder des relations amoureuses malsaines, de se droguer, de mal se nourrir, de continuer un travail frustrant ou de persister dans des relations sexuelles risquées et anonymes, tout en niant les conséquences possibles.

Se réveiller pour mettre de l'ordre dans sa vie demande un grand courage et il n'est pas possible d'en faire l'économie. Mais l'indulgent est passé maître dans l'art de trouver des solutions faciles, ce qui est un mécanisme de défense de l'enfant survivant et une réaction à un ancien programme de survie. Il est l'un des plus grands opposants à la guérison.

Quand nous sommes menés par la permissivité, nous sommes incapables d'écouter le guérisseur intérieur, qui peut nous montrer comment faire un choix différent. J'ai observé qu'un changement positif très important avait lieu chez tous mes clients dès qu'ils avaient la volonté de reconnaître l'indulgent en eux, de voir son impact sur leur vie et de retrouver le respect d'eux-mêmes.

Leurs comportements dus au manque de respect d'eux-mêmes persistent souvent plus longtemps que ceux dont l'origine est la honte et la culpabilité. Avant de pouvoir utiliser les différents instruments qui facilitent le processus de guérison, ils doivent découvrir la source de ces schémas de comportement. L'art du guérisseur consiste à reconnaître que ces schémas sont là, puis à les abandonner.

Abandonner un comportement autodestructeur, comme une dépendance ou une relation malsaine, demande beaucoup de courage et de maîtrise de soi. Au début, il est en général préférable de sortir complètement de son cadre de vie. La compagnie de personnes persistant dans les comportements autodestructeurs ne favorise pas la guérison ; elle l'entrave plutôt. La plupart du temps, il est impératif de couper totalement avec son ancien environnement. Cela peut paraître brutal, mais c'est un passage nécessaire. En revanche, il est vital de se créer une nouvelle « famille » ou de trouver un système de soutien dont les valeurs vont dans le sens de la guérison.

Le clan de soutien

La société moderne ayant perdu le sens du clan et de la famille, les blessures dues à des traumatismes profonds qui remontent à une enfance malheureuse tendent à rester ouvertes et douloureuses. Elles n'ont pas de lieu sûr où guérir, pas suffisamment de temps pour que la cicatrice se forme. Aujourd'hui, on retrouve le clan, avec son sentiment de sécurité et de communauté, principalement dans les programmes en douze étapes, les groupes de soutien, les communautés spirituelles et les séminaires thérapeutiques. Ces groupes peuvent aider à passer du manque de respect envers soi-même à l'amour de soi-même, car les gens y sont prêts à s'accueillir les uns les autres ouvertement, sans jugement, de sorte que l'énergie émotionnelle refoulée liée à ces événements traumatisants puisse être libérée et guérie.

C'est pourquoi j'insiste toujours sur l'importance d'un système de soutien ou d'une communauté de personnes ayant la même démarche. Notre flot d'énergie individuel risque de se dessécher dans le désert du monde extérieur. En nous reliant à d'autres flots, nous formons une rivière coulant vers l'océan, qui devient une conspiration silencieuse pour transformer et guérir notre planète. En fait, cette transformation existe déjà à de nombreux niveaux ; elle est la conséquence de cette espèce de conspiration populaire, qui chevauche la vague accélérée de l'évolution personnelle et planétaire.

L'enfant survivant pense connaître toutes les réponses, tous les moyens d'éviter la souffrance, et utilise tous les trucs possibles pour survivre. Il est comme une merveilleuse machine destinée à nous protéger du mal et nous pouvons lui être reconnaissants de faire son travail. L'essentiel est de se rappeler que presque tout ce qu'il perçoit comme « mal » est une projection du passé sur le présent ou le futur.

Il est rarement prêt à voir ce qui se passe réellement dans notre vie. Par exemple, une personne vous plaît et vous aimeriez la rencontrer ; vous proposez une date, mais elle vous répond qu'elle est occupée ce soir-là : l'enfant survivant risque d'interpréter cette réponse comme un rejet, ce qui déclenchera toute une série de réactions venant de sa peur de mourir s'il est abandonné par ses parents.

En nettoyant lentement et régulièrement les filtres de notre perception par la libération émotionnelle et la méditation, nous nous réveillons peu à peu à ce qui est réel, ici et maintenant, dans l'instant. Tout le reste n'est qu'imagination. *Tout*. Il n'existe que le *maintenant* et l'*ici* ; tout le reste est illusion du mental.

Nous nous conduisons comme si nous portions constamment des photos représentant les souvenirs de notre passé et les attentes de notre avenir et que nous les projetions sur les gens, les lieux et les choses de notre réalité actuelle. Pour guérir, nous devons nous apercevoir que les images de notre mental sont de simples souvenirs : ils ne peuvent pas nous nuire puisqu'ils n'existent plus. Ces événements datent d'hier, de l'année dernière ou d'il y a plus longtemps encore ; ils ne sont pas en train de se passer maintenant.

Comme nous n'avons pas pu exprimer complètement nos émotions lorsqu'ils se sont produits, les souvenirs que nous en gardons ressemblent à des fantômes : ils nous hantent pour que nous finissions d'exprimer nos émotions. A cause d'eux, nous continuons à réagir à la projection des événements comme si ceux-ci survenaient aujourd'hui. Nos souvenirs nous rendent aveugles au fait que nous contaminons le présent avec notre passé. Pour guérir, nous devons reconnaître que, sans cesse, la vie change et nous fournit de nouvelles opportunités de transcender nos anciennes habitudes limitées. Nous sommes alors prêts à accéder à davantage de maîtrise, à cesser de tenter de survivre et à découvrir ce qu'est vivre.

Procédé

Les stratégies de l'enfant survivant

Ce procédé explore l'une des principales stratégies de l'enfant survivant : *vouloir que la vie soit différente*. L'enfant survivant pense que s'il pouvait toujours faire ce qu'il a envie de faire, il serait heureux. Il utilisera tous ses masques à cette fin : ceux du contrôleur, du plaignant et du manipulateur.

Contrairement aux autres procédés, *ne commencez pas* par lire celui-ci en entier ; lisez plutôt chaque partie au fur et à mesure. Il est important de toujours faire les quatre parties en une séance. Vous pouvez utiliser ce procédé de nombreuses fois pour comprendre votre enfant survivant.

1. Ouvrez votre journal à une page blanche et, sur le côté gauche, écrivez tout en haut la question suivante :

Quelles sont les choses que les autres peuvent faire et que je ne peux pas faire ?

Faites une liste de toutes vos réponses. Votre enfant croit que si pouviez faire ou avoir ces choses, vous seriez heureux.

2. Lorsque vous avez l'impression d'avoir donné toutes les réponses pour l'instant, reprenez votre liste en vous arrêtant à chacune d'elles et en l'utilisant pour complèter la phrase ci-dessous.

Je ne veux pas .

Par exemple, si la réponse est : « avoir une relation amoureuse satisfaisante », vous direz à haute voix : « Je ne veux pas avoir une relation amoureuse satisfaisante. »

3. Quand vous avez terminé, revenez au début et notez quelles sont les réponses qui créent de l'expansion en vous parce qu'elles sonnent vrai. Abandonnez les vieux rêves qui ne vous servent plus à rien. Puis observez quelles sont les réponses qui créent de la contraction en vous parce qu'elles expriment des regrets ou des désirs non satisfaits. Autorisez-vous à éprouver tout sentiment de colère, de frustration ou de tristesse qui puisse apparaître.

4. Maintenant, sur la page de droite, complétez vos réponses ainsi :

Je ne veux pas... parce que si je le faisais, je .

Par exemple : « Je ne veux pas avoir une relation amoureuse satisfaisante, parce que si j'en avais une, je devrais renoncer à ma liberté ».

17

La contraction

Comme une graine commence sa vie dans l'obscurité du sol ou l'enfant dans l'obscurité de l'utérus, tous les commencements se font dans l'obscurité, parce que l'obscurité est l'élément le plus essentiel pour que les choses commencent. Le commencement est mystérieux, c'est pour cela que l'obscurité est nécessaire. Il est également très intime, c'est pour cela aussi que l'obscurité est nécessaire. L'obscurité nourrit par sa profondeur et sa fantastique puissance.

Osho

La contraction est tension, une réaction instinctive à la souffrance et à l'inconfort, une tentative pour contrôler l'énergie de la peur, de la colère et de la tristesse, mais paradoxalement, c'est aussi la source de cette énergie. La contraction couvre tout le spectre de l'obscurité, jusqu'au mal.

Analogue à notre côté sombre, la contraction peut sembler purement négative, voire dangereuse. Pourtant c'est une étape essentielle avant l'expansion. Comme dans le processus de l'enfantement, dans lequel les contractions maternelles font passer le bébé de l'obscurité de l'utérus à la lumière du jour, c'est, dans notre vie, la souffrance et la contraction qui nous poussent à atteindre notre potentiel maximum.

La contraction est le retour en soi. Elle fait partie du cycle naturel de l'univers. Elle nous montre constamment ce qui a besoin d'être examiné, ce qui est prêt à être guéri ou ce que nous pouvons laisser sortir de notre vie. Ce n'est pas une chose mauvaise qu'il nous faut transcender. Sur le chemin de la guérison, c'est là le plus grand malentendu.

Dans notre société, nous refusons d'accepter le côté sombre de nous-mêmes et faisons notre possible pour l'éviter. Par conséquent, nous prenons rarement le temps de focaliser notre attention sur ce qui est en nous. Notre attitude envers l'obscurité a donné naissance à une peur terrible, que nous amplifions encore davantage en résistant et en niant la contraction. Celle-ci prend dans notre vie des proportions démesurées si nous la refoulons et faisons comme si elle n'existait pas.

Laissé à lui-même, le flux naturel entre contraction et expansion ne nous fait aucun mal. Mais quand il est bloqué par notre mental, qui le juge bon ou mauvais, ou bien tente de le diriger ou de le contrôler, il finit par nous détruire. Afin de retrouver ce flux naturel, nous devons accepter notre responsabilité dans la disharmonie que nous avons créée au départ par la résistance et le contrôle.

Accepter le défi

Lorsque nous ne résistons pas à la contraction, elle devient dans notre vie quotidienne un instrument utile à notre croissance et à notre expansion. Elle est un défi nous poussant à être les meilleurs possibles.

Je vais illustrer ce fait par l'histoire d'un vieux fermier, dont les champs de blé n'avaient donné qu'une maigre récolte plusieurs années de suite. Il attribuait ce problème aux conditions naturelles difficiles et demanda à Dieu un temps parfait et la disparition des insectes nuisibles et des mauvaises herbes. Il pria tous les jours, jusqu'à ce que Dieu l'exauce : ni orages, ni mauvaises herbes, ni insectes nuisibles. Le blé était si haut que le fermier remercia Dieu pour sa générosité et son abondance. Mais à la récolte, les épis étaient vides. Le fermier n'en croyait pas ses yeux. Il demanda à Dieu quel avait été le problème et Dieu répondit que le blé était vide parce qu'il n'y avait eu ni lutte ni conflit. Comme tout le « mauvais » avait été évité, il n'y avait pas eu d'épreuve et donc pas de récompense.

Ce sont les obstacles qui nous poussent à atteindre notre potentiel maximum. Lorsque nous relevons le défi et faisons le nécessaire pour y répondre, nous nous retrouvons généralement après coup dans un état naturel d'expansion, comme lorsque nous finissons une course malgré notre épuisement ou que nous nous affirmons face à notre directeur ou notre médecin. Cette expansion naturelle crée un espace permettant à toutes les contractions que nous avons refoulées dans nos bagages, tous les traumatismes qui n'ont jamais guéri, tous les démons que nous gardons enfermés à clé à l'intérieur de nous, de monter à la surface. Instinctivement, nous nous contractons de nouveau, nous résistons et nous nions. Nous ferions n'importe quoi pour éviter la souffrance due aux sentiments que nous désavouons.

Il est vital de vous rappeler que quel que soit le moment où cette énergie refoulée fait surface, vous devez lui dire oui, car cela fait partie de votre voyage de guérison. Le fait d'exprimer sa colère et sa tristesse est très libérateur. Quand nous acceptons nos sentiments, aussi bien positifs que négatifs, nous ouvrons la porte à la guérison. Dans la vie, nous avons des moments de bonheur et des moments de désespoir, quel que soit notre degré d'évolution spirituelle. *La vie* est ainsi, simplement. Si nous pouvons *la* reconnaître pour ce qu'elle est et cesser de *lui* résister, elle nous comble.

Si nous recherchons toujours la même partie du cycle (comme dans certaines écoles de pensée spirituelle qui ne reconnaissent que la lumière), nous créons un déséquilibre. La guérison existe dans l'espace séparant l'obscurité de la lumière, dans la danse entre la contraction et l'expansion.

Par exemple, de nombreux patients travaillant avec moi se sentent merveilleusement bien au début puis, lorsque leurs sentiments refoulés émergent, ils se sentent soudain terriblement mal et veulent arrêter. Mais c'est une évidence : le processus de guérison n'est pas confortable. Il risque de vous faire souffrir un moment avant que vous puissiez aller plus loin, mais une fois que vous aurez traversé la contraction, celle-ci ne sera plus aussi destructrice pour vous.

Ceux qui persévèrent et acceptent tout ce qui leur arrive sont récompensés par une fructueuse récolte. Ceux qui renoncent et se mettent à chercher une autre technique ou un autre enseignant ne font que remettre à plus tard le processus de sarclage. Ceux qui sèment leurs graines trop près de la surface pour éviter de creuser plus profondément s'apercevront que les racines ne seront pas assez fortes pour permettre la croissance maximum de la plante.

Cette acceptation du mal en même temps que du bien est un défi particulièrement difficile pour les patients atteints de sida. Beaucoup de ceux avec lesquels j'ai travaillé connaissent de grands éclairs de compréhension grâce à leur méditation quotidienne, mais ils perdent confiance en leur propre pouvoir de guérison quand ils contractent une infection opportuniste (ce que j'ai fait quand j'ai appris mon diagnostic). Comme des amoureux éconduits, ils abandonnent leur méditation quotidienne et leur guidance intuitive pour se mettre à chercher la pilule magique.

Cette étape de votre voyage peut être un tournant décisif dans votre processus de guérison. Si vous vous retrouvez alité, confronté au défi d'une maladie opportuniste, je vous invite à reconnaître peu à peu vos peurs, ainsi que les sentiments qu'elles réveillent : colère, frustration, désespoir. Profitez de vos moments de solitude pour exprimer tout ce que vous ressentez (un procédé de libération des émotions négatives est présenté dans le prochain chapitre).

Dites oui à la partie de vous-même qui veut se débarrasser de la maladie à tout prix - l'enfant survivant, qui ferait n'importe quoi pour éviter la mort, y compris toutes sortes de méditations et de traitements. Ne réprimez aucune partie de vous ; laissez tous vos sentiments remonter et sortir.

Il peut également être utile de rencontrer la partie de vous qui considère la maladie comme une menace - autre réponse de votre enfant survivant. Celui-ci peut aussi juger que votre processus de guérison est un échec. Acceptez son attitude, dans un premier temps. Au lieu de gaspiller votre précieuse énergie de guérison à essayer de changer, autorisez-vous pendant un moment à être, simplement. Laissez-vous flotter dans le sens du courant, jusqu'à ce que vous retrouviez la force de reprendre activement votre voyage. Le coureur de fond sait comment se calmer. L'alpiniste sait quand se reposer.

Lorsque nous acceptons toutes les parties de nous-mêmes et ne considérons pas que l'une est meilleure que l'autre, nous voyons où nous sommes en conflit et où nous sommes en harmonie. Quand nous pouvons rendre hommage à toutes les parties de notre vie, y compris à la maladie elle-même, nous entrons immédiatement dans l'expansion. C'est dans cette expansion que se produit la guérison. Une fois que nous avons dit oui aux sentiments de contraction, le flux naturel de l'univers nous ramène au cycle d'expansion et de contraction et nous continuons la danse.

La contraction dans le corps

Une fois que nous ne voyons plus la contraction comme un état négatif mais comme la moitié du cycle naturel, nous pouvons passer à l'étape suivante : identifier nos réactions physiques et localiser l'énergie dans notre corps. Nous avons tendance à retenir la contraction liée à des émotions négatives dans des zones spécifiques. Par exemple, de nombreuses personnes se contractent de colère au niveau des mains, de la gorge, du front et de la région pelvienne. La main représente l'action, la gorge l'expression, le front la vision psychique (le troisième œil) et, bien sûr, la région pelvienne correspond à l'expression sexuelle et à la créativité. La colère réprimée dans un domaine de notre vie peut se manifester par une contraction dans la zone correspondante de notre corps. La tristesse se tient fréquemment au centre de la poitrine, tandis que l'anxiété et la peur se localisent dans l'estomac, le plexus solaire et les épaules. La tristesse correspond ainsi au centre cardiaque, tandis que l'anxiété et la peur sont liées aux zones du corps qui symbolisent le pouvoir (le plexus solaire) et la responsabilité (« J'ai l'impression de porter le monde sur mes épaules »).

C'est un cercle vicieux : la contraction continue à réprimer l'énergie émotionnelle et finit par créer un point de déséquilibre et de distorsion dans le corps, pouvant se manifester entre autres par des épaules voûtées. Elle peut aussi produire des troubles chroniques, tels que les ulcères et les migraines, et même aboutir à des maladies graves comme le cancer.

Une fois que nous avons identifié une contraction, nous pouvons la libérer. Mais, suivant notre règle générale de la guérison, nous ne pouvons *faire* une libération, nous devons l'*autoriser*. La première étape est de dire oui à la contraction telle qu'elle est. Lorsque nous explorons une contraction et sa localisation dans notre corps, elle disparaît d'elle-même. Les seules choses nécessaires à sa transformation sont notre conscience bienveillante et notre acceptation. Si nous tentons de la modifier ou de la faire disparaître, nous risquons de créer une autre contraction autour d'elle et d'y rester bloqués encore plus longtemps.

Procédé

Exercice de bioénergie sur la contraction

Cet exercice est efficace pour libérer l'énergie refoulée à l'intérieur du corps. Une fois libérée, elle peut être dirigée ailleurs et utilisée pour la guérison.

Certains de mes clients étaient dans de tels états de contraction lors de leur première séance de travail avec moi qu'ils pouvaient à peine s'exprimer. L'un d'eux était si déprimé que son médecin avait posé le diagnostic de dépression chronique et envisageait de le faire admettre dans un hôpital psychiatrique. En me mettant en harmonie avec lui, je sentis son désespoir et la résistance qu'il lui opposait. Etant incapable d'exprimer ses sentiments, il les refoulait et se traitait de raté. Grâce à cet exercice, il put libérer la contraction et commencer à dire oui à ses sentiments depuis longtemps refoulés de colère et de désespoir.

Je vous invite à lire d'abord le procédé en entier, puis à suivre ses directives. Prenez le journal ou le carnet de notes que vous avez choisi comme instrument de soutien dans votre voyage de guérison. Ouvrez-le à une page vierge et écrivez le mot « contraction » sur la première ligne.

Fermez les yeux et pensez à tous les domaines de votre vie comportant de la contraction, par exemple votre état physique actuel ou une relation amoureuse difficile. Quand vous êtes prêt, ouvrez les yeux et faites dans votre journal la liste de toutes ces sources de contraction. Prenez votre temps. Ce procédé est personnel. Il ne concerne que vous, vous n'avez donc pas besoin de cacher quoi que ce soit. Lorque vous avez terminé votre liste, posez le journal devant vous de façon à pouvoir le lire et mettez-vous debout au centre de la pièce.

Fermez les yeux de nouveau et faites quelques respirations profondes. Puis pensez à chaque élément de votre liste et ressentez la contraction. Si vous avez envie de fuir, prenez une autre inspiration profonde et entrez plus profondément dans le sentiment. Ressentez le moindre inconfort apparaissant dans votre corps. Où est-il localisé ? Dans la nuque, le bas du dos, l'estomac ? A quoi ressemble cette douleur ? Est-elle sourde ou pulsatile ? Gêne-t-elle votre respiration ? Votre rythme cardiaque ?

Maintenant, guidé par votre instinct, laissez votre corps exprimer la sensation produite par la contraction : par exemple, vos muscles se raidissent ou votre corps semble rétrécir ; vous pouvez prendre la position fœtale, ou bien vous cacher dans un coin sombre ou sous une table. Quoi qu'il se passe, laissez votre corps s'exprimer.

Une fois que vous avez perçu ces sensations, prenez une inspiration profonde, puis retenez votre souffle et allez encore plus loin dans la contraction. Si c'est la peur du rejet qui en est à l'origine, entrez dans le sentiment que provoque le rejet et ressentez-le pleinement, sans respirer et en vous raidissant. Confrontez-le totalement en retenant votre respiration le plus longtemps possible et en focalisant toute votre énergie sur cette expérience de rejet (ou une autre source de contraction).

Lorsque vous êtes allé aussi loin que possible dans votre contraction et que vous ne pouvez plus retenir votre respiration, expirez avec force pour permettre à votre corps de ressentir la libération d'énergie. Puis mettez-vous à l'écoute. La contraction est-elle toujours présente ? Si c'est le cas, où ? S'est-elle déplacée ou modifiée ?

Choisissez dans votre liste une autre source de contraction et entrez totalement dans le sentiment. La contraction a-t-elle disparu ? Que ressentez-vous maintenant ? De l'expansion ? De la légèreté ? Du vide ? Faites quelques respirations profondes, puis respirez normalement. Ouvrez les yeux et notez dans votre journal les réactions de votre corps. Voici une présentation dont vous pouvez vous inspirer :

SOURCE	INTENSITE	LOCALISATION	MODIFICATION
rejet	faible, difficile à sentir	le corps entier, difficultés à respirer	respiration plus facile
diagnostic de sida	très forte, comme une volée de coups	les tempes, l'estomac, la nuque	moins intense

Soyez attentionné envers vous-même lorsque vous avez terminé : mettez une musique douce, méditez ou prenez un bain bouillonnant. Faites-vous plaisir. Ce procédé peut être répété souvent et ne demande l'aide de personne. Chaque fois que vous vous sentez très tendu physiquement ou émotionnellement, il peut vous aider à vous libérer.

La contraction de la peur

Lorque nous traversons enfin notre dénégation et notre résistance, nous ressentons habituellement une peur terrible. Nous redoutons d'être submergés, aussi bien par l'intensité de nos sentiments d'impuissance et de désespoir que par le cauchemar de notre avenir. Lorsque enfin, après avoir nié mes symptômes pendant des mois, je pus confronter la réalité inévitable de ma maladie, je m'aperçus que l'enfant vulnérable en moi était terrifié. Comme la dénégation, la résistance et le contrôle, la peur est un instrument de l'enfant survivant. C'est une réaction subconsciente à tous les jugements de la petite enfance tels que : « Il ne faut pas faire confiance aux gens » ou « Le monde n'est pas un lieu sûr. » Elle est tellement immédiate qu'elle est pratiquement instinctive.

La peur, instinct de survie

Au niveau le plus fondamental, la peur est en réalité un instinct de survie. Face à un danger, tous nos sens sont en alerte et notre conscience aiguisée. La peur, que nous connaissons tous consciemment ou non, nous rend capables d'évaluer la situation qui menace notre vie et de choisir la conduite appropriée, combat ou fuite. C'est là son but fondamental. C'est un signe que notre instinct fonctionne bien.

Mais à ce stade de l'histoire humaine, nous pouvons faire un saut quantique : nous rendre compte que nous avons maîtrisé la majorité de nos peurs concernant la véritable survie. Nous n'en sommes pas encore conscients. Par notre aveuglement, nous avons créé de nouvelles peurs pour remplacer celles dont nous sommes venus à bout. Quand l'humanité vivait dans des grottes, exposée et vulnérable aux multiples forces de la nature, y compris les animaux sauvages, elle n'avait ni outils ni armes efficaces pour se défendre et vivait dans la peur. Elle craignait également les autres tribus, qui étaient ses prédateurs et menaçaient sa survie.

Nous avons maîtrisé la majorité de ces éléments, à l'exception des conditions météorologiques, même si certaines « tribus » belliqueuses continuent à se battre entre elles pour le pouvoir, le territoire ou des différences religieuses. Fondamentalement, nous avons maîtrisé toutes les autres sources de peur, en termes de survie réelle. Sauf dans le cas de discrimination raciale, religieuse et sociale, pratiquement chaque individu peut trouver de la nourriture et un abri sans risquer sa vie (la raison pour laquelle tous n'ont pas les mêmes moyens tient davantage à la politique, à l'avidité et aux préjugés qu'à la nature elle-même, mais cela ferait le sujet d'un autre livre).

Nous avons maîtrisé les menaces contre notre survie quotidienne ou bien nous pouvons trouver les moyens de le faire. Mais comme ces peurs sont inscrites dans nos gènes, nous employons notre nouvelle conscience et notre développement pour nous protéger de menaces imaginaires. Aujourd'hui, par exemple, de nombreuses personnes tombent dans ce que j'appelle les « pièges du Nouvel Age » : elles utilisent les cristaux, la méditation et leurs guides supérieurs pour se protéger contre la négativité. Ce faisant, non seulement elles abandonnent leur pouvoir, mais elles perpétuent en outre les anciens schémas de peur en rendant celle-ci plus réelle. La percée évolutive qui s'offre maintenant à nous en tant qu'espèce est l'abandon de ces anciennes peurs ; cessant de les perpétuer, nous découvrirons ce que nous sommes quand cette énergie est transformée.

La peur de l'enfant

Un autre type de peur venant de notre conditionnement passé est ce que j'appelle la peur de l'enfant. Il s'agit généralement d'une anxiété face à une situation imaginaire ou déformée, reposant sur toutes les programmations subconscientes que nous continuons à porter en nous.

Pour l'enfant, la perspective de monter en avion, de nager dans l'océan ou de traverser une pièce pleine d'étrangers peut sembler terrifiante, même s'il n'y a pas de danger apparent ou immédiat. Ce type d'anxiété chez un adulte est en fait une réaction à un souvenir de sa petite enfance, qui a été réactivé par une pensée, un sentiment ou un incident dans l'environnement actuel. La réaction de peur a généralement peu de rapport - voire aucun - avec le présent. Comme l'enfant interprète tout à un niveau littéral, il peut craindre le rejet autant que l'écrasement d'un Boeing 747.

Une étape importante dans la guérison est de reconnaître la peur et de déterminer si elle est justifiée maintenant, dans cet instant même. Si les circonstances mettent réellement notre vie en danger - fièvre élevée, trop forte chaleur, voiture faisant une embardée sur la route - nous devons réagir de manière appropriée et prendre les mesures convenables pour sauver notre vie. Si nous nous apercevons que notre peur n'est pas justifiée par les circonstances présentes - que notre survie n'est pas menacée pour l'instant - nous pouvons rechercher quelles décisions prises dans le passé engendrent cette peur.

La peur, instrument utile

La peur peut aussi être un instrument utile dans notre vie quotidienne. Si nous l'abordons avec une douce acceptation, elle va nous montrer comment prendre soin de l'enfant vulnérable en nous et nous pousser à vivre dans l'intégrité. Ce n'est pas la peur elle-même qui nous rend malades, mais plutôt l'énergie réprimée en nous, surtout si nous croyons ne pas avoir les moyens d'agir sur sa cause.

L'une de mes plus grandes peurs, par exemple, est de finir ma vie sans avoir de toit. Elle vient de ma petite enfance, de ma crainte d'être abandonnée. Ironiquement, depuis que je suis devenue un disciple spirituel et parce que je voyage beaucoup pour organiser des séminaires, j'ai appris à abandonner mon attachement d'enfant à la « sécurité » que représente la possession d'une grande maison pleine de belles choses. Mais comme ma peur d'enfant de me retrouver sans foyer revient parfois très fortement, je m'en occupe entre autres, logiquement, en payant mon loyer dans les délais !

Saluer la peur

Quand nous laissons nos peurs diriger notre vie, nous sommes obsédés par une seule idée : comment éviter ou éliminer ce que nous redoutons. Mais paradoxalement, nous ne pouvons rien faire pour chasser ou éliminer la peur. Plus nous essayons d'en venir à bout, plus elle augmente. Le problème vient de ce qu'elle crée une personnalité double - l'une qui ressent la peur et l'autre qui veut s'en débarrasser. Cette dualité entraîne de la confusion et crée un conflit, ce qui sabote le processus de guérison.

Pour transcender la peur, il faut d'abord l'accepter. Saluez le petit enfant terrifié en vous, sans essayer de le changer. Intéressez-vous à certaines de ces craintes conscientes et inconscientes et aux décisions qui reposent sur elles. Par exemple, je redoute l'obscurité depuis mon enfance. Ma peur est toujours là ; elle n'a pas changé. Quand je me trouve dans le noir, j'ai peur, mais j'en appelle à ma conscience pour comprendre : « Oh, c'est encore toi, ma vieille peur du noir ! Tu es ce que je suis en ce moment. » La meilleure façon de traiter notre peur est de la reconnaître, de faire une respiration profonde et de la saluer.

Récemment, j'ai été confrontée à une autre de mes peurs, celle de mettre la tête sous l'eau. J'aime l'océan, vous le savez, mais comme j'ai failli me noyer il y a quinze ans, le fait de mettre la tête sous l'eau me terrifie. Je voulais cependant réapprendre à être à l'aise sous l'eau parce que j'avais l'intention de nager avec les dauphins dans les Florida Keys.

Un jour, à Key West, en entrant doucement dans l'océan, je décidai d'essayer de mettre la tête sous l'eau un court instant. Au début j'étais bien mais, à un certain point, il me fut impossible d'aller plus loin. J'étais à un carrefour et j'avais le choix. Je pouvais laisser le juge en moi me traiter de lâche et donc permettre au pousseur de me forcer à mettre de nouveau la tête sous l'eau. En faisant cela, je me violais une fois de plus et niais totalement la panique de mon enfant afin de « transcender ma peur ». Je pouvais faire ce choix et me pousser à « guérir », mais j'aurais été par la suite confrontée au viol des émotions de mon enfant. Vous pouvez penser que j'exagère, mais regardez par vous-même : c'est ce que nous faisons tous. Nous comptons sur notre enfant effrayé pour réprimer ses sentiments et faisons ce que le juge, le contrôleur et le pousseur attendent de nous.

L'autre option était de reconnaître que je ne pouvais aller plus loin pour le moment et de saluer cette partie de moi. Au milieu des vagues douces et chaudes, mon corps me montrait ce que j'étais dans l'instant. Je devenais un « témoin » et observais simplement ce qui se passait. J'avais de la peine à respirer, mes genoux et mes mains tremblaient, mais je me contentai de saluer toutes ces manifestations de ma peur.

Quelques semaines plus tard, tandis que je nageais avec ces gentils et tendres dauphins, je me dis que le moment était venu d'abandonner ma peur. Comme, avec les dauphins, j'étais totalement dans le moment présent, mon mental ne trouvait pas la situation effrayante. En restant dans le maintenant, un instant après l'autre, j'abandonnais l'ancienne décision que j'avais prise lorsque j'avais failli me noyer. Parfois, si les rouleaux sont hauts, ma peur refait surface, mais quand l'eau est calme, j'apprécie la liberté de nager à ma guise dans mon océan bien-aimé.

Dans notre voyage de guérison, nous sommes souvent impatients parce que l'horloge tourne, mais guérir demande une incroyable patience. Continuez à saluer. « Aujourd'hui, j'en suis là. Demain, je serai peut-être capable d'aller dans des endroits plus profonds et de mettre la tête sous l'eau plus longtemps. Mais peut-être ne le serai-je pas. »

C'est là ce que j'appelle m'aimer. Ce type d'attitude ne correspond pas à l'image du juge ou du pousseur. Voulant désespérément être aussi bien que les autres, le pousseur me forçait toujours à vaincre mes peurs, sans respecter mes limites personnelles. Il se justifiait par toutes sortes de rationalisations, telles que : « Tu as fait suffisamment de travail sur toi pour que ce ne soit plus un problème. Tu devrais pouvoir plonger la tête la première. »

Jusqu'à ce que nous soyons prêts à saluer notre peur et à l'accepter, nous ne vivons qu'à un niveau très superficiel. Le fait de savoir que nous continuerons à ressentir ces émotions indésirables fait partie de cette acceptation de nos peurs. Celles-ci ne guérissent pas une fois pour toutes. Elles continuent à aller et venir, comme la marée.

Si nous leur disons oui chaque fois qu'elles apparaissent, nous pouvons les traverser. Depuis des siècles, l'homme occidental s'efforce de leur échapper ou de les conquérir par la force. C'est la méthode mâle, agressive : un *faire*. Pour ma part, je vous invite à aborder la guérison de vos peurs par la méthode féminine, réceptive, qui est une *permission*, un abandon.

Les effets de la peur

Comme je l'ai déjà dit, les gouvernements et les religions manipulent les masses par la peur depuis des générations. L'entraînement de l'armée représente l'exemple extrême d'une attitude qui sévit dans notre société à tous les niveaux. On manipule les soldats par la peur pour en faire de parfaites machines à tuer. Pourtant je crois que si je passais quelques heures avec chacun d'eux pris individuellement, jusqu'à ce qu'il se sente assez en sécurité pour s'ouvrir et me faire part de ses sentiments réels, la majorité admettraient qu'ils ne veulent pas véritablement tuer qui que ce soit.

Notre société étant régie par la peur, l'enfant intérieur fera tout ce qu'il peut pour être « bien », y compris nier qu'il a peur. Quand nous vivons avec une anxiété réprimée, toujours prêts à lutter ou à fuir, nous faisons supporter une charge injustifiée à notre corps et à notre mental. Notre force de vie, qui soutient notre système immunitaire, est continuellement épuisée par le stress lié à un état d'urgence constant.

Quand nous sommes atteints d'une maladie mettant notre vie en danger, nos peurs s'aggravent encore parce que nous nous retrouvons face à celle qui est derrière toutes les autres : celle de la mort. Elle est là depuis toujours, tapie dans l'ombre, mais nous n'avons jamais été confrontés à sa réalité.

Lorsque j'appris mon diagnostic de sida, je fus envahie par la peur pour mes enfants, pour Nado et pour moi-même. Résultat : mes symptômes s'aggravèrent rapidement. Je surveillais constamment mon corps pour voir s'ils empiraient, comme pour vérifier ma peur du cauchemar qui m'attendait. Cette attitude, bien sûr, accentuait aussi bien ma peur que mes symptômes. Ces derniers commencèrent à s'atténuer lorsque que je finis par accepter mes craintes et ma mort inévitable.

Quand nous vivons dans la peur, il n'y a de place ni pour la joie, ni pour la passion, ni pour le calme, ni pour l'être. Nous sommes sans cesse obligés de faire quelque chose pour nous protéger : gagner plus d'argent, acquérir davantage de connaissances, nous bâtir un plus beau corps, consommer encore plus de drogues, voire même acheter un fusil. Quel que soit l'instrument de survie choisi, nous ne faisons qu'une seule chose : chercher des moyens de fuir et d'éviter la peur.

Durant le voyage de guérison, il est très important d'apprendre à accepter nos peurs et à les libérer. N'oubliez pas que pour la plupart, elles sont irréelles, basées sur de vieux souvenirs incapables de nous nuire. C'est comme si, dans notre tête, nous croyions à de vieux films et les projetions dans notre vie actuelle.

Procédé

La peur, instrument utile

Ce procédé vous aidera à faire face à vos peurs, à les accepter puis à les abandonner. Ne le lisez pas entièrement, mais plutôt au fur et à mesure, étape par étape.

1. Tout d'abord, asseyez-vous dans un fauteuil confortable et faites quelques respirations profondes. Fermez les yeux et pensez à vos plus grandes peurs.

2. Ouvrez les yeux et, dans votre journal, dressez la liste de toutes ces peurs. Notez les craintes chroniques de votre enfance et celles qui vous tourmentent actuellement. Cochez les plus vivantes et les plus chargées d'énergie.

3. Puis parcourez votre liste en prenant un élément après l'autre et dites les phrases suivantes d'une voix forte et claire, en nommant chacune de vos peurs.

Je reconnais que cette peur de__________ est un instrument utile et je l'accepte.

[Inspirez et expirez profondément.]

Je libère maintenant l'énergie liée à la peur de__________.

[Inspirez et expirez profondément.]

Je laisse maintenant l'énergie de guérison remplacer l'énergie de la peur.

Reposez-vous une minute après chaque élément et ressentez l'énergie de guérison qui prend la place de celle de la peur. Puis passez à l'élément suivant jusqu'à ce que vous ayez terminé la liste.

La contraction de la peur

Dans les moments où la peur me submergeait, j'utilisais la colère pour lutter contre la terreur que ressentait mon enfant. Au début, j'étais incapable d'exprimer ma rage ; je jouais le rôle de victime, accusant et blâmant tout et tous autour de moi. Puis je finis par dire oui à ma colère et débloquer mon énergie réprimée. Ce fut en grande partie parce que je pus libérer ma colère d'une manière saine, non violente, que je parvins à créer un espace vide pour la guérison.

Qu'est-ce que la colère ? Généralement, nous la définissons par notre réaction face à elle. Demandez aux gens de vous parler de leur colère et ils vous diront qu'ils ont peur d'elle, qu'ils s'efforcent de la contrôler, qu'ils feraient n'importe quoi pour l'éviter - mais ils sont incapables de définir ce qu'elle est. Elle produit en nous des réactions tellement fortes que nous la refoulons en la condamnant.

La colère est simplement l'énergie de la force de vie se déplaçant à une vitesse plus grande.

La colère, instrument utile

La colère fait partie de notre énergie de résistance. Elle est produite par la non-acceptation de notre vie telle qu'elle est. Elle est également un moyen de découvrir et maintenir nos limites, car elle permet de montrer quelles sont les lignes à ne pas franchir et nous protège du viol et de l'intrusion d'autrui. Elle est chaude et passionnée. Si nous ne l'exprimons pas, elle se transforme en violence, froide et destructrice que l'on confond d'ailleurs fréquemment avec elle.

La colère est souvent une réaction à nos sentiments de frustration et d'impuissance, mais elle peut aussi être un mécanisme de défense important contre la souffrance et l'attaque. En fait, elle peut être considérée comme un réflexe sain. Si nous étions réellement confrontés à un danger physique sans avoir la possibilité de fuir, la colère et la rage nous aideraient à affronter la source de l'attaque ou à trouver la force de nous tirer d'affaire.

La colère est un instrument de survie important pour de nombreux malades du sida, par exemple à travers des programmes activistes comme ACT UP (AIDS Coalition to Unleash Power) qui sont des manières positives de diriger leur rage contre le gouvernement et l'industrie pharmaceutique. En canalisant leur colère dans des projets communautaires et des groupes de pression politiques, ils servent non seulement leur guérison personnelle, mais aussi la communauté au sens large.

La source de la colère

Très souvent, nous réprimons nos sentiments, surtout les *mauvais* comme la colère, pour avoir l'air plus *évolués* que nous ne le sommes réellement. Nous détournons notre colère de son objet d'origine et essayons de modifier les circonstances de notre vie, ce qui nous évite de regarder quelle est la source de notre réaction et à quel niveau nous sommes touchés. Quand nous sommes décidés à « entrer en possession » de notre colère, il nous faut chercher honnêtement à quel programme subconscient répond notre enfant et quels masques il porte. Nous pouvons alors engager un dialogue avec lui et commencer à guérir la disharmonie émotionnelle contribuant à la maladie physique.

La colère réprimée

Si nous réprimons notre colère, nous ne découvrons jamais

son origine et la blessure n'a jamais la possibilité de guérir. C'est même généralement l'inverse qui se produit : notre ressentiment augmente, ce qui entretient notre colère. Craignant que celle-ci nous submerge et nous effraie, nous continuons à la réprimer.

Nous semblons ne pas avoir de contrôle sur elle, ce qui d'une certaine façon est exact. Si la rage a été refoulée trop longtemps, elle finit par exploser d'elle-même avec une violence incontrôlable. Dans notre société, cette violence - les bandes de jeunes qui violent et se déchaînent dans les parcs, les parents qui maltraitent et tuent leurs enfants, les assassins qui tirent sur les foules - illustre d'une manière terrifiante ce à quoi peut mener la rage refoulée.

Pour guérir, il nous faut libérer notre colère réprimée, mais avant d'en être capables, nous devons la saluer. Lorsque nous nous intéressons à ce qui se passe en nous, nous nous familiarisons avec les incidents qui la déclenchent et les sensations qu'elle provoque dans notre corps.

Nous portons presque tous en nous de jolis petits paquets de colère réprimée. Dans notre société, en particulier dans les domaines contrôlés par la religion, une grande partie de notre colère et de notre sexualité, ainsi que de notre créativité et de notre spontanéité, a été réprimée. Enfants, on ne nous permettait généralement pas d'exprimer naturellement notre colère. La plupart du temps, on nous punissait ou on nous disait de nous taire.

En tant que mère, je n'ai pas toujours autorisé mes enfants à se mettre en colère. Mon enfant intérieur n'étant pas à l'aise face à la libre expression de ce sentiment, il mettait le masque de l'autorité et leur interdisait de crier dans « ma maison ». Par conséquent, ils n'ont pas eu l'occasion de laisser sortir leur colère.

Dire oui à la colère

Pour libérer la colère, la clé réside dans le fait de dire oui à nos sentiments et de créer un espace sûr pour leur permettre de s'écouler. La colère fait partie du cycle naturel de contraction et d'expansion. Elle va et vient mais, si elle est réprimée, elle se bloque et devient dangereuse, pouvant entraîner des ulcères et des tumeurs.

Quand nous disons oui à notre énergie réprimée dans un environnement sûr, comme un séminaire ou une séance de thérapie, nous pouvons la chasser vers l'extérieur, libérant ainsi la vapeur de notre « cocotte minute ». Si nous nous autorisons à ressentir nos sentiments de colère - en hurlant dans un oreiller, en tapant des pieds ou en battant un coussin - nous nous libérons pour passer naturellement à autre chose.

Quand nous laissons la colère s'écouler à travers nous, elle se transforme habituellement d'elle-même et laisse apparaître l'émotion qu'elle cache. C'est en général ce sentiment-là que nous nous efforcions d'éviter. Par exemple, si nous sommes en colère et que nous crions un moment, nous finissons souvent par pleurer. Cette tristesse peut être suivie par un autre cycle de colère ou de rire, le tout se terminant par un profond sentiment de paix intérieure. Dans ce procédé, il n'est pas question d'attaquer quelqu'un d'autre ; on le pratique seul.

Le tueur

Dans les séminaires que je dirige, j'emploie une méditation appelée dynamique, créée par Osho. Les participants sont invités à provoquer une libération cathartique de leur énergie émotionnelle réprimée. Au début, il est important que la méditation soit correctement supervisée car, finissant par exprimer leur rage, les participants risquent de devenir violents et de laisser remonter le tueur en eux. Celui-ci a pour tâche de nous protéger des attaques. Une mère en danger, par exemple, va instinctivement en arriver à une rage meurtrière pour protéger son enfant.

J'avais toujours su qu'il y avait un tueur en moi et cela me faisait très peur. Mon contrôleur redoutait de le rencontrer car, d'après lui, si je libérais l'émotion réprimée durant toutes ces années, je perdrais le contrôle et ma partie sombre prendrait le dessus. Si nous exprimions toute notre rage - c'est du moins ce que nous craignons - nous en arriverions à tuer réellement ou à inciter d'autres personnes à le faire et nous ne pourrions pas arrêter l'explosion de nos émotions refoulées. Nous mettons donc un couvercle sur notre boîte de Pandore.

Il y a un tueur en chacun de nous mais, en réalité, cette énergie très puissante n'est pas intrinsèquement mauvaise. Cependant, elle peut devenir destructrice si elle est niée. Plus nous réprimons le tueur, plus il devient dangereux. Son énergie refoulée peut même un jour jaillir hors de la cocotte minute sous forme de violence dirigée contre nous-mêmes ou d'autres personnes.

C'est pourquoi j'encourage à explorer la partie meurtrière de notre personnalité si elle se dévoile à un moment ou un autre de notre voyage (comme je l'ai fait quand, les mains nues, j'ai déchiré les jeans de Nado en petits morceaux). Lorsque, avec l'assistance d'un thérapeute entraîné, nous disons oui au tueur en nous, celui-ci perd son aspect effrayant. En rentrant en possession de cette partie de nous que nous avons désavouée si longtemps, nous commençons à prendre réellement la responsabilité de nous-mêmes, aussi bien au niveau de la pensée que de l'action.

Dans votre voyage de guérison, ne soyez donc pas surpris si vous vous retrouvez parfois dans une rage folle. Dans ces moments-là, vous êtes totalement présent, plein de vie, de sève et d'énergie. Mais il n'est vraiment pas nécessaire de diriger votre colère contre quelqu'un d'autre, même si c'est ce que souhaite l'enfant intérieur : un oreiller peut remplacer n'importe qui ou n'importe quelle situation.

Procédé

Libérer la colère

(Lisez le procédé en entier avant de le faire.)

Je vous invite à utiliser ce procédé pour ressentir la saine ivresse qu'une colère exprimée peut procurer, tout en vous rappelant que la colère n'est que de l'énergie se déplaçant à une vitesse plus grande et que sa répression peut nous rendre malades ou même nous tuer (par la violence et les abus).

Dans notre enfance, on nous enseignait bien l'hygiène physique, mais on ne nous apprenait jamais à nous nettoyer régulièrement au niveau émotionnel. Quand nous éliminons toutes nos pensées négatives, que nous nous purgeons de nos émotions, nous créons en nous un espace vide et silencieux. C'est dans cette vacuité que nous pouvons entendre la douce voix intuitive de notre guérisseur intérieur.

Comme pour les autres procédés, il est important de vous installer dans un endroit tranquille, où vous ne serez pas dérangé seul. Nous avons trop tendance à accuser les autres de nos malheurs et à libérer notre colère sur eux, ce qui, au lieu de l'éliminer, l'entretient. Un tel comportement est beaucoup plus destructeur que guérisseur ; c'est seulement l'enfant survivant qui prend sa revanche.

Chaque fois que vous avez l'impression d'être prêt à craquer et à attaquer quelqu'un, allez dans votre chambre. Respirez profondément et rapidement. Sentez toutes les émotions négatives qui commencent à bouillir en vous. Puis, une fois que vous êtes réellement en contact avec votre colère, laissez-vous aller : tapez des pieds, serrez les poings et frappez votre lit ou un coussin. Fermez les yeux pour oublier la conscience de vous-même et retournez à l'origine de votre colère (vous serez peut-être ridicule, mais qu'importe ? Personne n'est là pour vous voir). Vous pouvez crier dans votre oreiller : « Non ! » ou « Merde ! » à la personne ou à l'événement qui a déclenché ce sentiment.

Après la première libération de cette puissante énergie, respirez profondément et attendez que la seconde vague arrive. C'est là un point capital. La colère vient en plusieurs vagues, dont l'origine est de plus en plus profonde en nous. Si vous vous arrêtez après le premier éclat, seule celle de surface sera libérée. Continuez à respirer rapidement et profondément. Vivez totalement votre colère. Comme vous avez appris à la réprimer, vous éprouverez peut-être des sensations très nouvelles. Mais maintenant vous avez l'occasion de l'exprimer d'une manière sûre et nette ; elle ne va donc plus bouillir en vous jusqu'à ce qu'elle trouve une sortie, soit par le biais de symptômes physiques (éruptions cutanées, tumeurs), soit dans une explosion émotionnelle sur quelque spectateur innocent.

Laissez venir cette seconde vague ; de nouveau, frappez votre lit ou criez dans un oreiller. Quand vous vous êtes vidé de votre colère, une autre émotion profonde peut remonter à la surface. De la tristesse, par exemple. Si vous vous mettez à sangloter, n'essayez pas de contrôler ou d'arrêter vos pleurs. Libérez simplement les vagues de sentiments refoulés.

Lorsque cette tempête d'émotions aura cessé pour l'instant, vous serez envahi par le calme et la sérénité. C'est le moment de laisser libre cours à votre créativité, ce qui se produira sans doute spontanément. Libéré de toutes les émotions négatives qui vous tourmentaient auparavant, vous n'aurez plus que des sentiments positifs. Examinez alors les circonstances de votre vie avec cette nouvelle attitude. Terminez le procédé par un moment de gratitude envers vous-même et votre capacité à prendre soin de vous.

18

L'expansion

Le silence est tout autour de vous. S'il entre dans votre cœur, c'est plus que toutes les réponses.

Osho
La Rose mystique

L'expansion est une manière ouverte, féminine, yin, et la contraction une manière fermée, masculine, yang, d'utiliser l'énergie. C'est parce que notre monde est régi de façon prépondérante par l'une des deux - l'énergie logique, masculine - qu'il est en déséquilibre. Il est donc important de développer la partie intuitive, féminine, de nous-mêmes, de façon à pouvoir harmoniser les deux énergies. Comme je l'ai dit maintes fois, la guérison est le résultat de l'équilibre entre la contraction et l'expansion.

Dans notre société, nous connaissons beaucoup de choses sur la contraction et survivons en employant les stratégies de notre mental. Mais nous ignorons presque tout de l'expansion et ne savons pas vivre simplement dans notre cœur. Nous confondons l'expansion avec la satisfaction superficielle des « besoins » et des désirs de l'enfant survivant. Elle équivaut pour nous à un certain sentiment de sécurité, dû à la réussite personnelle, au succès matériel ou à une vie confortable. « Expansion » est devenu synonyme de « belle vie ».

La véritable expansion est tout autre chose. Elle correspond à un état d'extrême ouverture, de grand éveil et de haute vulnérabilité. Elle naît d'un cœur ouvert, quand nous sommes prêts à dire oui à la vie telle qu'elle est.

La plupart du temps, nous tombons dans l'expansion par accident, quand nous nous y attendons le moins. Paradoxalement, nous devons faire notre possible pour préparer un climat dans lequel cet « accident » puisse se produire. La méditation, l'acceptation de ce qui est et l'abandon de nos dépendances (sources artificielles d'expansion) sont des instruments permettant d'en poser les fondations.

S'abandonner à l'expansion

L'expansion est une légèreté de l'être qui apparaît si nous restons ouverts, en étant simplement les témoins de nos pensées et de nos programmes de survie, sans nous y engager. Quand nous acceptons ce que nous sommes à chaque instant sans jugement, une nouvelle énergie émerge d'elle-même, dont les qualités sont la force, la vulnérabilité, la sagesse et la compassion. Elle n'est ni meilleure ni pire que la contraction, quoi qu'en pensent la plupart d'entre nous.

Nous renforçons notre lien avec l'expansion non pas en essayant de la posséder, mais en la libérant et en suivant le rythme naturel de contraction et d'expansion. De nombreux clients avec lesquels j'ai travaillé se sentaient frustrés en raison de leur incapacité à rester toujours dans l'expansion.

Malheureusement, ils finissent parfois par renoncer et abandonner leurs systèmes de soutien à cause de leur malentendu sur l'harmonie de ce processus.

Quand nous sommes attachés à l'expansion, nous sommes prisonniers d'attentes impossibles. La vie n'est pas un pur état ni de contraction ni d'expansion, mais un équilibre constant des deux. Plus nous disons oui à nos sentiments de contraction, en nous autorisant à crier ou à pleurer, par exemple, plus nous pouvons ressentir par la suite la douce vacuité de l'expansion. La conscience de cet équilibre naturel des contraires et du cycle perpétuel des hauts et des bas crée une ouverture à un moment de « pur être », au-delà du temps, de la peur et de la maladie.

La vallée de l'expansion

Le vide calme et silencieux que nous ressentons après une grande libération d'énergie est la forme la plus naturelle d'expansion. Un exemple courant de ce type d'expansion, que la plupart d'entre nous connaissent, est le moment suivant une relation sexuelle. Celle-ci comprend les deux états. Au début, il y a davantage de contraction que d'expansion, tant que le rythme s'accélère pour atteindre son sommet, qui pour la majorité d'entre nous est l'orgasme. Puis, dans cet abandon total, nous disparaissons pour un instant. Nous fusionnons avec l'expérience ; l'expérimentateur et l'expérience deviennent un. Dans cette fusion, « nous » n'existons plus comme identité séparée. La libération prend le dessus et nous nous perdons dans l'orgasme.

Dans notre société, nous vénérons ce moment d'« expansion » et nous nous y attachons parce qu'il est agréable. Nous pouvons ensuite nous tourner pour sombrer dans le sommeil, ou bien en vouloir davantage et rassembler en nous l'énergie nécessaire à une autre grande explosion. L'orgasme n'est pas l'expansion, il n'est que le passage.

L'expansion est la vallée après l'orgasme. C'est dans cette vallée que réside le mystère. C'est là que nous redécouvrons notre univers et que nous réémergeons à la lumière du jour. Dans notre société, la vallée n'est pas considérée comme faisant partie de l'expérience. Le mental vient et juge que l'expérience est terminée. Nous pouvons décider de la refaire pour atteindre de nouveau le sommet ou aller vers quelque chose d'autre, mais nous passons complètement à côté de l'expérience de la vallée. Pourtant, c'est dans la vallée que se trouve l'expansion, dans sa beauté, sa magie et sa fragilité.

La vallée est le lieu de la reddition. C'est pourquoi en général elle nous terrifie ; nous préférons nous séparer et nous endormir. Pourtant c'est dans la vallée de l'expansion que se trouve notre conscience la plus grande. C'est là que le pardon est possible, l'amour de soi total et l'expérience de la perfection accessible. Quand nous sommes dans l'expansion, notre tendance naturelle à célébrer la vie revient spontanément et nous ouvre une porte vers l'expansion divine - ou ce que les maîtres nomment félicité. C'est là que les énergies du mental, du corps et de l'esprit sont en harmonie.

L'expansion divine

En général, nous nous retrouvons pour la première fois dans un état d'expansion divine après une contraction nous ayant paru inconfortable ou ayant même mis notre vie en danger. Cette expérience nous choque si profondément qu'elle produit en nous comme une fracture ; celle-ci nous ouvre à une dimension de la vie dont nous ne soupçonnions pas l'existence et ne se referme plus jamais.

Nous pouvons l'ignorer mais, une fois que nous avons eu un aperçu de cette autre dimension, notre vie n'est plus tout à fait la même.

Quand nous avons eu un avant-goût du divin, deux itinéraires deviennent possibles. Le premier est le voyage vers l'intérieur de nous-mêmes par la méditation, grâce à laquelle nous pénétrons plus profondément dans notre monde intérieur et découvrons l'être divin que nous sommes réellement.

L'autre est le voyage vers l'extérieur, qui se produit naturellement par suite du débordement de l'énergie divine née de notre véritable essence.

Là réside en fait le secret grâce auquel nous pouvons rester dans l'expansion. Si, quand la félicité déborde de notre cœur, nous en donnons aux autres, nous permettons à l'expansion de se reproduire. C'est une respiration - recevoir, comme inspirer, est expansion ; donner, comme expirer, est contraction. C'est une circulation d'énergie.

Le courage de se réveiller

D'une certaine manière, il y a également un parallèle direct entre le crescendo de l'énergie précédant un orgasme sexuel et ce même crescendo avant ce que je nomme l'appel au réveil. Ce moment est rarement confortable, parce qu'il résulte en général d'une contraction et constitue toujours une explosion du passé.

Quand nous sommes malades, nous ne pouvons pas résister longtemps à l'explosion. Après celle-ci, une fois que nous avons accepté notre diagnostic, la vallée de l'expansion s'ouvre devant nous, dans une perspective nouvelle jamais vue auparavant. Nous pouvons alors soit nous tourner pour nous rendormir, soit rester éveillés et explorer ce qui se présente dans le mystère de l'instant.

Beaucoup préfèrent se rendormir et revenir aux rêves du passé, oubliant que celui-ci n'existe plus. Tout comme nous tournons le dos à notre partenaire pour échapper à l'intimité du moment qui suit l'orgasme, nous échappons ainsi à l'intimité avec la vie.

Au début, le principe de l'expansion exige que nous ayons le courage de nous réveiller et de transcender le conditionnement de notre enfant survivant. Nous devons aussi avoir la volonté d'explorer une nouvelle façon de vivre, dans laquelle l'intégrité remplace le laxisme et l'honnêteté les faux semblants. Pour cela, il nous faut beaucoup de courage, car c'est un état de grande solitude.

La vallée de l'expansion est très fragile parce qu'elle est totalement nouvelle et différente. Nous gâchons souvent la nouveauté de l'expérience en en parlant ; c'est pourquoi la solitude est un instrument important dans le voyage intérieur. Nous tentons en vain de définir l'expansion en la comparant au passé, alors que c'est une expérience totalement nouvelle, n'ayant rien à voir avec celui-ci, dans laquelle nous sommes l'homme nouveau et la femme nouvelle. Nous sommes notre vraie essence, celle que nous attendions de découvrir.

Souvenez-vous, nous ne pouvons pas faire que l'expansion se produise. Nous ne pouvons que nous y rendre disponibles en chevauchant le crescendo de la vie et en empruntant le passage qui mène vers la vallée, même si c'est le chemin d'une explosion brisant nos rêves. C'est parfois grâce à une perte que nous pouvons découvrir le nouveau. Si nous restons attachés à ce qui n'est plus, la douleur et la souffrance deviennent des boulets, entravant notre liberté et gênant notre voyage.

Une douce floraison d'humanité

Quand l'expansion s'épanouit naturellement, comme une fleur que nous avons plantée, arrosée et sarclée, nous nous enivrons de son nectar. Il suffit d'une goutte pour que nous soyons ivres du divin. Cette expansion divine, cette félicité, est si puissante qu'elle transforme notre vie.

Dans cet état d'expansion, nous voyons que les êtres humains sont en réalité doux et sensibles. Nous sommes touchés par leur beauté et leur fragilité, comparables à celles de fleurs rares et précieuses. Nous découvrons aussi que, tels les pétales d'une fleur, nous ne sommes pas différents les uns des autres.

L'expansion est une occasion de ressentir ce que représente réellement le fait d'être humain, avec ses souffrances et ses gloires - ce que nous sommes venus vivre sur cette terre. C'est aussi une opportunité de découvrir ce qu'est le divin, d'une manière simple et ordinaire. C'est la possibilité de connaître la paix et l'harmonie de la vallée de l'acceptation, jusqu'à ce que nous ayons rassemblé suffisamment d'énergie pour une nouvelle explosion. Ainsi la vie passe et nous continuons notre danse de contraction et d'expansion...

Procédé

Exercice de bioénergie sur l'expansion

Essayez cet exercice. Fermez les yeux un moment et pensez aux choses qui vous permettent de vous sentir bien. Par exemple, quelles relations, quelle musique, quels passe-temps appréciez-vous ? Une fois que vous vous êtes relié à une pensée ou à une image, sentez comment votre corps physique y répond. Maintenant, descendez plus profondément en vous et observez les émotions suscitées par ces pensées. Peut-être vous sentez-vous plus léger et la vie vous paraît-elle plus claire, ou bien vous demandez-vous ce qu'aujourd'hui vous apportera. Si possible, entrez avec douceur dans l'intimité de vous-même pour quelques instants régénérateurs. Fermez les yeux et essayez.

Comment avez-vous vécu cet exercice ? Comment avez-vous ressenti votre propre énergie ? Prenez un moment pour noter dans votre journal quelques-unes de vos observations.

SOURCE	INTENSITE	LOCALISATION	EMOTION
sourire d'enfant	douce, chaude	le centre de la poitrine	joie
mon amoureux	forte, passionnée	le corps entier	gratitude, amour

Il nous suffit de nous relier à l'amour qui est en nous pour être nourris. Notre cœur se met alors à déborder et nous pouvons aller dans la vie en donnant de nous-mêmes. Bientôt nous découvrons que plus nous donnons, plus nous recevons, et que plus nous débordons d'énergie, plus nous en avons. C'est un cercle d'énergie inépuisable qui se recharge automatiquement, jusqu'à ce qu'il soit de nouveau temps pour nous de nous tourner vers l'intérieur et d'aborder la prochaine étape de notre croissance.

S'ouvrir à l'amour de soi-même

Dans notre voyage de guérison, il est important de reconnaître que nous sommes tellement mutilés par notre éducation que nous avons un besoin immense d'être aimés, en même temps qu'une peur mortelle de l'être. L'une des raisons de cette contradiction est que nous n'avons pas oublié le moment pénible où notre lien avec notre âme enfant et avec la source de tout amour s'est rompu.

Même si nous recherchons l'amour, au fond de nous-mêmes nous en avons une peur terrible parce que nous croyons, à un niveau subconscient, qu'il est synonyme de souffrance. Nous ne cessons d'ailleurs pas de rassembler des preuves pour démontrer la réalité de ce fait.

Pour revenir à un état d'amour inconditionnel, nous devons ouvrir la porte de notre cœur, qui a été fermée violemment lorsque nous avons dû nous couper de l'amour de notre âme. Le retour à l'amour de soi-même nécessite une volonté de fondre les chaînes qui emprisonnent notre cœur avec les larmes de nos souffrances et de nos pertes. Lorsque notre cœur s'ouvre, tous nos sentiments refoulés et toutes nos blessures remontent à la surface pour être libérés et guéris. Bien que ce moment puisse être pénible, il finira par passer. En fin de compte, l'acceptation de nos sentiments est la clé ouvrant la porte de notre cœur. C'est ainsi que nous pouvons guérir la profonde blessure que sa fermeture a imprimée en nous.

Se mettre en tête de liste

Au début de mon voyage, j'étais disposée, mais très timidement, à découvrir combien je m'aimais. Je devais sans cesse me rappeler à l'ordre pour me mettre en tête de liste. Pour cela, il me fallait être « égoïste », non pas dans le sens de me mettre au-dessus des autres, mais de trouver un nouvelle façon de vivre. Ce faisant, je risquais d'être jugée et rejetée par les gens. J'exprimais malgré tout ma vérité et mes besoins sans me demander s'ils allaient être acceptés ou non.

Se mettre en tête de liste peut être un défi pour certains. En effet, nous avons appris que pour aimer les autres, nous devions faire passer leurs besoins avant les nôtres. Même si ce principe n'est pas enseigné ouvertement, il est subtilement sous-entendu dans une grande partie de notre culture et de notre éducation religieuse. Par exemple, étant catholique, j'ai été élevée dans une tradition basée sur la souffrance et la répression, dans laquelle les martyrs sont canonisés et considérés comme des saints. Ironiquement, j'ai découvert durant mon voyage de guérison que plus je me rabaissais, moins j'étais capable d'aimer réellement quelqu'un d'autre. Lorsque je cessai de diriger mon attention vers le « dehors » pour la tourner vers l'intérieur de moi, la loi d'airain « Aime ton prochain comme toi-même » prit une tout autre résonance. Soudain, la qualité de mon amour de moi-même était un reflet direct de ma capacité à aimer les autres. En me mettant en tête de liste et en renonçant à essayer de plaire à tout le monde, non seulement je me rendais service à moi-même, mais aussi à tous ceux qui m'entouraient.

Comment m'aimer ?

L'amour conditionnel que nous avons reçu enfants est la source majeure de notre manque d'amour pour nous-mêmes. A un certain moment de leur voyage de guérison, mes clients posent généralement la question : « Comment faire pour m'aimer ? » Ma réponse est toujours la même : je leur dis que je ne peux pas leur apprendre le comment, mais qu'ils peuvent peut-être commencer à chercher le pourquoi de ce manque d'amour. Quand nous comprenons le pourquoi, nous pouvons faire tous les changements nécessaires et le comment suivra naturellement.

Procédé

Explorer l'amour de soi-même
(Lisez le procédé en entier avant de le faire.)

Choisissez un endroit tranquille où vous ne serez pas dérangé pendant quarante-cinq minutes au moins. Asseyez-vous par terre, sur un lit ou sur une chaise ; dans ce cas, placez-en une autre en face de vous. Mettez un oreiller devant vous, ainsi que votre journal et un stylo à proximité, au cas où vous voudriez prendre des notes à la fin de l'exercice.

Prenez une inspiration profonde, les yeux ouverts, et coupez-vous peu à peu de l'énergie et du rythme de votre journée. Calmez-vous et prenez conscience de votre corps assis dans la pièce, de son contact avec le matelas, la chaise ou le sol. Ralentissez le flot de vos pensées. Posez à haute voix la question suivante : « Pourquoi ne puis-je pas m'aimer ? » Vous êtes toujours votre adulte actuel, vous entendez le son de votre voix et vos yeux sont encore ouverts, vous reliant à la réalité du moment présent.

Puis déplacez-vous et asseyez-vous sur l'oreiller en face de vous. Fermez les yeux. Prenez la position la plus confortable et recevez la question que vous venez de poser : « Pourquoi ne puis-je pas m'aimer ? » Donnant la parole à la jeune voix de votre passé, laissez-la répéter tous les adjectifs et autres qualificatifs qui vous suivent depuis votre petite enfance, ainsi que les critiques et les commentaires qui continuent à miner votre confiance en vous. Laissez votre subconscient retrouver ces souvenirs pénibles, puis les libérer les uns après les autres, en même temps que les émotions qui y sont liées.

Lorsque l'enfant mal aimé se met à répondre, son corps peut prendre la position fœtale ; sa voix peut paraître très jeune et dire par exemple : « Maman m'a dit que j'étais très méchant parce que je ne voulais pas prêter mon jouet à mon petit frère », « Papa a soupiré quand il a regardé mon carnet scolaire », « Mon maître m'a reproché d'être trop lent », « Ma grande sœur m'a dit que j'étais laid », etc.

Lorsque ces souvenirs commencent à remonter à la surface, observez et libérez les sentiments qui y sont liés. Vous ressentirez peut-être une grande colère, suivie d'une profonde tristesse, ou bien vous vous retrouverez en train de sangloter à cause du manque de gentillesse et de sensibilité des personnes qui vous ont fait ces remarques désagréables.

Plus vous libérerez ces vieux souvenirs et laisserez les émotions sortir de vous, plus vous serez clair par la suite. Quand vous avez l'impression d'en avoir terminé pour l'instant, ouvrez les yeux et revenez à votre position d'origine, dans votre réalité actuelle. Respirez profondément et prenez conscience de l'inadéquation de ces critiques, de ces jugements que, dans votre enfance, vous avez acceptés et enfouis au plus profond de votre corps.

Faites encore quelques respirations profondes et laissez les émotions se calmer, si ce n'est pas encore fait. Maintenant, notez combien de fois le juge en vous vous critique de la même manière. « Pourquoi n'es-tu pas capable de faire ceci ? Pourquoi as-tu peur de cela ? » Prenez-en conscience : vous avez fort bien appris et intériorisé ce ton critique et vous vous en voulez pour la moindre petite chose qui, selon vous, ne mérite pas votre approbation. Maintenant, il est possible aussi que vous prétendiez être parfait et que vous vous vantiez sans cesse, ce qui n'est en fait qu'un moyen de masquer votre haine de vous-même.

Il est toujours important de finir le procédé en tant qu'adulte actuel - peut-être en embrassant l'oreiller qui représente votre moi plus jeune - et d'apprécier à sa juste valeur cette exploration. Notez dans votre journal tout ce que vous avez compris ou conclu à propos de vos décisions concernant l'amour de vous-même.

S'affirmer

A un degré ou un autre, nous avons tous été conditionnés à attendre et même à révérer la souffrance. Comme nous avons très peu appris sur l'amour de nous-mêmes, il nous faut un courage terrible pour nous affirmer. Souvent, si nous tentons de le faire, les autres s'empressent de nous couper l'herbe sous les pieds. Le rôle du prêtre et du politicien est de transformer en péchés nos inclinations naturelles, comme le fait de nous apprécier et de prendre plaisir à notre propre compagnie. C'est une tactique très ancienne pour contrôler les masses et elle a toujours réussi.

Au moment où nous découvrons l'amour de nous-mêmes, nous devenons invincibles. Le prêtre et le politicien n'ont plus de pouvoir sur nous parce que nous n'avons plus besoin de l'approbation des autres alors que, généralement, nous confondons approbation et amour et prenons la réussite personnelle pour l'amour de nous-mêmes. C'est pourquoi tant d'individus recherchent l'amour à travers le succès matériel.

L'amour de soi est totalement différent. C'est une réalisation de soi-même qui n'a rien à voir avec le pouvoir matériel. C'est, au-delà du désir avide et du manque de confiance, un état de débordement divin dans lequel seul le partage existe et qui, au lieu de séparer et de diviser froidement, fond dans une chaude unité. C'est un état d'être naturel. C'est notre droit le plus fondamental ; alors, qui d'autre peut le revendiquer pour vous, sinon vous-même ? Etes-vous prêt à le revendiquer ?

En posant cette question à votre enfant intérieur, vous pouvez découvrir toutes les décisions que vous avez prises dans votre enfance sur le fait de ne pas vous aimer et de ne pas vous mettre en tête de liste. Dirigez la lumière de votre conscience en vous-même et comprenez que les remarques et les critiques qui vous ont été imposées lorsque vous étiez enfant sont sans valeur ; les personnes qui les avaient faites étaient poussées par la froideur de leur conditionnement et non par la chaleur de leur cœur.

Je vous recommande de dialoguer régulièrement avec votre enfant intérieur, au moins deux fois par semaine. Peu à peu, vous découvrirez qu'il n'est pas juste de ne pas vous aimer vous-même et, en même temps, vous vous apercevrez peut-être aussi que vous vous êtes très bien habitué à cette attitude. Notre incapacité à nous aimer nous-mêmes est si bien acceptée culturellement que nous n'avons aucune difficulté à trouver une myriade d'excuses pour la justifier.

L'art de s'aimer soi-même

C'est un art très nouveau ; il n'y a donc pas grand-chose à en dire. La première étape est d'accepter l'être simple et pourtant magnifique que nous sommes. Quand nous acceptons tout ce que nous sommes, le bon avec le mauvais, et disons oui à la vie telle qu'elle est, nous pouvons marcher avec elle.

Vous vous poserez sans doute la question : « Pourquoi est-ce à la fois si simple et si difficile ? » S'aimer soi-même demande le courage et la volonté de s'affirmer face à l'inconscient collectif, qui croit que le péché originel est la honte. Vous n'avez qu'à regarder les actualités pour voir combien nous souffrons de honte collective. La majorité des informations portent sur le côté négatif d'un événement. Une tragédie est une « bonne » information, un scoop qui rapporte.

Nous voyons rarement des reportages sur une personne s'occupant d'un malade ou sur la vie quotidienne, simple mais magnifique, d'une mère de sept enfants. Un père sacrifiant sa liberté personnelle pour gagner de quoi faire vivre sa famille n'est pas jugé digne d'intérêt. L'étudiant qui réussit au bout de longues heures d'étude, malgré l'insécurité, est oublié au profit de la victime d'un viol ou d'un meurtre. Mais il est temps que les deux histoires soient mises en pleine lumière.

Dans notre société, les miracles quotidiens sont considérés comme allant de soi, sauf peut-être pour les agences de publicité, qui les utilisent (en même temps que notre besoin qu'ils soient reconnus) pour faire vendre des produits.

Le voyage de notre tête à notre cœur

Imaginez comment serait le monde si nous étions inspirés par notre vie au lieu d'être découragés par elle. Il serait très différent si nous prenions le temps de reconnaître ce que nous sommes et de célébrer le miracle d'être vivants. Mais le voulez-vous vraiment ? Le monde ne peut changer que si nous sommes tous prêts à apprendre à nous aimer nous-mêmes, à accepter la difficulté de la transformation et à partager cet amour avec ceux qui nous entourent.

La guérison est la volonté de passer de notre tête à notre cœur : même si la distance est courte, le voyage peut durer toute une vie. Quand nous vivons dans l'expansion de notre cœur, nous guérissons.

L'expansion par la gratitude

L'amour est l'énergie de guérison suprême. Quand nous vivons l'amour inconditionnel, tout est parfait, en harmonie, et la maladie et la mort sont acceptées comme faisant partie de la vie.

L'un des meilleurs instruments que j'aie découverts pour me désaltérer à la source de l'amour est la gratitude. Quand je prends le temps d'être reconnaissante pour le magnifique don de la vie qui m'est fait, je ne le gaspille pas. Quand j'apprécie la force de vie à sa juste valeur, la considérant comme une énergie à la fois fragile et puissante, j'assume toute la responsabilité de la canaliser, la célébrer et la partager pleinement.

Plus nous baignons dans l'énergie de la gratitude, acceptant de la vie aussi bien le négatif que le positif, plus nous recevons - et ce dans tous les domaines. C'est la gratitude qui rend la guérison possible. Si nous vivons en communion avec Dieu, avec la lumière et l'obscurité, avec tout ce qui est, la vie devient miraculeuse.

Procédé

La gratitude

Je vous invite à prendre chaque soir avant d'aller vous coucher quelques minutes pour vous poser cette simple question :

Pour quoi suis-je reconnaissant aujourd'hui ?

Posez-vous plusieurs fois la question et répondez-y en considérant tous les domaines de votre vie qui vous inspirent de la gratitude. Celle-ci est une manière de reconnaître le don précieux qu'est la vie et de rester ouverts pour recevoir ce qu'elle nous offre.

Le mental : serviteur ou maître ?

Comme la guérison comprend par définition tout ce qui est déjà parfait, ou parfaitement imparfait, il est important de ne pas tomber dans le piège qui consiste à considérer le mental ou l'enfant survivant comme un « ennemi » ou un obstacle à la guérison et donc à vouloir le transcender. Cette erreur risque d'entraîner des problèmes et des frustrations inutiles. Le mental est une partie de nous, un mécanisme magique, un serviteur magnifique, mais aussi un maître terrible ; il peut nous servir d'instrument pour observer, comprendre et communiquer. C'est à nous de décider comment l'utiliser. Dans notre voyage de guérison, nous pouvons, soit le laisser nous limiter, soit le pousser à nous soutenir.

L'énergie de l'âme

Selon la plupart des enseignements spirituels, le chemin vers l'illumination est une conscience totalement détachée du mental, dans laquelle nous sommes simplement les témoins de notre existence et qui ouvre la voie à ce miracle : vivre dans la vibration plus fine de l'âme.

L'énergie de cette dernière étant toujours présente, il n'est besoin ni de maître, ni de technique spécifique, ni de miracle pour la connaître. En revanche, il faut une totale participation, ainsi qu'un moment de silence. Il n'y a pas d'autre solution. Pour faire taire notre mental, nous devons d'abord ralentir l'ensemble de notre vie et abandonner le mode de survie pour revenir à l'énergie de l'âme - ou de l'être. Une discipline considérable est nécessaire. La méditation est le moyen le plus simple que je connaisse pour calmer le corps et toutes ses réactions. Une fois celui-ci apaisé, le mental ralentit naturellement et le contact avec l'âme devient plus facile.

La méditation

Dans la méditation, nous rencontrons sans arrêt nos divers masques, nos pensées et nos croyances sur la survie. Comme l'a dit un maître illuminé, la méditation est la volonté de supporter une insulte après l'autre : les insultes du mental. Par exemple : « Je devrais faire ceci, je ne devrais pas faire cela. Est-ce que je fais bien ? » La méditation est une occasion magique de confronter la personnalité de l'enfant survivant et le bavardage incessant qui nous éloigne du moment présent.

Quand je parle de méditation, je ne fais pas allusion à l'imagerie guidée, à la visualisation, à la relaxation profonde, qui ont pour but de procurer à l'enfant survivant un peu de soulagement ou un moment de confort. La méditation dont je parle est le voyage intérieur de la découverte de soi. Elle comprend la rencontre avec l'enfant survivant et tous ses masques de survie, aussi bien qu'avec l'âme enfant et le guérisseur.

Dans la méditation, nous devenons des témoins et observons simplement nos pensées, nos émotions et nos sensations physiques, sans les juger. Nous ne nous engageons pas dans nos pensées ; nous les observons. Si nous jugeons, nous observons simplement que nous jugeons. Il n'y a rien d'autre à faire que de regarder nos pensées avec un paisible détachement, comme des nuages blancs flottant tranquillement dans un ciel bleu limpide. La méditation est une manière de saluer le bavardage de notre mental, au lieu d'essayer de le transcender ou de s'en débarrasser. C'est un moyen de découvrir ce que nous ne sommes pas et cette découverte constitue l'une des premières étapes dans la découverte de ce que nous sommes.

La méditation est une porte ouvrant sur le guérisseur intérieur, car celui-ci ne peut être atteint que par l'acceptation de chaque moment tel qu'il est. C'est la raison pour laquelle il est très différent de l'enfant survivant : il est expansif, vulnérable et tolérant, alors que l'enfant survivant est contracté, résistant et contrôleur.

En nous abandonnant à l'énergie simple et claire du guérisseur, nous acceptons d'être là où nous en sommes dans notre voyage et reconnaissons qu'il s'agit encore d'un stade de purification. En chassant nos émotions refoulées, nos perceptions erronées et le conditionnement limité de l'enfant survivant, nous nous préparons à nous réveiller pour découvrir l'âme magnifique que nous sommes.

Procédé

Méditation Nadabrahma

(Lisez le procédé en entier avant de le faire.)

La méditation Nadabrahma, créée par Osho, représente un instrument important de mon travail de guérison. Je l'ai faite tous les jours durant mon propre voyage de guérison. Je l'avais choisie parce que les autres méditations actives étaient trop fatigantes pour moi à cette époque. Elle m'a été utile non seulement au niveau mental et spirituel, mais aussi au niveau physique.

Nadabrahma est basée sur une ancienne technique tibétaine de bourdonnement par le nez. La vibration due au bourdonnement semble avoir un double effet. En premier lieu, elle aide à diriger son énergie vers l'intérieur et à stimuler la glande pinéale - ou, comme disent les mystiques, à ouvrir le « troisième œil ». Celui-ci est situé au milieu du front, entre les sourcils. Il symbolise l'ouverture de la vision intérieure permettant de recevoir la guidance intuitive de sa puissance supérieure. En deuxième lieu, comme je l'ai découvert par la suite, la technique du bourdonnement masse la glande pituitaire et le thymus. La première régit l'élimination des toxines et le second contrôle la production des cellules T. Les deux glandes sont très importantes pour un bon fonctionnement du système immunitaire.

Après ma guérison, j'ai rencontré deux chercheurs qui étudiaient les effets du massage de la glande pituitaire et du thymus. Quand je leur ai parlé du bourdonnement de Nadabrahma, ils m'ont dit que la vibration sonore produisait peut-être un massage interne de ces glandes vitales.

J'enseigne maintenant cette méditation à tous ceux qui participent à mes séminaires ou à mes séances particulières.

Nadabrahma se pratique seul ou en groupe, de préférence l'estomac vide. Elle comprend quatre étapes et doit être exécutée sur une musique spécifique à chacune d'elles, qui change pour indiquer le passage de l'une à l'autre. (La version longue dure une heure, la version courte trente minutes.) On peut aussi faire Nadabrahma sans la musique. Il suffit de trouver un autre moyen pour indiquer le moment de passer d'une étape à la suivante.

PREMIERE ETAPE : BOURDONNER

Asseyez-vous dans une position détendue, la colonne vertébrale droite et les yeux fermés. Quand la musique commence, inspirez par la bouche et commencez à bourdonner par le nez en gardant les lèvres serrées. Le bourdonnement ressemble à un son monotone et doit être assez fort pour entraîner une vibration dans tout le corps. En fait, le son est produit dans la gorge mais, à l'expiration, il passe par le nez, ce qui lui donne une tonalité nasale.

Visualisez votre corps comme un tube creux ou un récipient vide à travers lequel s'écoule la vibration du bourdonnement. Celle-ci active le cerveau, nettoyant et régénérant chaque fibre nerveuse. Au bout d'un moment, vous devenez un simple témoin et le bourdonnement se produit de lui-même.

Vous pouvez modifier la hauteur et le rythme de l'inspiration et du bourdonnement, jusqu'à ce que vous trouviez ce qui est confortable pour vous. Si vous avez besoin de changer de position, faites-le lentement et sans brusquerie, pour rester en harmonie avec le doux flot d'énergie qui vous traverse. Veillez à garder votre colonne vertébrale droite, de façon à pouvoir respirer pleinement.

Durée : 30 minutes (version courte 7 1/2 minutes).

DEUXIEME ETAPE : DONNER

Les yeux toujours fermés, cessez de bourdonner et levez lentement les mains de façon à les amener au niveau de votre cœur, paumes vers le haut. Lorsque la nouvelle musique commence, décrivez très lentement avec vos mains un mouvement circulaire dirigé vers l'extérieur. La main droite se déplace vers la droite et la main gauche vers la gauche. Décrivez des cercles larges et aussi lents que possible. C'est une permission, non un faire. A certains moments, vous pouvez avoir l'impression que vos mains ne se déplacent pas du tout ou bien qu'elles se déplacent toutes seules. Focalisez votre attention sur le fait de donner votre énergie à l'univers.

Durée : 71/2 minutes.

TROISIEME ETAPE : RECEVOIR

Quand la musique change de nouveau, tournez vos paumes vers le bas. Déplacez vos mains dans la direction opposée, vers l'intérieur, vers votre corps, toujours en un mouvement circulaire. La main droite se déplace vers la gauche et la main gauche vers la droite. En laissant vos mains se déplacer aussi lentement que possible, concentrez-vous sur le fait de recevoir l'énergie de l'univers.

Durée : 7 1/2 minutes.

QUATRIEME ETAPE : SILENCE

Quand la musique s'arrête, couchez-vous sur le dos dans une position ouverte. Vos yeux sont fermés et votre corps parfaitement calme. Restez éveillé et vigilant durant cette étape, qui est en réalité la plus active de la méditation. C'est la vallée de l'expansion.

Durée : 7 1/2 minutes.

19

Le guérisseur intérieur

L'amour est la plus grande force de guérison de l'univers. Rien ne va plus profondément que l'amour ; il soigne non seulement le corps, non seulement le mental, mais aussi l'âme. Celui qui aime voit toutes ses blessures disparaître.

Osho
Je me célèbre moi-même

Le guérisseur est en réalité celui qui ne fait rien. Moins vous utilisez votre mental et toutes ses croyances, mieux la guérison peut passer à travers vous. Dieu est le véritable guérisseur. Guérir, c'est former un tout avec Dieu.

Il y a un guérisseur en chacun de nous. C'est notre partie intuitive, qui nous guide dans notre voyage de guérison. C'est un aspect de nous-mêmes qui nous appartient naturellement, mais qui a été oublié et même tellement négligé qu'il est considéré comme mystique et ésotérique par la pensée logique des cultures occidentales.

Nous ne pouvons passer par le mental, avec toutes ses prétentions et ses attentes, pour nous relier au guérisseur, car celui-ci vit dans la fraîcheur et la nouveauté nées du mystère de chaque instant. L'un des secrets pour accéder au guérisseur intérieur est d'ailleurs de se laisser surprendre.

Ce qui définit un guérisseur est sa volonté de prendre un risque, celui de guérir, et de faire confiance à sa guidance intuitive, même s'il ne la comprend pas complètement. Le guérisseur est la partie de nous qui se laisse inspirer par la vie, avec l'innocence et la curiosité de l'âme enfant. Pour revenir à cet état de grâce naturel, nous devons obligatoirement nous débarrasser des anciennes décisions et des vieux programmes de survie qui obstruent notre chemin. Nous devons être prêts à dépasser la logique.

J'ai rencontré mon guérisseur, ou plus exactement je suis tombée sur mon guérisseur, plusieurs mois après mon diagnostic, parce que je me sentais frustrée de ne pouvoir vivre tout de suite à mon potentiel maximum et que je ne supportais plus cette situation. Je savais que le temps de la permissivité était terminé : je devais cesser de satisfaire toutes les demandes impossibles et tous les caprices de mon enfant survivant et ne plus céder à son besoin constant d'être aussi « bon » que les autres. Il me paraissait de plus en plus évident que son stress était en majeure partie responsable de ma maladie. L'enfant survivant était aussi la partie de moi qui me gênait dans mon voyage de retour à la santé.

Donner à son enfant l'amour dont il a tant besoin

Quand je donnais à mon enfant intérieur l'amour inconditionnel, les soins authentiques et la nourriture dont il avait besoin, il pouvait se sentir en sécurité et abandonner son fonctionnement de survie. Si je m'occupais de ses demandes émotionnelles, il n'était plus obligé de « faire marcher la machine » pour obtenir des autres l'acceptation et les gratifications émotionnelles dont il croyait avoir besoin pour survivre.

Péniblement, je finis par me rendre compte que l'amour qu'il recherchait devait venir de moi. Le temps était venu pour moi d'aimer mon enfant intérieur et de m'occuper de lui pour qu'il cesse de rêver qu'un jour son sauveur viendrait, comme le lui avaient promis tous les contes de fées, les chansons d'amour et les films de Hollywood. Je devais enfin me réveiller au monde réel et abandonner mes fantasmes.

C'est ce que fait pour nous le guérisseur. Il nous débarrasse de nos rêves, de nos justifications et de nos faux espoirs. Il nous permet de commencer notre voyage de guérison en prenant la responsabilité de notre situation actuelle et en devenant créatifs.

Accepter la responsabilité de l'intérieur

Le guérisseur accepte la vie telle qu'elle est, dans la joie de l'inconnu. Il nous dit la vérité, à nous et à ceux qui nous entourent. Il nous faut beaucoup de courage pour admettre que nous portons en partie la responsabilité de notre maladie et que nous n'en sommes pas de simples victimes. Le guérisseur voit la laideur des accusations et le mauvais usage de la colère : lorsque nous la dirigeons vers quelqu'un d'extérieur, elle devient inutile et destructrice. Il en est de même avec nos plaintes : elles ne font que nous encourager à croire que nous sommes des victimes impuissantes et que la vie est difficile.

Afin d'apprécier avec gratitude le miracle à la fois simple et magnifique de ce que nous sommes et du monde qui nous entoure, nous devons abandonner le masque de la victime. Le guérisseur est prêt à prendre la pleine responsabilité de sa vie, voyant en chaque événement une nouvelle ouverture pour mieux comprendre l'être intérieur et le monde extérieur.

Un exemple : l'un de mes clients décida qu'il était responsable de tout ce qui lui arrivait. Il dit à ses médecins qu'avant de lui faire quoi que ce soit, ils devaient l'informer précisément des conditions, des buts et des effets secondaires éventuels, de façon à lui laisser prendre personnellement les décisions les plus importantes. Il ne se considérait pas comme un patient passif, mais comme un membre de l'équipe - ou plus exactement comme le capitaine, parce que, disait-il : « Le terrain sur lequel nous jouons est mon corps. »

Il est essentiel que le guérisseur se comporte en membre responsable de l'équipe, ce qui demande un courage terrible, parce notre société « libre » est basée sur la délégation du pouvoir à une autorité supérieure. Cette attitude commence avec le concept judéo-chrétien de Dieu, vu comme une figure d'autorité qui punit et pardonne, et continue avec les dirigeants politiques, les enseignants et les praticiens de santé.

Nous reprenons notre pouvoir lorsque nous nous apercevons que l'énergie guérissante naît de l'intérieur et se dirige vers l'extérieur. Malheureusement, la médecine occidentale prend les choses à l'envers. Nous sommes toujours en train de chercher à l'extérieur le médicament ou la méthode miracle, la « pilule magique ». Ce reproche s'applique aussi, d'après moi, aux approches alternatives et métaphysiques.

La visualisation et les affirmations

Par exemple, lorsque nous pratiquons la visualisation et les affirmations mécaniquement, de manière routinière, parce qu'elles sont « bonnes » pour nous, il ne se passe pas grand-chose. Le mental est rempli de programmes subconscients qui sabotent le processus. Si vous répétez continuellement : « Je suis en bonne santé », mais que l'un de ces programmes dit : « Quand je suis malade, j'obtiens de l'attention », il bloquera le processus de guérison.

En revanche, quand nous sommes reliés à l'intuition du guérisseur, les affirmations et les visualisations nous viennent naturellement, comme par magie ; de plus, elles nous incitent à reprendre notre pouvoir et à agir en conséquence. Par exemple, « Je suis en bonne santé » se traduira par le désir naturel de faire de l'exercice et de manger consciemment.

Les affirmations et la visualisation sont des techniques très puissantes pour rééduquer le mental, surtout dans son rapport avec le corps. Si on répète toujours la même phrase, on la reconnaît pour vraie et elle finit par affecter notre organisme, dans un sens positif ou négatif. En employant des affirmations positives, nous levons les blocages d'énergie produits par des croyances ou des décisions anciennes, qui ne sont plus appropriées à notre vie actuelle. Pour ma part, j'en utilise deux : « Je suis maintenant ouverte à l'énergie de guérison de l'amour » et « J'autorise maintenant la Lumière à me guider sur mon chemin. »

Je vous recommande de laisser vos affirmations émerger naturellement, en restant détendu, plutôt que de les faire mécaniquement. Chaque image est alors créée par votre conscience et pleinement reçue par votre corps. Par exemple, ma visualisation des chutes du Niagara provenait d'une image produite spontanément par mon mental. Chaque fois que vous utilisez les affirmations ou la visualisation, il est très important de commencer par méditer, puis de laisser chaque image ou chaque mot pénétrer votre mental et votre corps.

Ceci exigeant une concentration totale, il est préférable de pratiquer là où vous risquez le moins d'être distrait. Si une perturbation survient, incluez-la dans votre expérience ; ne lui résistez pas. Si vous entendez des aboiements de chiens ou des sirènes de police, dites-leur simplement oui - ils font partie de votre environnement - puis concentrez-vous de nouveau sur l'affirmation positive.

Je ne peux insister suffisamment sur sur ce point : il est essentiel de méditer et d'harmoniser votre énergie avec celle de votre guérisseur avant d'employer toute technique de guérison, depuis l'affirmation positive jusqu'aux médicaments. Par exemple, chaque fois que vous prenez un comprimé, renforcez consciemment son pouvoir avec l'énergie de votre guérisseur, de façon qu'il ait encore plus d'efficacité et moins d'effets secondaires. Ne le mettez pas dans votre bouche inconsciemment.

L'alimentation correcte

Le même principe est valable pour l'alimentation. Parmi mes clients, beaucoup suivent un régime macrobiotique strict, d'autres respectent le principe des combinaisons alimentaires. Certains mangent du poulet et du poisson, tandis que d'autres boivent du jus de jeunes pousses. Dans un sens, cela n'a aucune importance. L'essentiel est que vous découvriez l'alimentation qui est bonne pour *vous*. Vos croyances et vos jugements sur certains aliments influencent votre digestion dans un sens positif ou négatif. Ma culpabilité à propos du chocolat, par exemple, était aussi stressante pour mon organisme que le sucre lui-même.

Le fait d'être pleinement présents au moment où nous mangeons accroît notre énergie. Il est également important de préparer la nourriture avec amour, en choisissant pour commencer des aliments que nous savons bons pour notre organisme, au lieu de céder à notre enfant intérieur. Quand nous nous asseyons pour prendre un repas, il est bon de bénir la nourriture pour remercier la Mère terrestre dont elle provient. En mangeant, concentrez-vous totalement sur le fait de manger. Prenez le temps de sentir le goût de la nourriture. Mastiquez bien les aliments, une bouchée à la fois, au lieu de vous précipiter comme nous sommes conditionnés à le faire dans notre société de fast-food.

Etre pleinement présent au repas signifie aussi ne pas regarder la télévision ou lire les journaux (surtout les actualités ou des informations sur le sida). Si vous mangez avec d'autres personnes, il peut être utile de garder le silence pendant une partie du repas, de façon que chacun puisse participer pleinement à l'acte de manger et s'accorder au rythme tranquille du système digestif.

Ce que nous mettons dans notre organisme est d'une importance vitale pour notre santé, tout comme notre attitude à propos de l'alimentation et la conscience avec laquelle nous nous nourrissons. Si vous voulez guérir, vous devez être éveillé et conscient de ce que vous faites à chaque étape du chemin.

Se relier au guérisseur

Vous vous demandez peut-être : « Comment savoir quand je suis relié à mon guérisseur intérieur ? » Tout d'abord, le guérisseur réside dans votre cœur et vit seulement dans le présent. Il exprime souvent sa sagesse par des phrases simples sans longues explications. Sa guidance est pleine de compassion ; elle produit en vous un sentiment d'expansion et elle est proche de votre âme enfant.

Voici un procédé destiné à vous aider à entrer en contact avec votre guérisseur. Ayez confiance en vous et en votre capacité à communiquer avec lui.

Procédé

Se relier au guérisseur intérieur

Fermez les yeux et faites plusieurs respirations profondes, en étant exactement là où vous êtes maintenant et sans essayer de changer quoi que ce soit.

Continuez à respirer profondément en vous concentrant sur l'écran de votre mental. Passez en revue toutes les circonstances de votre vie actuelle, même si elles mettent au défi ou submergent votre enfant, en restant un simple témoin et en disant *oui* à tout ce que vous voyez.

Puis prenez une autre inspiration profonde et ressentez encore davantage votre *oui*. Si c'est un non qui vient, dites *oui* à votre non. Respirez simplement et mentalement dites *oui*. Si cela vous vient naturellement, exprimez votre « oui » à haute voix. Laissez votre *oui* grandir et emplir tout votre être. C'est dans votre oui que vous rencontrez votre guérisseur.

Laissez-vous surprendre par la forme de ce dernier. Il peut se présenter sous divers aspects : une couleur particulière, comme le violet, ou une sensation physique, comme de la chaleur, ou même une figure archétypielle ou religieuse. Votre guérisseur est unique pour vous. Une fois que vous l'avez contacté, passez du temps avec lui. Explorez votre relation. Reconnaissez-vous mutuellement. Dansez ensemble aussi longtemps que vous le souhaitez.

Lorsque vous vous sentez totalement relié à lui, ouvrez-vous pour recevoir sa réponse à une question importante pour vous. Posez la question puis, dans le silence, écoutez la douce guidance du guérisseur de votre intérieur.

Laissez-vous surprendre par la réponse. Maintenez-vous sur un niveau énergétique élevé. Restez vivant et léger. Quand vous avez l'impression d'avoir terminé, remerciez votre guérisseur pour son amour et sa guidance. Doucement, revenez à votre corps et au moment présent. Ouvrez les yeux lentement et notez dans votre journal les conseils que vous avez reçus. Puis, dans le calme et la solitude, prenez un peu de temps pour les intégrer à votre vie actuelle. Il relève ensuite de votre responsabilité de les suivre, guidé par votre guérisseur. Pensez à dire à votre enfant survivant que vous vous engagez désormais ensemble dans cette nouvelle direction ; assurez-lui que vous prenez votre vie en main et que vous vous occuperez de lui.

Vous avez peut-être eu un aperçu d'un guérisseur qui ne correspondait pas à l'image que vous vous en faisiez. En effet, quand nous entrons en contact avec lui, nous ne trouvons pas souvent le sauveur grand et fort qui va magiquement chasser tous nos problèmes ou nous donner toutes les solutions. Il ne va pas nous prendre par la main ni promettre de nous montrer le chemin pour que nous soyons heureux jusqu'à la fin de nos jours.

Il peut paraître vulnérable et honnête. Sur le moment, nous découvrirons peut-être que nous ne savons pas qui nous sommes : c'est là l'énergie du guérisseur. Celui-ci est vulnérable et fragile, ce qui ne correspond pas obligatoirement aux attentes de notre enfant. Dans cette vulnérabilité se trouve un type d'énergie différent, venant de l'acceptation et non plus de la défense. Le guérisseur est totalement honnête, sans masques, ni faux-semblants, ni jugements.

Lorsque vous lui demandez, par exemple, si vous devez prendre ou non un certain médicament, il peut vous répondre : « Je ne sais pas, mais je vais étudier la question avec toi. » Il est ouvert à ce qu'est aujourd'hui et à ce que demain apportera. S'il ne sait pas, il veut bien être surpris.

Nous nous attendons généralement à ce que le guérisseur provienne de notre ancien conditionnement, de notre mental, c'est-à-dire de la partie de nous qui a justement appris à se couper de lui. Souvenez-vous : le mental utilise les prétentions et les attentes pour projeter les opinions du passé sur le présent et le futur. Souvent, nous ne reconnaissons pas immédiatement notre guérisseur intérieur parce que c'est une énergie totalement nouvelle, une pure beauté. Quand nous sommes en contact avec lui, nous n'avons plus besoin de faire des efforts. Je ne veux pas dire que nous ne rencontrons plus d'obstacles ou de moments difficiles, mais nous ne leur opposons plus de résistance.

La compassion inconditionnelle du guérisseur

L'énergie du guérisseur est une grande compassion. Celle-ci permet de dépasser le jugement. D'après moi, c'est une qualité indispensable à notre propre guérison et à celle de notre planète. J'avais trop vite accusé Nado - ainsi que moi-même - car je méprisais les parties de nous qui avaient besoin d'être soignées. Mais, grâce au guérisseur, nous pouvons « rentrer chez nous » en acceptant tout ce que nous sommes, les parties que nous rejetions comme celles que nous estimions.

Dans cette acceptation, nous trouvons en nous-mêmes une réponse réellement pleine de compassion.

Ce qui est merveilleux chez le guérisseur, c'est qu'il est toujours à notre disposition et qu'il ne pose pas de conditions. Mon guérisseur ne m'a pas dit qu'il attendait que je me débarrasse de ma peur du noir pour m'aider ; il est toujours là. Même si l'enfant survivant le met de côté parce qu'il ne correspond pas à l'image qu'il s'en fait, il reste fidèle. Il attend patiemment le moment où nous commençons à entendre sa voix s'élever calmement au-dessus du bavardage des masques de l'enfant survivant et à lui faire confiance.

Le guérisseur contre l'enfant survivant

Le guérisseur sera toujours à votre disposition, *sauf* au niveau de l'enfant survivant. Cette constatation peut vous sembler frustrante et vous préféreriez ne pas l'entendre. Bien sûr, à un certain niveau, l'enfant peut être utile, souvent en vous procurant une opportunité de guérir : c'est peut-être poussé par sa peur de la mort que vous avez choisi ce livre. Mais il devient rapidement un obstacle à la guérison.

Par exemple, lorsque nous apprenons que nous sommes atteints d'une maladie mettant notre vie en danger, sa peur l'incitera probablement à chercher une solution lui évitant la souffrance et la mort. Il fera son possible pour résoudre le problème et l'évacuer. Il a pour ce faire un instinct très sûr lui permettant de trouver des livres, des enseignants et des méthodes qui l'aideront à éviter ou à repousser le moment de confronter les événements effrayants de son passé qui font obstacle à la guérison.

Le guérisseur, de son côté, est celui qui nous montre où nous devons regarder et ce que nous devons faire pour atteindre notre potentiel maximum. Il nous guide vers l'étape suivante, même si elle doit être inconfortable. Il nous suggère d'abandonner notre permissivité et de changer complètement notre façon de vivre. Il peut exiger que nous revoyions en profondeur nos actes, notre environnement et notre relation avec le monde.

Il peut aussi nous aider à reconnaître que nous sommes celui-là même qui résiste, se plaint, nous juge et nous manque de respect. Il faut beaucoup de courage pour abandonner l'attitude de victime, de « pauvre de moi », surtout dans notre société (voyez notre système judiciaire : nous pouvons poursuivre n'importe qui pour n'importe quoi et ne jamais assumer la responsabilité de nos actions). Le guérisseur nous montre que l'enfant survivant peut être un manipulateur génial, toujours poussé par la peur et refusant la responsabilité de sa vie.

Le moment où nous entrons en contact avec le guérisseur est souvent le commencement d'un voyage inconfortable, parce qu'à partir de là nous sommes obligés de vivre d'une manière totalement nouvelle - en transcendant notre ancien conditionnement et notre envie de tout contrôler. L'enfant survivant risque de se sentir dupé ou déçu. Il peut aussi en vouloir au guérisseur de lui demander de changer ou se mettre en colère - ce qui nous permet d'évacuer celle-ci et va donc dans le sens de la guérison.

Au début, il est parfois difficile de faire la différence entre l'enfant survivant, portant le masque du guérisseur, et le guérisseur lui-même. La méditation est l'instrument le plus efficace pour distinguer ces deux énergies diamétralement opposées. Le guérisseur se reconnaît facilement par son énergie de « oui », qui donne beaucoup de force. L'enfant survivant est perçu comme une énergie de « non », avec toutes ses peurs et ses résistances.

Quand la guidance simple du guérisseur nous devient familière, l'enfant survivant risque de la rejeter. Par exemple, l'une de mes clientes fumait beaucoup. Lorsqu'elle entra en contact avec son guérisseur, sa voix intérieure lui conseilla doucement de cesser de fumer. L'enfant survivant fut ennuyé, parce qu'il voulait continuer, même s'il se prétendait prêt à faire n'importe quoi pour guérir. Il voulait bien courir sept kilomètres par jour, manger des aliments naturels, faire du yoga, méditer - tout, sauf renoncer à sa mauvaise habitude. C'est là une autre stratégie de l'enfant survivant, qui est capable de marchander sans fin avec vous pour éviter le changement - qu'il voit comme une menace pour sa survie - et se protéger.

« Le stress de guérir »

Je reconnais qu'il faut sans aucun doute beaucoup de courage à une personne confrontée au sida, à l'ARC ou à une autre maladie mettant sa vie en danger, pour faire confiance à son guérisseur intérieur, quand une myriade d'autres possibilités la bombarde sans arrêt. Mes nouveaux clients arrivent pour la plupart totalement stressés de naviguer sur un océan de décisions ou épuisés de s'être forcés à tout faire pour être sûrs de ne rien manquer. Ils sont souvent obligés de choisir entre des médicaments ayant tous des effets secondaires.

Nous avons très peur de prendre la mauvaise décision quand notre vie est en jeu. J'ai remarqué que, d'une manière générale, soit les patients suivent à la lettre les conseils de leur médecin, soit choisissent une voie alternative et explorent la multitude de possibilités qui leur est offerte : plantes, remèdes homéopathiques, médicaments et traitements expérimentaux. Certains, confrontés à trop de choix, sont hyperstressés par leur peur de prendre la mauvaise décision. D'autres sautent d'un traitement à l'autre à la recherche du « traitement ».

Si mes clients ont atteint ce niveau de stress, je leur conseille de tout arrêter pendant un jour ou deux (certains traitements ne pouvant être interrompus, je leur recommande de se renseigner d'abord auprès de leur médecin). Durant cet arrêt dans leur routine, je les invite à méditer fréquemment, de façon à se relier à leur guérisseur intérieur au lieu d'être épuisés par leur enfant terrifié. (Si vous souffrez du « stress de guérir », vous pouvez essayer cette façon de procéder, mais seulement avec le consentement de votre docteur ou de votre thérapeute. Vous pouvez commencer par utiliser le procédé ci-dessus pour rencontrer votre guérisseur.)

Une fois qu'ils sont entrés en contact avec leur guérisseur, je leur demande de faire une liste complète de toutes les options qui leur sont présentées. Je les invite à se mettre à l'écoute d'eux-mêmes pour déterminer ce qui résonne en eux de manière positive et paraît accroître leur énergie et ce qui au contraire leur donne l'impression de perdre leur pouvoir et de s'affaiblir. Ils peuvent alors prendre leurs décisions en conséquence, tout en sachant que celles-ci ne sont pas gravées dans la pierre et qu'elles fluctuent avec le processus de guérison.

Si nous faisons nos choix avec intégrité et dans le but d'augmenter notre propre pouvoir, nous apprenons peu à peu à accorder une confiance inconditionnelle à la guidance de notre guérisseur.

Le guérisseur ne se préoccupe pas de faire des erreurs. Il sait que les choses prennent leur place d'elles-mêmes dans l'ordre divin. Il veut rester dans la question et se laisser simplement guider par la vie. La confiance est la clé de sa porte. La confiance et l'amour sont les deux composantes essentielles de la guérison ; tous les traitements et toutes les techniques que nous utilisons ne sont que des instruments nous permettant de nous tourner vers la complétude où réside l'amour.

Procédé

Créer sa propre ordonnance

Votre propre « ordonnance » de santé fait partie de votre voyage de guérison ; il est donc important que vous vous en établissiez une. Pour cela, engagez un dialogue avec votre guérisseur en suivant les étapes décrites ci-dessus et demandez-lui de vous conseiller. Puis demandez-lui quelles sont les techniques qui vous permettront d'atteindre votre potentiel maximum : méditation, régime, exercice, affirmations, travail corporel...

Notez votre ordonnance dans votre journal, accompagnée de tous les conseils et les encouragements de votre guérisseur. Cette « ordonnance » sera la fondation sur laquelle vous bâtirez votre travail de conscience quotidien.

20

Votre travail de conscience quotidien

Jusqu'à ce que l'on soit engagé,
il y a une hésitation, la possibilité de revenir
en arrière et toujours l'inefficacité.
Pour toutes les initiatives (et les actes de création),
il y a une seule vérité élémentaire,
dont l'ignorance tue d'innombrables idées
et des plans splendides :
au moment où l'on s'engage vraiment,
la Providence aussi se met en mouvement.
Toutes sortes de choses arrivent pour aider,
qui ne seraient pas arrivées autrement...

W. H. Murray
L'Expédition écossaise dans l'Himalaya

On me demande souvent quels exercices spécifiques j'ai faits pour me guérir. Tout d'abord, comme je l'ai souvent dit, je ne me suis pas guérie ; c'était une permission, non un faire. J'ai permis à mon corps de se guérir lui-même en l'écoutant attentivement et en me montrant plus laxiste à l'égard de mon enfant survivant. Mais j'ai effectivement fait certaines choses bien précises :

- J'ai appris à vivre dans l'instant.

- J'ai changé mes priorités et me suis mise en tête de liste.

- J'ai appris à m'engager envers moi-même et à établir des limites saines.

- J'ai ralenti mon rythme et j'ai dit oui au précieux don de la vie, telle qu'elle s'offrait à moi instant après instant.

- Je suis devenue disciple de la vie et non plus de ma névrose.

- J'ai médité tous les jours au moins une heure et parfois plus de trois heures.

- J'ai dialogué avec mon enfant intérieur et l'ai entièrement accepté.

- J'ai fait confiance à mon guérisseur intérieur.

- J'ai fait de la visualisation et des affirmations.

- J'ai fait de l'exercice tous les jours.

- J'ai modifié ma nourriture physique et mentale, en choisissant consciemment ce que j'allais manger, lire et regarder au cinéma ou à la télévision.

- J'ai choisi avec soin mon entourage.

- J'ai établi une relation honnête et réconfortante avec mon médecin et j'ai fait confiance à mon intuition pour m'abstenir de tout médicament (c'était mon choix personnel, que je ne conseille pas nécessairement à quelqu'un d'autre).

- Je me suis assurée que tout ce qui m'entourait, y compris les détails de ma vie au jour le jour, correspondait à mes critères personnels.

Restructurer sa vie

Peu à peu, les instruments et les techniques que j'avais apprises et enseignées à l'ashram cessèrent d'être des techniques pour devenir un mode de vie. Je vous invite à structurer votre vie afin de favoriser votre guérison, en créant votre propre travail de conscience quotidien selon les principes de votre ordonnance.

Il est important que vous mettiez ce travail au point de manière naturelle, guidé par votre propre flot d'énergie, plutôt que de vous l'imposer mécaniquement. La guérison demande du dévouement, de la persévérance et de la discipline. Pour ne pas relâcher votre discipline - ce que nous faisons en général très facilement - il est essentiel de vous créer une structure et de vous y tenir, car cela vous obligera à revoir vos priorités et à vous mettre en tête de liste.

Respectez l'emploi du temps de votre travail quotidien et suivez-le du mieux possible. En même temps, soyez réaliste dans vos décisions, parce que même si vous avez intérêt à étendre vos limites, vous devez vous assurer qu'elles sont raisonnables et éviter de vous placer dans une situation d'échec.

J'avais parfois du mal à sortir du chaud confort de mon lit à l'aube pour méditer face au lever du soleil, mais je savais ce que me coûtait d'écouter la voix de mon laxisme. Je m'étais engagée envers moi-même à être plus forte que cette voix et à vivre selon mes engagements. Certains jours, ce n'était pas facile. Croyez-moi, si j'ai pu le faire, vous le pouvez aussi.

Faire son travail de conscience quotidien, c'est vouloir grandir et devenir adulte. Peu à peu, nous mûrissons par rapport à notre mode de vie et acceptons les principes favorisant notre potentiel de santé maximum.

Procédé

Créer son travail de conscience quotidien

Mettez-vous à l'écoute de vous-même et pensez à tous les domaines de votre vie : vos relations, votre travail, votre foyer, vos finances, etc. Ouvrez votre journal et dressez la liste de vos activités quotidiennes, y compris travail, jeu, hygiène personnelle, tâches ménagères et discipline spirituelle. Notez ce que vous aimez aussi bien que ce que vous faites à contre-cœur.

Quand votre liste est terminée, classez ces activités par ordre d'importance. Puis ouvrez la page sur laquelle vous avez écrit votre « ordonnance ». Voyez ce que vous faites déjà et ce que vous devez ajouter. Prenez le temps de noter les instruments que vous voulez intégrer à votre vie de tous les jours, comme la méditation et l'exercice physique. C'est le commencement de votre travail de conscience quotidien.

Le résultat d'un tel travail n'est pas nécessairement un changement des circonstances de notre vie, comme le voudrait l'enfant survivant, mais il peut être l'apparition de nouvelles priorités. Le plus souvent, vous n'avez pas la possibilité de modifier totalement vos conditions de vie ; il est donc inutile d'essayer. Certains peuvent profiter d'un changement d'environnement, de travail ou de relation pour se créer un style de vie totalement nouveau ; si c'est le cas, faites-le avec confiance. Tout dépend de ce qui vous réussit. Pensez à vous fier à la guidance de votre guérisseur intérieur en ce qui concerne les changements.

Voici pour exemple mon travail de conscience quotidien pour l'époque :

6 h	méditation
7 h	petit déjeuner
7 h 30	soins corporels
9 h	choix de mes trois buts quotidiens
9 h 15	tâches domestiques
11 h 15	repos
11 h 30	promenade sur la plage
12 h 15	repos
12 h 30	déjeuner
13 h	autres tâches domestiques, coups de téléphone, etc.
15 h	méditation
15 h 30	travail
17 h	méditation
18 h	dîner
19 h	soirée libre, visite à des amis, lecture, groupe de soutien, etc.
22 h	coucher

Procédé

A la fin de chaque journée, je me demandais si j'avais bien accompli mes trois buts quotidiens et terminais par la question : « De quoi suis-je reconnaissante aujourd'hui ? »

Une fois que vous avez mis au point votre propre travail de conscience quotidien, engagez-vous envers vous-même à honorer son existence dans votre vie. Cet engagement vous aidera à rester fidèle à votre voyage de guérison, même si l'enfant survivant préférerait le laisser aller ou la fuite.

Mon engagement envers moi-même

> Moi, ____________________, je m'engage envers moi-même à faire tous les jours mon travail de conscience quotidien. Je choisis de dépasser mes croyances limitées et d'abandonner mes peurs et mes conditions. Je décide de faire chaque jour mes procédés et mes méditations avec toute mon énergie. Je veux découvrir ce qu'est la gratitude. Je veux découvrir ce qu'est la nouveauté. Je veux vivre dans la question : « Cette action ou cette attitude va-t-elle dans le sens de mon potentiel maximum ? »

Il est très rare aujourd'hui de tenir ses engagements. Notre société s'est abaissée à vivre dans le laxisme. Le divorce est courant, le meutre ordinaire. La corruption ne nous fait même plus froncer les sourcils. Nous sommes tellement anesthésiés par notre environnement qu'il nous faut beaucoup de courage pour nous affirmer et maintenir notre intégrité.

Le travail de conscience quotidien a un autre but : nous entraîner à tenir de nouveau notre parole, non seulement vis-à-vis des autres, mais aussi de nous-mêmes. J'ai travaillé avec de nombreux clients à qui l'on pouvait faire totalement confiance dans leur travail et leurs relations avec les autres, mais qui étaient incapables de tenir leurs engagements envers eux-mêmes. Là encore, c'est l'enfant survivant qui mène l'affaire. Il tient ses promesses envers autrui pour éviter le rejet et obtenir de l'approbation. Quand, pendant des années et des années, nous faisons tout pour les autres en nous niant nous-mêmes, nous finissons usés et pleins de ressentiment. Si nous tenons nos engagements envers nous-mêmes, nous tenons naturellement et sans effort nos engagements envers les autres.

Je voudrais citer ici Martha Graham, cette grande pionnière de la danse moderne, qui m'encourage à me battre pour mon potentiel maximum. En 1945, elle écrivit : « Je suis danseuse. Je crois que nous apprenons en pratiquant. Que ce soit apprendre à danser en pratiquant la danse ou à vivre en pratiquant la vie, les principes sont les mêmes. Dans chaque cas, c'est de la performance ou de la série précise, adéquate, d'actes physiques ou intellectuels, que naissent une forme de complétude, un sentiment d'être et une satisfaction de l'esprit. On devient dans certains domaines un athlète de Dieu. » En 1985, réfléchissant à ce qu'elle avait dit, elle expliqua : « Quand j'ai écrit ces lignes, il y a environ quarante ans, je ne pensais guère qu'un jour je regarderais en arrière et verrais l'histoire de ma compagnie de ballet, vieille maintenant de soixante ans, je crois toujours à cette perfection qui combat ce que est pour moi le seul péché : la médiocrité. »

Les trois buts quotidiens

Quand nous sommes malades, nous avons besoin de nous reposer et notre corps de ralentir, mais nous confondons souvent le repos avec l'inaction. L'action maintient notre intérêt.

Dans le cadre de votre travail de conscience quotidien, je vous conseille vivement de choisir chaque jour trois buts à accomplir. Ce procédé m'a beaucoup aidée à dépasser mon laxisme et a parfois été la seule raison pour laquelle je suis sortie du lit le matin. Il vous donnera une impression de victoire personnelle, ainsi que l'énergie d'être responsable de votre vie. Il vous aidera aussi à renforcer votre « muscle » de l'intégrité et à créer un sentiment d'expansion.

Un exemple : l'un de mes clients passait rarement une journée sans se sentir découragé et submergé par les circonstances de sa vie. Entre les rendez-vous avec son médecin, les groupes de soutien, l'acupuncture, les médicaments et toute la paperasserie nécessaire pour percevoir ce que lui devaient ses assurances, il n'avait plus d'énergie pour faire quoi que ce soit d'autre. Il commençait à se négliger et à négliger sa maison.

La première fois qu'il travailla avec moi, il considérait la mort comme un soulagement bienvenu et espérait seulement qu'elle viendrait rapidement et sans souffrances. Je voyais qu'il avait encore envie de vivre, mais qu'il était simplement submergé. Il ne savait pas par où commencer dans tout ce qu'il avait à faire. Je lui suggérai de dresser la liste de toutes ses occupations, y compris les plus petits détails, comme de recoudre un bouton à sa veste. Quand il eut terminé sa liste, qui comprenait plusieurs pages, il choisit les tâches qu'il voulait accomplir la première semaine et les répartit en trois buts quotidiens. Au bout de quatre jours seulement, durant lesquels il parvint à tenir sa parole envers lui-même et accomplit ses trois buts, en luttant parfois contre sa propre résistance, il éprouva une joie authentique et fut impatient d'en faire davantage.

Travailler avec son enfant intérieur

Au début, l'enfant intérieur tentera de résister à ce qui est nouveau ou « bon pour lui ». Utilisez chaque semaine la simple liste suivante pour vérifier si vous restez responsable envers vous-même. Cette liste est également un instrument utile pour vous aider à affiner votre travail de conscience quotidien. A la fin de chaque semaine, vous pouvez réajuster votre emploi du temps, en supprimant ce qui ne vous paraît plus utile et en prévoyant davantage de temps pour ce qui vous semble important.

En faisant cela, soyez conscient que l'enfant survivant risque de mettre toute son énergie à réintroduire quelques anciennes faiblesses dans votre nouvelle manière de vivre. Pour l'en empêcher, démontrez-lui avec beaucoup d'amour et de tendresse que ces changements améliorent la qualité de votre vie et vous aident à guérir. Dites-lui que cette nouvelle manière de vivre est un passage nécessaire. Si vous le familiarisez doucement, étape après étape, à toutes ces nouveautés, il s'y intéressera. Il aime apprendre, à condition que vous lui enseigniez avec amour, sans aucune attente - on lui en a déjà suffisamment imposé. Prenez le temps de dialoguer avec lui tous les jours durant cette période de transition. Cela rendra votre voyage beaucoup plus facile et plus joyeux.

Cette liste est un instrument destiné à vous soutenir et à témoigner de votre transformation personnelle. Ce n'est pas une occasion de vous condamner et de vous punir. Elle vous sera utile pour découvrir ce que vous êtes, les illusions que vous vous faites sur vous-même et les obstacles émotionnels que vous avez déjà surmontés.

EXEMPLE DE LISTE DE CONTROLE HEBDOMADAIRE

(Faites votre propre liste ; elle reflétera votre nouvelle vie.)

Dans le tableau ci-dessous, mettez une croix sous le jour correspondant chaque fois que vous avez accompli la tâche en question.

	Lu	Ma	Me	Je	Ve	Sa	Di
Méditation quotidienne							
Trois buts quotidiens							
Vie à mon potentiel maximum							
Procédé de gratitude							
Dialogue avec l'enfant intérieur							

Mettez-vous à l'écoute de vous-même une fois par semaine pour décider quels buts vous voulez accomplir dans les différents domaines de votre vie durant la semaine à venir et notez-les dans la colonne « but » ci-dessous. Puis répartissez-les en trois buts quotidiens. Tout au long de la semaine, notez dans les deux autres colonnes vos actions et leurs résultats.

Vos buts quotidiens peuvent être les mêmes chaque jour mais, s'ils deviennent routiniers, trouvez-en de nouveaux.

	BUT	ACTION	RESULTAT
Corps physique	________	________	________
Relations	________	________	________
Travail	________	________	________
Maison	________	________	________
Distractions	________	________	________
Spiritualité	________	________	________

Je me donne un bon point pour : ______________________

S'engager à cent pour cent

Tout ce qui est suggéré dans ce livre n'exige ni entraînement, ni éducation, ni expérience préalable, mais uniquement votre engagement et votre participation totale.

Quel que soit le domaine dans lequel vous voulez réussir, il est très important de vous y engager à cent pour cent et de vous passionner pour lui. Par exemple, regardez le succès de Madonna. Elle est totalement engagée dans tout ce qu'elle fait. Les gens croient que ce sont ses chansons, sa façon de danser ou ses enregistrements vidéos qui sont les clés de son succès, mais ce n'est qu'une vision superficielle. Je crois que la véritable raison de son succès est qu'elle se passionne pour ce qu'elle fait. C'est le cas de tous les grands artistes. Regardez Picasso : il voulait aller bien au-delà des conventions pour exprimer sa vérité. C'est à cela que nous reconnaissons la grandeur des artistes et c'est ce qui en eux nous inspire.

Quand vous dites oui à tout ce que la vie vous offre, vous êtes passionné, pleinement vivant et obligé de rester dans le présent. Si vous êtes en colère, soyez totalement en colère, oubliez-vous en elle. Si vous êtes confus, soyez totalement confus. Si vous aimez, fondez-vous totalement dans l'amour. Si vous haïssez, haïssez complètement ; que ce ne soit pas seulement une partie de vous qui haïsse, mais vous tout entier. En disant oui, nous nous passionnons pour la vie et la mort.

C'est dans la passion que le guérisseur intérieur émerge, que l'enfant survivant disparaît et que la compassion apparaît. La passion est la clé de la guérison. La plupart du temps, nous résistons à ce que la vie nous offre ; nous la voulons différente, mais du coup nous passons à côté d'elle. Par exemple, nous sommes réveillés au milieu de la nuit par la peur et l'anxiété, mais nous résistons à ces sentiments car ils ne sont pas prévus dans notre emploi du temps. Nous prenons un somnifère pour contrôler les occasions que la vie nous offre. Nous les jugeons mauvaises et nous manquons les bénéfices possibles de notre insomnie : dans une grande lucidité, nous aurions peut-être entendu, au milieu de la nuit, la réponse à nos prières.

Etre passionné par la vie et lui dire oui signifie suivre son flot, ce qui demande un grand courage. Notre engagement total nous attire beaucoup de critiques de la part de ceux qui nous entourent, parce que leur façon de s'engager à moitié et de ne dire que des demi-vérités est beaucoup moins risquée.

La guérison est un voyage courageux ; une fois que vous vous êtes embarqué, il n'est pas possible de revenir en arrière.

En faisant votre travail de conscience quotidien, vous vous ouvrirez à des dimensions de l'entendement qui vont bien au-delà de l'ancienne logique avec laquelle vous êtes habitué à vivre. Il est important que vous fassiez confiance à ce processus d'évolution et que vous soyez prêt à prendre ces nouvelles directions lorsqu'elles se présentent naturellement.

Soyez discret

Je vous invite à garder pour vous votre travail de conscience quotidien, surtout au début, pour la simple raison que, la plupart du temps, quand nous parlons d'une chose nouvelle et difficile à expliquer, nous nous exposons au scepticisme ou à la négativité d'autrui. Jusqu'à ce que vos nouveaux instruments, vos nouvelles habitudes et vos prises de conscience récentes soient pleinement intégrés à votre travail quotidien, il n'est pas nécessaire d'offrir votre fragile nouveauté à des « attaques » inutiles. Gardez donc votre voyage de guérison pour vous, à moins qu'une personne ouverte et prête à recevoir ce que vous avez à partager ne vous pose une question.

Votre communauté de guérison

C'est dans les séminaires et les groupes de soutien que vous pouvez parler de votre voyage. Je n'insisterai jamais assez : il est très important, au début, de participer à une communauté de guérison, dirigée avec douceur par un thérapeute connaissant votre voyage. Au début, vous ne voudrez peut-être pas y participer activement ; ce n'est pas un problème. Le seul fait d'être présent vous donnera un avant-goût de ce qu'est l'énergie de soutien, que vous ne pouvez pratiquement pas créer seul, surtout sans savoir à quoi elle ressemble. Si vous êtes confronté au sida, au cancer ou à toute autre maladie mettant votre vie en danger, trouvez un groupe de soutien qui vous indiquera un réseau de soignants connaissant bien ce type de problèmes : médecins, thérapeutes, nutritionnistes, acupuncteurs et personnes faisant un travail sur le corps.

Les cercles de guérison et les groupes de soutien sont merveilleux pour commencer mais, lorsque vous serez plus avancé, vous aspirerez peut-être à un épanouissement complet. Vous aurez alors la responsabilité de trouver une communauté et un environnement où l'on vit dans la conscience et dans la grâce. Ces lieux sont rares mais absolument nécessaires ; c'est pourquoi j'ai créé *The Healing Home* (la Maison de la Guérison).

21

La souffrance et les obstacles

Les montagnes s'effacent et les mers se divisent devant celui qui prend la voie abrupte, jour après jour, en écartant les obstacles. Croyez en vous et en votre plan, ne dites pas je ne peux pas, mais je peux ; nous passons à côté des récompenses de la vie parce que nous doutons de notre pouvoir intérieur.

Anonyme

Si vous êtes confronté au défi du sida, vous n'en êtes peut-être qu'au début de votre voyage et il vous faudra un courage formidable pour continuer. Je vous invite à laisser toute infection opportuniste être pour vous l'occasion d'aller encore plus loin dans la découverte de vous-même.

Le milieu du voyage, quand l'enthousiasme dû à la nouveauté faiblit, peut être extrêmement difficile. Votre engagement à continuer à vivre avec intégrité doit être très fort, en dépit de l'enfant survivant qui vous conseillera sans doute de renoncer.

Dans notre voyage de guérison, l'une de nos premières découvertes est que, même si nous « faisons ce qu'il faut », comme de nous fier à notre guérisseur intérieur et de respecter notre corps, notre douleur ne disparaît pas du jour au lendemain. Nous avons beau nous forcer à être positifs, des obstacles - tels qu'une infection opportuniste - se dresseront encore dans notre vie. Nous nous apercevons aussi que, même quand nous sommes malades, les factures continuent à arriver, nos relations ont toujours des hauts et des bas et nous n'obtenons peut-être pas encore l'amour et les soins auxquels nous aspirons.

L'enfant survivant utilise ces réalités pour revenir à l'ancienne et confortable façon de vivre. Par exemple, j'ai observé que de nombreux clients font de grands progrès dans la compréhension et la découverte d'eux-mêmes, mais que leurs acquis fondent comme neige au soleil quand une infection opportuniste envahit leur organisme. « Oh mon Dieu, ai-je entendu, ce travail ne rime à rien. Cette méditation n'est que du vent. Elle n'est pas vraiment efficace. » C'est l'enfant survivant qui réagit ainsi, car il tient à des résultats bien précis.

Quand il n'obtient pas ce qu'il veut, il se plaint, blâme ou manipule, ce qui crée encore davantage de souffrances et d'obstacles et nous transforme en victimes. La guérison par la maîtrise due à l'acceptation n'est plus possible. Quand nous disons oui, en nous laissant guider par la créativité de notre guérisseur et en nous autorisant à faire des erreurs, nous devenons maîtres de notre vie. La souffrance devient une émotion et les obstacles des défis.

La pilule magique

L'un des plus grands obstacles à la guérison est la recherche de la « pilule magique » et le défi est la prise de conscience qu'elle n'existe pas. Beaucoup de malades sont venus travailler avec moi parce que le virus avait disparu de mon organisme et qu'ils espéraient trouver le truc pour faire ce que j'avais fait. Evidemment, c'est l'enfant survivant recherchant désespérément la cure miracle qui conduit ces gens vers moi ; mais je reconnais que, dans le contexte de notre conditionnement, cette réponse est saine. Dans toutes les écoles de médecine du pays, les futurs médecins apprennent qu'il n'y a que deux moyens de guérir : la chimie ou la chirurgie. C'est ainsi. Il n'y pas le choix. Nulle part on ne reconnaît le pouvoir de guérison qui est en nous.

Un soir, je parlais à un groupe de malades du sida de mon voyage de guérison et une jeune femme à la forte personnalité m'interrompit. « Niro, dit-elle, tout cela est bien joli, mais pour l'instant j'attends les résultats de mon test de dépistage et si j'ai cette chose dans mon organisme, je veux m'en débarrasser. Je veux la pilule magique. » Je répondis : « D'accord, imaginez que je vous l'aie donné et que le sida ne soit plus maintenant que du passé. Alors ? » Elle rougit et déclara : « S'il était vraiment sorti de mon organisme, je cesserais de fumer, quitterais New York, essayerais de me rapprocher de ma famille et consacrerais ma vie à aider les autres, oh oui, et pour finir je cultiverais les roses que j'ai toujours eu envie de cultiver. » « Vous ne faites rien d'autre que de décrire votre pilule magique », dis-je.

Aussitôt elle répliqua : « Oui, mais... » Je l'invitai à faire une pause, à laisser tomber le « mais » et à entendre réellement ce qu'elle venait de dire. Nous la regardâmes tous un moment en silence. Elle se mit lentement à pleurer lorsqu'elle comprit qu'elle s'était engagée sur une fausse piste et qu'elle avait peur de commencer à vivre la vision qu'elle portait dans son cœur pour elle et pour le monde.

Il est très difficile d'abandonner les raisons qui nous font repousser la découverte de ce que nous sommes, puis de vivre réellement à la lumière de cette découverte. Quand nous acceptons enfin cette vérité : « Je mourrai probablement de cette maladie - et si ce n'est pas le cas, je mourrai de quelque chose d'autre, quand le moment sera venu », nous pouvons commencer à vivre pleinement, par un choix conscient, au lieu de rester dans notre inconscience de somnambule.

Le piège du Nouvel Age

Un autre obstacle dans le voyage de guérison est ce que j'appelle le piège du Nouvel Age. Il est dû à une mauvaise interprétation de vérités supérieures par notre enfant survivant. Par exemple, la philosophie du Nouvel Age nous répète sans cesse que nous créons « notre propre réalité » - logiquement, donc, notre maladie. Mais si c'est l'enfant survivant qui s'empare de cette vérité, il se punit ou s'accroche à un nouvel espoir de faire les choses « bien ».

J'ai entendu des clients dire : « Si j'ai créé cette maladie, je devrais être capable de m'en guérir. » Il est exact qu'au niveau de l'âme, nous créons tout ce qui se produit dans notre vie et guérir implique d'en prendre la responsabilité. Mais si nous laissons l'enfant survivant faire un mauvais usage de cette vérité supérieure, cela ne fait qu'entraîner de la culpabilité et un « stress de guérir ».

De nombreux patients ont une impression d'échec parce qu'ils ne parviennent pas à aimer leur maladie comme tant de « guérisseurs » du Nouvel Age les invitent à le faire. Ils me demandent : « Niro, comment avez-vous fait pour aimer votre maladie ? » Je leur réponds que je ne l'ai jamais aimée.

D'ailleurs, je ne l'aime toujours pas. En réalité, je la hais, mais je reconnais qu'elle a été l'un de mes meilleurs enseignants. Je n'ai jamais essayé de modifier ma réaction ; pourtant, la transformation a quand même eu lieu. C'est le mystère du voyage.

Le « pousseur » du Nouvel Age

Souvent, en réponse au stress de guérir, l'enfant survivant prend le masque de ce que j'appelle le « pousseur du Nouvel Age ». Celui-ci s'efforce d'éviter la souffrance et la mort à tout prix, y compris en faisant semblant d'être spirituel. Il utilise les instruments du Nouvel Age afin d'« accepter » quelque chose qu'en réalité, il hait. Il fait des méditations sans fin, de la visualisation et des affirmations ; mais en général il finit par se sentir perdu, douter de lui et en vouloir à ses instruments. Il apprend littéralement à se mentir à lui-même dans le but de faire ce qu'il pense « devoir » faire pour être spirituel, ce qui l'éloigne de plus en plus de sa propre vérité.

Mon conseil est le suivant : n'essayez pas d'accepter une chose que vous haïssez. Acceptez plutôt le sentiment que cette chose éveille en vous. Acceptez votre colère, votre haine. Ne faites pas comme si elles n'étaient pas là. Le voyage spirituel commence par la simple observation de ce qui est. Si vous vous aimez exactement tel que vous êtes, vous avez fait le premier pas vers l'illumination.

Le piège du pardon

Je vois le même piège avec le pardon. Beaucoup de gens font des exercices sur le pardon, répétant : « Je me pardonne » comme un mantra. Mais souvent, dans mon séminaire, ils se rendent compte qu'ils ont encore beaucoup de ressentiment envers une personne ou une situation particulière. Ces exercices ont pu réussir au début à créer un sentiment d'expansion mais, en général, celui-ci ne dure pas.

Ils n'aident pas non plus vraiment les patients à guérir, parce que ce n'est pas leur vérité. Leur vérité (ou plus exactement celle de leur enfant) est souvent faite de colère, de ressentiment et même de haine. Tant que les sentiments de l'enfant n'ont pas été reconnus, ces exercices ne font que les recouvrir. C'est le masque du contrôleur, faisant ce qu'il faut pour se protéger. Souvenez-vous, le pardon n'est pas un « faire », c'est le fruit de l'harmonie avec nous-mêmes. Il a de nombreux niveaux. Il faut généralement du temps pour atteindre ce stade d'acceptation de soi et abandonner le passé. Seul le pardon réel porte des fruits. Soyez patient.

Le masque de la félicité

Toujours dans ce piège du Nouvel Age, je vois sans cesse des gens qui portent le masque de l'expansion et de la félicité, en espérant que le fait de mimer ces états les aidera à y parvenir. C'est encore un instrument de survie qu'utilise l'enfant pour être accepté et éviter le rejet. Notre masque nous pousse à croire que nous avons atteint notre destination et que notre voyage de découverte se termine là. Pour guérir, il faut avoir la volonté d'être humble, ouvert et vulnérable, et de rester dans la question au lieu de s'installer dans des réponses faciles. Mais notre attachement à nos relations, nos ambitions, nos réussites et nos possessions matérielles risque de rendre cette humilité très difficile.

Durant notre voyage de guérison, il est important que nous soyons conscients de notre attachement au confort, à l'ancien. Chaque fois que nous avons l'impression de nous installer dans le confort, il est temps de nous réveiller et d'en sortir car, la plupart du temps, c'est le signe que nous nous sommes rendormis. Notre enfant survivant échappe souvent à l'inconfort dû au fait de rester ouvert et vulnérable en mettant le masque du guérisseur. Il justifie nos actions en expliquant que nous devons éviter tout ce qui nous paraît inconfortable. Par exemple, l'enfant survivant de l'un de mes clients jouait à merveille le rôle de son « moi supérieur », le persuadant de ne pas assister à nos groupes de soutien. Par la suite, lors d'une séance particulière, nous découvrîmes que cette idée venait en réalité du masque de l'enfant survivant. Celui-ci se protégeait ainsi parce qu'il était mal à l'aise avec l'amour inconditionnel qui régnait dans le groupe et dont il n'avait pas l'habitude. L'enfant survivant emploiera n'importe quelle excuse et portera n'importe quel masque, y compris celui du guérisseur, s'ils peuvent l'aider à faire son travail - qui est de nous protéger du mal ou, plus précisément, d'essayer de nous rendre invulnérables.

Chaque fois que nous tombons dans ce piège du Nouvel Age - et la plupart d'entre nous l'ont fait à un moment ou un autre - nous devons reconnaître que nous portons un masque, le laisser tomber et redécouvrir notre vulnérabilité. C'est grâce à la fragile ouverture de notre cœur que nous pouvons goûter au véritable nectar du pardon, de la paix et de la liberté.

« Spéculer » sur la maladie

L'enfant survivant risque de tomber dans un autre piège : utiliser la maladie pour manipuler les autres et obtenir la satisfaction de ses besoins. Par exemple, il peut en faire une excuse pour ne pas travailler ou un prétexte pour que son partenaire ou la société s'occupe de lui. Fondamentalement, c'est encore un stratagème pour fuir ses responsabilités, qui peut être dangereux car, si nous recevons des « douceurs » en échange de notre maladie, nous la renforçons.

Par exemple, j'ai observé que beaucoup de malades du sida participant aux séminaires d'autoguérison que je dirige demandent une bourse d'études. Il est exact que certains d'entre eux sont physiquement incapables de travailler et vivent avec le minimum des assurances ou une pension d'invalidité. Comme ils ont en outre des frais médicaux et pharmaceutiques exorbitants, ils ont réellement besoin d'une assistance financière, que nous leur accordons. D'autres, cependant, séropositifs mais asymptomatiques, demandent une bourse parce qu'ils sont sans emploi ou « fauchés ». Cette attitude va dans le sens de l'enfant survivant, qui utilise la maladie pour obtenir certaines choses gratuitement, manipuler ceux qui l'entourent et avoir ce qu'il désire. Il y a en chacun de nous une partie habile qui a une impression de pouvoir quand nous obtenons quelque chose gratuitement, mais qui oublie totalement le véritable prix que nous payons pour cela.

Nous pouvons extorquer quelques sous à l'Etat, mais ne nous demandons alors pas pourquoi notre voiture est mystérieusement dévalisée dans un parking ou pourquoi nous perdons notre portefeuille. Karmiquement, tout est lié, comme dans un gigantesque jeu de patience. Nous n'avons jamais rien sans rien ; seul le mental nourrit cette croyance. Comme les stratagèmes de l'enfant survivant ne sont pas d'une très grande maturité, l'expansion superficielle due à cette impression de « bien s'en tirer » conduit à des habitudes très dangereuses. Ce comportement est un moyen caché de rendre hommage à la maladie et il respecte la victime en nous au lieu d'être créateur. Si nous recevons trop de choses sans être obligés de les gagner, notre énergie créatrice se dissipe à cause du mauvais usage que nous en faisons et notre motivation à atteindre notre potentiel maximum disparaît très vite.

Je vois une intéressante corrélation entre la maladie opportuniste et l'opportuniste en nous qui survit en « spéculant » sur la maladie. Je me souviens d'un très jeune client : il venait d'apprendre qu'il était séropositif, mais ne souffrait d'aucun symptôme. Il avait pris des congés de maladie, payés par son assurance, pour assimiler la nouvelle et se réconcilier avec sa vie. En trois semaines, il avait demandé et reçu une réduction de cinquante pour cent pour son abonnement de métro du fait de son « invalidité ». Quand il me raconta cette histoire, je fus prise d'une immense tristesse, mais je me retins de dire quoi que ce soit.

Pendant la séance, je l'invitai à engager un dialogue avec son enfant survivant. Il découvrit que celui-ci était si effrayé par l'incertitude de son avenir que chaque sou qu'il pouvait épargner lui donnait un sentiment de sécurité. L'enfant avait tellement peur que son contrôleur lui demandait de s'abstenir de tout luxe, tel que les voyages ou les distractions. Il exigeait presque qu'il cesse de manger et de téléphoner - tout ce qui entraînait des factures ! Quand le patient revint à l'adulte actuel, il fut très surpris par la réaction de son enfant survivant. Il se rendit compte que celui-ci se préparait à être malade sans même se poser de questions sur la réalité de sa vie présente. En obtenant son titre de réduction, il se voyait déjà invalide. En niant la joie d'être en vie et plein d'énergie, en n'appréciant pas à sa juste valeur le fait qu'il pouvait payer le plein tarif, il rendait sa maladie plus réelle.

L'obstacle de la séparation

Un autre obstacle que nous rencontrons quand nous sommes confrontés à une maladie potentiellement mortelle est l'impression d'être devenus différents et d'être mis à l'écart. Nous éprouvons souvent ce sentiment au moment où nous apprenons notre diagnostic, notre appel au réveil : il y a maintenant une différence entre nous et le reste de la population, ceux qui ne sont pas atteints d'une maladie mettant leur vie en danger.

Cela tient en partie au fait que nos priorités sont désormais différentes de celles de la majorité des gens. Quand nous prenons conscience de notre différence, il est important de ne pas nous considérer comme « mauvais », ce qui nous pousserait à nous isoler dans notre malheur.

L'isolement n'est pas la même chose que la solitude, qui est le choix conscient de commencer un voyage intérieur à la découverte de soi, un voyage que l'on ne peut faire que seul. L'isolement est souvent une réaction à la peur du rejet. Un domaine où cet isolement peut être particulièrement pénible pour les malades du sida est celui de la sexualité et des relations amoureuses.

La sexualité, les relations amoureuses et le virus

A la suite d'un diagnostic de sida, nous rencontrons un autre problème, celui de la sexualité et de l'intimité. Il nous fait peur parce que nous craignons généralement de devoir renoncer à la sexualité et aux relations amoureuses.

Nous sommes affolés lorsque nous devons annoncer notre maladie à notre partenaire sexuel et notre libido peut être diversement affectée par la nouvelle situation. Prenant conscience que nous ne pouvons plus continuer nos anciens modes de relations, nous ne voyons que ce que nous avons perdu. Beaucoup préfèrent ne plus rencontrer personne pendant un certain temps. Quelques-uns recommencent par la suite dans un climat plus sûr, par exemple dans des groupes de soutien ou d'autres réunions de séropositifs destinées à faciliter ce processus. Partout aux Etats-Unis, des ligues de malades du sida organisent des soirées dansantes et d'autres manifestations sociales réservées aux séropositifs.

Les femmes hétérosexuelles

Les femmes hérérosexuelles apprenant qu'elles sont séropositives semblent réagir différemment des homosexuels. Beaucoup d'entre elles se retirent et « font comme si elles étaient mauvaises ». La plupart de celles que je connais se sont vite résignées à l'idée que les relations amoureuses appartenaient désormais au passé. Cette attitude est entre autres due au fait que la plupart des hommes hétérosexuels séronégatifs ne se lanceront pas dans une relation avec une femme séropositive.

Pourtant l'isolement et le célibat ne sont pas les seules solutions pour ces femmes. J'ai vu de nombreuses relations tout à fait satisfaisantes s'épanouir à partir des liens créés dans mes séminaires, ce qui est dû en partie au fait que ceux-ci offrent suffisamment de sécurité pour que les gens puissent être ouverts à la réalité présente. Quand ils se rencontrent dans l'instant et se sentent en sécurité, leur état de santé n'est pas au premier plan de leurs relations et ne remet pas en question la profondeur de celles-ci. Par exemple, un homme et une femme, tous deux séropositifs, se sont rencontrés dans mon groupe de soutien ; ils sont maintenant mariés et heureux.

La sexualité créative

Nous devons devenir créatifs pour pratiquer la sexualité sans risque, mais cela prend du temps. Nous pouvons, surtout dans les relations à long terme, être perturbés par le changement de nos habitudes sexuelles. L'une de mes clientes, par exemple, qui avait été contaminée par une transfusion sanguine, éprouvait une honte terrible parce que son mari n'arrivait plus à avoir des relations sexuelles avec elle.

Devant ce problème, elle avait beaucoup de mal à croire qu'elle était encore aimée, puisque la démonstration d'affection à laquelle elle était habituée n'était plus la même. Dans un groupe de soutien, elle travailla avec son mari et engagea avec lui un dialogue sain. Tous deux apprirent à exprimer véritablement ce qu'ils ressentaient, y compris leur impuissance et leur peur du sida, au lieu de faire comme si ces sentiments n'existaient pas et de s'éviter mutuellement. Aujourd'hui, ils ont une relation créative, à la découverte de ce qu'ils sont dans leur relation et dans les circonstances toujours changeantes de leur vie, et leur intimité est beaucoup plus profonde qu'elle ne l'avait jamais été durant toute leur vie de couple.

Il est très utile, quand vous êtes - vous ou votre partenaire - confronté à un diagnostic de séropositivité, de créer une nouvelle intimité en partageant d'autres activités : passer du temps ensemble, aller dîner au restaurant, danser, sortir le soir, se prendre dans les bras, se faire des massages. Les possibilités créatives ne manquent pas.

Il y a également de nombreuses possibilités de sexualité créative, en particulier la découverte de la masturbation mutuelle. Guidés par votre amour l'un pour l'autre, vous trouverez peu à peu de nouvelles manières de vous unir. L'art du tantra est une magnifique porte ouvrant une nouvelle dimension entre deux êtres. Le fait de chevaucher la vague de l'énergie sexuelle grâce à la technique de la respiration profonde accroît l'énergie au lieu de la diminuer. Vous vous enrichirez mutuellement beaucoup plus qu'il n'est possible de le faire au cours d'un rapport sexuel normal.

La sexualité étant réprimée par la société, nous avons généralement grandi dans l'insécurité ou la gêne, à un niveau ou un autre, à propos de notre sexualité. C'est pourquoi il est important, lorsque vous êtes confronté à une maladie sexuellement transmissible comme le sida ou l'herpès, de rester aussi présent que possible à vos sentiments. Soyez le témoin de vos émotions et dites oui à la peur. Cela vous aidera à dépasser les souffrances éventuelles de votre enfant survivant. Nombre de mes clients qui ont eu le courage de dire oui à leurs sentiments ont transcendé leur peur et vivent maintenant des relations plus intimes et plus vivantes sexuellement qu'avant leur maladie.

Transformer les obstacles en défis

Si nous considérons les obstacles comme des défis auxquels nous pouvons résister au début, mais que nous finirons inévitablement par accepter, nous modifions notre perception et nous nous ouvrons à leurs leçons. Regardez les obstacles que vous avez rencontrés sur votre chemin : sur le moment, ils vous semblaient insurmontables mais, d'une façon ou d'une autre, vous leur avez survécu. Maintenant que vous lisez ces lignes, vous en gardez peut-être une cicatrice, mais vous êtes encore bien en vie.

Je crois que nous avons très peu de choses à faire pour changer de vie lorsque le temps est venu pour cela. Nous pensons pouvoir contrôler les circonstances mais, comme nous l'avons vu, c'est une idée de la victime et non du guérisseur. Celui-ci sait que nous n'avons pas le contrôle sur certains passages de notre vie et que nous n'avons alors qu'une chose à faire : nous rendre.

La seule chose que nous puissions changer est notre attitude, qui affecte directement la façon dont nous nous comportons face aux obstacles. La différence entre un obstacle et un défi est très subtile et il nous faut rester vigilants pour la reconnaître. Pourtant, la distinction est tellement simple qu'au début, nous n'osons pas nous fier à notre impression : quand nous butons sur un obstacle, nous l'évitons généralement, tandis que si nous sommes confrontés à un défi, nous sommes intéressés. Un obstacle crée une énergie du « non » et un défi une énergie du « oui ».

Quand nous percevons un défi comme un obstacle, nous lui résistons et plus nous lui résistons, plus nous le rendons réel. Quand nous résistons à la souffrance, elle nous paraît pire, comme c'est souvent le cas lors d'un rendez-vous chez le dentiste. Si nous disons oui à la souffrance, elle peut évoluer et, si nous nous laissons aller et que nous nous détendons, elle se dissipe plus vite.

La souffrance physique

Que la souffrance ou la maladie soit physique ou émotionnelle, les obstacles sont toujours les mêmes. Le plus important de tous est probablement la peur de la souffrance physique. Nous la redoutons souvent davantage que la mort elle-même. Dans ce domaine, nous devons connaître nos limites, c'est important, et savoir que les attitudes extrêmes réussissent rarement. Quand nous sommes prêts à faire face à la souffrance instant après instant, nous pouvons décider quand utiliser les médicaments. C'est un processus de conscience passant par l'acceptation.

La peur de la souffrance physique est parfois plus paralysante que la souffrance elle-même. Le fait de nous relier à cette dernière, d'apprendre à connaître nos limites et de rencontrer le « poltron » en nous fait aussi partie de la route cahoteuse qui mène vers l'illumination et sur laquelle notre corps nous embarque. Grâce à la souffrance, nous apprenons à être dans le présent comme jamais auparavant ; toute notre conscience est concentrée sur notre douleur physique et nous oublions le passé et l'avenir. Nous nous sentons d'autant plus présents qu'il n'y a aucun moyen de ne pas l'être quand nous souffrons (si nous ne supprimons pas nos sensations avec des analgésiques). Souvent, en attendant que la souffrance s'atténue, nous nous sommes rendus à l'instant présent sans nous en rendre compte.

La science médicale est très utile dans le domaine de la souffrance physique, mais elle peut aussi être dangereuse, parce que nous nous habituons très vite à faire appel à elle. Si nous supprimons immédiatement la souffrance, nous risquons de passer à côté de la leçon qu'elle est censée nous apprendre. Certaines personnes, prenant quasiment une attitude de martyr, s'efforcent de s'abstenir totalement de prendre des analgésiques, tandis que d'autres tombent dans l'excès contraire, réclamant de la morphine au premier signe de souffrance physique. Je ne préconise ni l'une ni l'autre de ces attitudes - l'utilisation d'analgésiques relève d'un choix très personnel - mais les extrêmes réussissent rarement.

La meilleure manière d'aborder la souffrance physique est de la vivre pleinement et complètement. L'énergie peut ainsi circuler. Hélàs, ce principe s'oppose souvent directement à notre instinct, qui est de retenir notre respiration et de nous contracter pour garder la souffrance à distance. (Souvenez-vous, quand j'avais ces étranges attaques de douleurs lancinantes dans tout le corps, j'arrêtais tout, fermais les yeux et respirais profondément, ce qui libérait la souffrance.)

Au début, la souffrance ressemble à un bloc de béton d'énergie sombre. Mais si nous acceptons de rester avec elle, simplement en respirant, nous aurons peut-être une surprise : cette masse solide peut devenir moins dense et moins sombre, et même se mettre à pulser au rythme de notre cœur et de notre respiration. En nous concentrant sur cette pulsation, nous prenons conscience que la souffrance se déplace ; notre corps répond immédiatement à ce flux si nous le laissons simplement faire l'expérience physique de contraction et d'expansion. Plus nous accompagnons la douleur, plus elle peut se déplacer. C'est là le secret. Nous avons alors très vite une impression de soulagement et de paix. La souffrance peut aussi s'intensifier un moment et finir par atteindre un pic avant de se transformer en vallée, permettant au corps de se reposer.

Procédé

Accepter la douleur physique

Demandez à un ami avec lequel vous vous sentez bien de vous guider. Choisissez quelqu'un en qui vous avez confiance, car ce procédé est très personnel. Il n'y a pas de manière juste ou fausse de le faire. La seule chose nécessaire est de vous y impliquer aussi totalement que possible et de rester fidèle à vous-même. Il ne s'agit pas de vous donner en spectacle à qui que ce soit. Si cela vous paraît plus facile, vous pouvez lire le procédé pour l'enregistrer, puis écouter l'enregistrement.

Allongez-vous sur votre lit et fermez les yeux.

Le texte suivant doit vous être lu à voix haute par un ami :

« S'il te plaît, respire profondément et concentre toute ton attention sur ta respiration. Sois le plus présent possible. Prends conscience de ce qui se passe en toi et autour de toi : les sons, les odeurs, les sensations. »

(Pause)

« Maintenant, ouvre-toi et va au-delà de tes cinq sens. Ouvre-toi à ton intuition et à la guidance de ton guérisseur intérieur.

« Tout en continuant à respirer profondément, concentre ton attention sur la lumière intérieure. Visualise une lumière blanche, claire et brillante, symbolisant la présence de Dieu. Ce n'est là qu'une suggestion ; si ton subconscient t'envoie une autre image, fais-lui confiance. Cette lumière peut être pourpre, bleue ou verte ; laisse-la être ce qu'elle est. Tu es en présence de Dieu. Laisse-toi baigner par la lumière. »

(Pause)

« Maintenant que tu te sens plus en sécurité et que ton corps est détendu, prends conscience du centre de ta douleur. »

(Respirez profondément)

« Tout en continuant à respirer, laisse la lumière entrer dans ton corps et te réconforter. Cette agréable sensation envahit toutes les parties où tu ne souffres pas, rendant la zone douloureuse de plus en plus précise. Amène ta conscience au centre de ta douleur. Perçois son étendue et sa différence avec le reste de ton corps. »

(Pause)

« Maintenant, tire une énergie et une force de guérison des parties de ton corps qui ne souffrent pas. Demande la guidance de Dieu et soutiens le processus. »

(Respirez profondément)

« Continue à respirer profondément en allant de plus en plus loin dans la douleur. Tu redoutes sans doute que la souffrance ne devienne insoutenable. Mais fais confiance à la guidance de Dieu et continue. Maintenant tu ressens toute l'intensité de la douleur.

« N'oublie pas de continuer à respirer profondément même si tu as envie de te contracter et de retenir ta respiration. Maintenant, observe de quelle couleur est la douleur. Fais confiance à l'image qui vient. »

(Pause)

« Quelle est sa dimension ? »

(Pause)

« Quelle est sa forme ? »

(Pause)

« Quelle est sa taille ? »

« En continuant à respirer, vois la douleur dans toute sa réalité. Continue à te concentrer sur sa forme, sa taille et son intensité. Ton corps a peut-être envie de pleurer ; laisse-le pleurer, crier ou soupirer. Laisse faire. Laisse l'énergie se déplacer.

« Maintenant, en demandant l'aide de la lumière en toi et en employant tout ton pouvoir créateur, vois la taille de la douleur diminuer, sa couleur devenir plus pâle et son intensité plus faible. »

(Respirez profondément)

« Ressens la douleur maintenant. Si elle est lancinante, sens sa pulsation. Regarde sa danse de contraction et d'expansion. Son acmée est suivie d'une accalmie : dedans et dehors, dedans et dehors. Sens la douleur commencer à s'assouplir. Avec la guidance de Dieu et à ton propre rythme, de nouveau, utilise ton pouvoir créateur pour la voir devenir plus petite. »

(Respirez profondément)

« Quand la douleur s'atténue, profite de ces moments de moindre intensité pour te reposer. Concentre-toi simplement sur ta respiration et sur ton corps couché sur le lit. Donne-toi un peu de répit. Laisse ton corps prendre un peu de répit. »

(Pause)

« Maintenant, encore une fois, en utilisant ton pouvoir créateur, visualise la lumière en toi faisant totalement disparaître la douleur et abandonne-toi au repos. Tu es avec Dieu. Dieu est toujours prêt, toujours là pour nous. Nous n'avons qu'à lui faire de la place. Nous pouvons décider de nous abandonner. Nous ne sommes pas obligés de souffrir. Nous pouvons accepter le soutien de nos amis et de ceux que nous aimons, aussi bien que de Dieu. Prends le temps de t'apprécier profondément et de sentir la présence de Dieu. »

Procédé

Dialogue avec votre virus (ou votre maladie)
(Lisez le procédé en entier avant de le faire.)

Préparez-vous comme d'habitude pour un dialogue avec votre enfant, mais cette fois-ci mettez deux coussins ou deux chaises devant vous.

Commencez par vous centrer en tant qu'adulte actuel, en dirigeant toute votre attention sur la position de votre corps, votre présence dans la pièce et le rythme de votre respiration.

Un court dialogue préalable avec votre enfant intérieur renforcera ce procédé. Expliquez-lui simplement ce que vous allez faire et invitez-le à participer. S'il a peur, rassurez-le en lui disant clairement que vous n'allez pas l'abandonner.

Puis revenez à l'adulte actuel. Maintenant, concentrez-vous sur le second coussin ou la seconde chaise en face de vous en y visualisant votre virus ou votre maladie, comme une entité qui va parler en utilisant votre voix.

Un bon moyen d'entamer le dialogue est de demander directement : « Qu'es-tu en train de faire à mon corps » ou « dans ma vie ? » Rappelez-vous qu'il est important d'abord de vous centrer, puis de poser la question d'une façon aussi engageante que possible.

Pensez que vous allez rencontrer une chose qui perturbe l'enfant. Il la voit à la fois comme un ami auquel il s'intéresse et comme un ennemi qui lui amène de la souffrance et des problèmes dont il ne sait que faire.

Laissez le virus ou la maladie s'exprimer aussi clairement que possible. Si l'adulte actuel ne comprend pas très bien sa réponse, changez de rôle et demandez des éclaircissements à haute voix, puis reprenez votre ancienne place. Faites en sorte que le dialogue reste vivant en prenant régulièrement des inspirations profondes pour rester dans un état d'expansion et de réceptivité. Si vous ressentez de la résistance ou de la contraction, assurez-vous que votre enfant n'a pas besoin de s'exprimer.

Voici un exemple de dialogue.

ETRE ACTUEL : Bonjour, virus, j'aimerais te poser quelques questions très importantes. La première est pourquoi es-tu dans mon corps ?
[Changez physiquement de place et devenez cette entité.]

VIRUS : Je suis ici pour t'apprendre l'amour.
[Changez de place.]

E. A. : Je ne comprends pas. J'ai beaucoup travaillé sur moi-même et j'avais l'impression que l'amour était ce qui guidait ma vie. Peux-tu m'expliquer ce que tu veux dire ?
[Changez de place.]

V. : Oui, c'est vrai, mais tu ne t'es jamais impliqué réellement dans ta manière de vivre et ce n'est pas sain. Il est temps pour toi d'apprendre l'amour de toi-même.
[Je sens une résistance à la réponse ; je prends donc la place de mon enfant survivant, qui veut poser une question.]

E. A. : Mon enfant peut-il te poser une question ?
[Changez de place.]

V. : Oui.
[*Changez encore une fois de place.]*

ENFANT SURVIVANT : Que veux-tu dire ? Tu me mets très mal à l'aise. J'ai l'impression de ne pas comprendre vraiment ce dont tu parles et cela me fait peur.
[L'enfant peut avoir besoin de dire qu'il ne veut pas que le virus soit là et qu'il en a très peur. Exprimez tout ce que vous avez gardé en vous depuis si longtemps.]

V. : Nous faisons un voyage ensemble. Je suis entré dans ta vie parce que, d'une certaine manière, tu n'étais pas conscient de ton but ici-bas. Je ne suis pas venu te faire du mal. Je suis désolé que ton corps traverse un moment difficile. S'il te plaît, comprends que tu as vraiment besoin de vivre d'une manière totalement différente, beaucoup plus proche de ton âme. Il te faut commencer à t'aimer et à te respecter, sinon tu restes bloqué dans une faille, une séparation entre toi et ton âme. C'est la raison de ma présence. S'il te plaît, commence à explorer l'amour que tu éprouves envers toi-même.
[L'information résonne en moi et je sais que c'est la vérité, donc je reviens à mon adulte actuel.]

E. A. : Je vais le faire, même si je ne suis pas encore sûr de savoir comment.

Laissez le dialogue finir de lui-même. N'oubliez pas de terminer en tant qu'être actuel et d'être reconnaissant envers vous-même, votre enfant et le virus d'avoir été si ouverts. Prenez le temps de ressentir de la gratitude pour la transformation profonde qui a eu lieu. A la fin du procédé, appréciez l'apaisante sensation de vide due à la satisfaction d'avoir posé vos questions et reçu des réponses.

Ce procédé peut être inclus dans votre travail de conscience quotidien et donc être fait régulièrement.

22

La mort : un parachèvement de la vie

Ma langue s'engourdit et je ne peux rien dire de plus, mais souvenez-vous, je suis toujours ce que j'étais. Rien n'est mort en moi. Quelque chose est mort autour de moi, à la périphérie, mais, par opposition, le centre est plus vivant que jamais. Je me sens plus vivant parce que mon corps étant mourant, toute la vie s'est concentrée. Elle a disparu du corps, de la circonférence. Elle s'est concentrée en un seul point : Je suis.

Dernières paroles de Socrate

Jusqu'à présent, je vous ai parlé de mon expérience personnelle de la guérison. Mais maintenant nous devons aborder un sujet sur lequel je n'ai pas d'expérience personnelle, sauf en tant que témoin : la mort. Comme je l'ai dit plus haut, celle-ci ne m'effraie pas autant que la souffrance. Je me sens prête à l'accueillir les bras ouverts lorsqu'elle viendra. Puisque mon but est d'être pleinement présente à ce moment-là, je veux chevaucher cette dernière vague de vie comme un magnifique surfeur, en utilisant ma peur de l'inconnu et mon amour de la vie pour faciliter le passage.

Tout au long des âges, de nombreux maîtres illuminés ont enseigné que la méditation et la mort sont des expériences très voisines. Dans la mort, la personnalité de l'ego (l'enfant survivant) disparaît et seul l'être pur demeure. Le même phénomène, qu'on appelle samadhi en Inde, satori au Japon, se produit dans la méditation (souvenez-vous de mon expérience sur la plage). La personnalité séparée se fond dans une pure « être-té ». Le « je » disparaît et, comme une goutte de pluie retournant à l'océan, il se perd dans le tout. D'après les maîtres, c'est à cela que la mort ressemble. Nous abandonnons le récipient du corps et la coupe du mental, laissant ainsi la rivière de notre essence retourner à l'océan de Dieu. La mort est comme la méditation : c'est pourquoi celle-ci nous prépare à celle-là.

J'ai tellement d'amis de « l'autre côté » que cela m'a appris une chose essentielle : à ne jamais négliger d'exprimer mes sentiments à ceux que j'aime tant qu'ils sont encore en vie, car nous ne savons jamais quand il sera trop tard. J'essaie de n'avoir d'affaire en suspens avec personne. Ma maladie m'a appris la valeur de la vie quand on a la fragile conscience de l'ombre de la mort.

Je ne vois pas la mort comme la fin, mais comme le point culminant de la vie, l'apogée. Bien sûr, si quelqu'un que j'aime meurt, je pleure, mais j'ai découvert que je peux choisir entre rester malheureuse et accueillir l'énergie de cette personne dans ma vie. Beaucoup de mes amis et clients m'ont marquée par les leçons qu'ils m'ont données sur le mystère de la mort. Ils sont toujours vivants à mes côtés chaque fois que je parle de celle-ci dans des séminaires et des conférences. J'aimerais vous raconter ici, pour vous faire réfléchir, comment certains d'entre eux sont passés de cette vie à la suivante (j'ai changé les noms par discrétion).

De l'obscurité vers la lumière

Lorsque j'ai commencé à travailler avec David, il ressentait la mort comme une chose très sombre qui le terrifiait. Il ne pouvait même pas prononcer le mot sans devenir quasiment hystérique. Poussé par sa peur, il commença son voyage de guérison avec un engagement très profond. Il méditait régulièrement et accomplissait religieusement son travail de conscience quotidien. En quelques mois, sa vie avait totalement changé.

Il avait toujours voulu retourner en Europe, mais avait repoussé le voyage plusieurs fois à cause de considérations financières et d'autres excuses. Un jour, au cours d'une séance, il s'aperçut que le fait de retourner en Europe représentait pour lui une étape importante et non de simples vacances. Il décida de s'accorder cette expérience et partit pour un voyage de plusieurs mois.

Pendant son séjour, en visitant le tombeau de Napoléon, il eut une expérience transcendentale. Il comprit que la mort n'était qu'un passage et que l'essentiel était la manière dont on vivait. Il s'aperçut en même temps qu'il avait inconsciemment choisi de vivre dans la peur et, à partir de ce moment-là, il décida de vivre dans l'amour. Cet amour avait toujours été en lui, mais il l'avait caché toute sa vie.

Dès lors, la lumière de David resplendit et son amour déborda, touchant tous ceux qui l'entouraient jusqu'au jour de sa mort. Ce jour-là, peu avant son passage, ses proches lui demandèrent comment il allait. Incapable de parler, il leva les yeux vers eux et sourit en faisant avec les doigts le signe « O.K. ».

Rentrer chez soi

Un autre de mes clients, qui devint par la suite un ami très cher, était également terrifié par la mort lorsque je le rencontrai pour la première fois. Chris avait peur de mourir jeune et de faire souffrir sa mère.

Il était très sensible et avait été presque toute sa vie un chercheur spirituel. Son voyage de guérison était très dur ; il passait d'une maladie opportuniste à l'autre, au point qu'il ne les comptait plus. Vers la fin de sa vie, il se battait contre le CMV (cytomégalovirus) et risquait de perdre sa vue physique.

Un jour, évoquant sa peur de devenir aveugle, il me dit qu'il appréciait maintenant sa vue à sa juste valeur, alors qu'il l'avait considérée comme allant de soi depuis des années. Il regardait les fleurs comme il ne l'avait jamais fait auparavant. Il me déclara également que s'il devait perdre la vue, il apprendrait à toucher les fleurs et à les découvrir dans une perspective totalement nouvelle. En entendant ses paroles, je fus émue et éprouvai un profond respect.

Lorsque je commençai à travailler avec Chris, il était amoureux de quelqu'un qui ne voulait pas s'engager, alors que lui désirait une véritable relation. Cette situation était très pénible pour lui mais, au fil des séances, il parvint à accepter que son ami Tom n'était pas prêt.

Quelques mois plus tard, ils participèrent ensemble à mon séminaire. Après l'un des procédés, Tom s'aperçut que la peur de l'engagement éprouvée par son enfant l'empêchait de s'ouvrir et de laisser Chris entrer dans son cœur. Il décida alors courageusement de se rendre à ses vrais sentiments et ils purent s'engager l'un envers l'autre. Il y avait entre eux tant d'amour et de compréhension qu'il était très beau de les voir ensemble.

Tom raconta que, le dernier matin de la vie de Chris, il avait demandé à celui-ci s'il devait rester à la maison ou partir au travail. Chris lui avait répondu qu'il devait aller travailler comme d'habitude. Une fois prêt, Tom avait demandé à Chris, qui se reposait dans son lit, comment il allait. Chris, avec un sourire amoureux, avait répondu tendrement : « Tu es très beau. »

Peu de temps après, tandis que Tom était au travail, Chris avait dit à la personne qui s'occupait de lui qu'il voulait rentrer à la maison. La personne l'avait rassuré en lui disant qu'il était déjà à la maison. Chris avait secoué la tête et dit : « Non, je rentre chez moi. » Puis il avait fermé doucement les yeux et cessé de respirer.

S'abandonner à la mort

J'eus comme participant à mon premier cours de dix semaines un être très intéressant. Sa mort m'apprit jusqu'à quel point on peut s'engager envers ceux qui nous aiment.

Enfant, Wayne avait pris la décision subconsciente qu'il devait absolument bien se conduire. Il était l'une des personnes les plus considérées et les plus dignes de confiance qu'il soit possible de rencontrer. Il avait depuis douze ans une relation avec un homme très beau, que j'appellerai Greg. Tous deux vivaient avec le sida depuis quatre ans. Vers la fin de la vie de Wayne, leurs chemins semblaient devoir se séparer : le temps était venu pour eux de prendre des directions différentes.

Durant l'un de mes séminaires, Wayne découvrit une partie de lui-même qu'il avait réprimée alors qu'il était encore très jeune et qui parlait sa langue natale. Au cours d'un procédé faisant appel à un dialogue, il put rencontrer sa mère, qui l'avait abandonné, et lui pardonner, ce qui le mit en paix avec lui-même. Par la suite, il se déclara prêt à accepter que Greg prenne une autre direction. Il était clair pour moi qu'il en avait terminé avec le problème des relations en général et qu'il n'avait plus envie d'en entamer une autre.

Le contrôleur en lui avait toujours jugé important de faire les choses « bien ». Mais, au cours du processus le préparant à passer de la vie à la mort, il décida dans son subconscient de se laisser complètement aller. Il perdit le contrôle de tout son corps, y compris de ses mouvements intestinaux. Voyant que Wayne avait peur d'être abandonné, Greg l'assura avec amour que, quoi qu'il arrive, il ne le laisserait pas tomber. Sa reddition, totale, fut une source d'inspiration pour ceux qui en furent témoins. Les trois derniers jours, Wayne naviguait consciemment entre la vie et la mort, expliquant à Greg ce qu'il voyait, tantôt dans sa langue maternelle, tantôt dans une langue inintelligible que lui seul comprenait. Ses amis restèrent avec lui jusqu'au matin du troisième jour. Ce jour-là, très tôt dans la matinée, alors que, par « hasard », il était seul avec son amoureux, Wayne retrouva sa conscience normale quelques instants, sourit à Greg et quitta doucement son corps. Il en avait fini avec ce monde et aida beaucoup d'entre nous par sa guérison dans la vie et dans la mort.

Mourir dans la résistance

L'une des leçons les plus difficiles pour moi me fut donnée par l'une de mes plus proches amies. Je dus apprendre à la laisser faire ses propres choix, tout en restant fidèle à moi-même en sa présence. Notre relation devenait très tendue, mais demeurait honnête. J'avais l'impression qu'elle prenait toujours les mauvaises décisions et je la voyais comme un kamikaze choisissant consciemment de saboter son voyage avec des instruments destructeurs.

Chaque fois que j'allais la voir, c'était pour moi un défi terrible d'accepter ses choix sans essayer de la « sauver ». Elle fumait une cigarette après l'autre et mit plusieurs fois le feu à son lit, alors qu'elle venait d'arrêter le tabac pendant plusieurs mois. Quand elle recommença à fumer, elle perdit sa légèreté et son acceptation et se mit à se détruire, tout en justifiant constamment sa dépendance.

Elle parvint à convaincre son médecin de lui donner de la morphine, dont elle abusait même lorsqu'elle ne souffrait pas, par peur de souffrir. J'en veux encore à son médecin de l'avoir laissée redevenir dépendante après quatorze années sans drogue. Pourtant, elle avait été une femme intéressante et sensible qui racontait souvent son incroyable guérison à des drogués cherchant à se désintoxiquer. Désormais, je devais assister à sa rechute dans son propre enfer.

Je faisais mon possible pour ne pas la juger, mais je lui rappelais souvent qu'il y avait d'autres possibilités. Je lui disais que je voyais encore ce qu'elle était et que je respectais ses choix. Mais au fond de moi, je ne pouvais pas être d'accord avec elle. Sa résistance face à la mort m'apprit beaucoup de choses : à dépasser mes jugements prétentieux sur ce qui est « juste » et ce qui est « faux » et à l'accepter simplement telle qu'elle était ; à mettre de côté celui qui en moi « faisait » et « trouvait des solutions » et à garder mon lien de cœur avec elle ; à reconnaître l'impuissance du soignant comme celle du soigné. Je fus aussi le témoin de la manière dont la drogue contamine une personne et tout ce qui l'entoure.

Plusieurs mois auparavant, avant sa rechute dans la drogue, elle m'avait déclaré vouloir être, au moment de sa mort, pleinement présente et entourée de ses amis les plus chers. Au lieu de cela, elle choisit de mourir seule. La dernière fois que je la vis, elle me prit les poignets et les serra au point de bloquer ma circulation sanguine. Elle se battait sans cesse contre la mort. Quand ses reins lâchèrent, ses médecins furent surpris qu'elle ait pu vivre aussi longtemps. Elle lutta jusqu'à la dernière extrémité, incapable de croire réellement à la beauté de son passage.

Je ressens toujours un profond chagrin et un sentiment d'échec quand je pense à la façon dont elle est passée de l'autre côté. Mais je lui en suis reconnaissante, parce que sa mort m'a forcée à vivre à un niveau où je devais accepter l'inacceptable et le considérer comme une partie du puzzle cosmique de l'univers.

Le suicide, forme ultime du contrôle

De nombreux clients, confrontés à des symptômes pénibles et débilitants et ayant très peu d'espoir de guérir, m'ont demandé mon opinion sur le suicide ; je leur réponds généralement à contre-cœur. Le suicide est l'ultime moyen de contrôler sa vie ; c'est le dernier instrument de l'enfant survivant pour échapper à la peur et à la souffrance. En nous supprimant, nous échappons à l'inconnu.

Personnellement, je crois que le suicide devrait être la dernière méthode à employer pour éviter la souffrance due à la maladie et à la mort. En effet, la présence de chacun d'entre nous sur cette planète est une expérience collective aussi bien qu'individuelle. Une partie de cette expérience que nous nommons la vie sur terre consiste à trouver la paix vis-à-vis de la mort, ce qui est extrêmement difficile car la conscience globale entretient notre peur de mourir. Celle-ci, au début, n'est qu'un instinct de survie fondamental, mais elle se transforme souvent en obsession de toute une vie. Chez certains, elle est tellement forte qu'ils préfèrent contrôler le moment et les circonstances de leur mort plutôt que de la laisser se produire naturellement.

Au cours de mon voyage de guérison, j'ai découvert que la vie ne nous met jamais face à un défi que nous ne pouvons pas relever. Il est facile d'être en désaccord avec ce point de vue si l'on n'a pas survécu à une crise majeure. Par exemple, si on avait demandé avant la Seconde Guerre mondiale aux survivants des camps de concentration s'ils pourraient vivre au milieu des horreurs qu'ils ont connues, ils auraient très probablement répondu non. Mais nous retrouvons toutes nos ressources intérieures dans une situation de crise.

Mais qui suis-je pour juger la décision d'une autre personne de mettre fin à ses jours ? Pour moi, le suicide n'est pas un problème moral qui doit être tranché par une loi gouvernementale ou religieuse, mais une décision personnelle. Il faut beaucoup de compassion à ceux qui restent pour accepter un tel choix.

« Pas question de dire non à ma destinée »

Un autre ami et client connut une illumination - et une guérison - au cours de sa tentative de suicide. Doug, un être tout à fait délicieux, était très amaigri et proche de la mort lorsqu'il vint pour la première fois travailler avec moi. Durant le cours de dix semaines, il fut hospitalisé pour une infection opportuniste et nous pensions tous qu'il allait mourir. Il avait toujours voulu être pleinement conscient pour « accueillir » sa mort et voyait celle-ci comme un paisible achèvement. A l'hôpital, il prit conscience que son désir de mourir était en réalité une fuite de ce qu'était devenue sa vie et décida de ne pas finir ainsi. Trois mois plus tard, il était un autre homme.

Doug vécut le reste de sa vie à son potentiel maximum. Il reprit du poids, fit de l'exercice et son corps redevint beau. Il arrivait à mes séances sur une planche à roulettes, débordant de vie et de lumière. Il avait un effet positif sur tous ceux qui l'entouraient.

Pourtant, comme c'est souvent le cas chez les malades du sida, six mois plus tard il était de nouveau à l'hôpital, avec une autre infection opportuniste. Cette fois-là, il alla de chambre en chambre en traînant sa perfusion intraveineuse pour partager son amour et sa lumière avec les autres patients. Il finit avec le statut de malade externe : en dehors de ses séances de chimiothérapie, il passa son temps avec sa famille et ses amis, avec lesquels il régla tous les problèmes en suspens. Il resta également de longs moments dans la solitude, à travailler sur lui-même.

Ceux qui l'aimaient savaient que la fin était proche. Une nuit, alors qu'il fêtait son dernier anniversaire, il nous regarda tous les uns après les autres avant de souffler les bougies de son gâteau. Ce fut, à l'évidence, sa manière de prendre consciemment congé de chacun de nous. Peu de temps après, il partit faire une retraite sur une petite île tropicale. Il voulait vivre le restant de sa vie dans la chaleur et la beauté.

Un soir, il m'appela de son île paradisiaque pour m'annoncer : « Ce soir est le grand soir. » Comme je lui demandai ce qu'il voulait dire, il me répondit qu'il allait partir nager et qu'il ne reviendrait pas. Je le remerciai de me faire part de sa décision et lui dis que je respectais ses choix.

Je lui demandai toutefois de s'assurer qu'il avait bien tout réglé dans tous les domaines de sa vie avant de mettre sa décision à exécution.

J'éprouvais beaucoup de compassion, mêlée de doute et de confusion. Je demandai conseil à mon pouvoir supérieur et me rappelai ce qu'Osho nous disait souvent : « La compassion, ce n'est pas un cœur saignant plein de sympathie pour les autres ; c'est une profondeur d'amour qui pousse à faire le nécessaire pour apporter la conscience dans une situation. » Je m'entendis soudain dire à Doug : « Si, à un moment ou à un autre, l'océan devient ton ennemi, il sera sage de revenir au rivage. » Après lui avoir dit au revoir, je passai le reste de la nuit à pleurer et à méditer sur la plage, sous la pleine lune.

Le lendemain matin, je téléphonai : peut-être Doug répondrait-il ? Il le fit ! Il riait en me racontant que, plus il avalait d'eau, plus il se sentait fort et que l'idée elle-même avait fini par lui paraître ridicule. Il était revenu jusqu'au rivage avec le peu d'énergie qui lui restait et s'était enveloppé dans une couverture.

Quelques jours plus tard, il avala assez de somnifères pour tuer un cheval, mais cette tentative de suicide échoua aussi. Pour finir, il me dit : « Il n'y a nulle part où aller. Aucune issue. Pas question de dire non à ma destinée. »

Il décida de laisser la nature suivre son cours et se rendit à l'idée de mourir pleinement présent lorsque son heure viendrait. Neuf jours plus tard, il mourut dans la félicité. Son parcours jusqu'à cette mort paisible avait été plein de détours et de difficultés, mais tout au long il n'avait jamais nié sa maladie ni sa mort imminente. Il reconnaissait que c'était son enfant intérieur terrifié qui avait essayé d'en finir prématurément avec la vie. La dernière fois que je lui parlai au téléphone, je lui dis qu'il me donnait envie de témoigner de sa vie et de sa mort, tant il était pleinement présent dans l'instant. Il ne pouvait plus parler, mais il me répondit par un son empli de tellement d'amour et de joie que je l'interprétai comme un « oui ! » jubilant.

La mort : une porte vers le divin

Une fois, en apprenant le décès de quelqu'un qu'il aimait, Osho fit part de ses sentiments sur la mort : « Chaque fois que quelqu'un meurt, quelqu'un que vous avez connu, aimé et avec qui vous avez vécu, quelqu'un qui est devenu une partie de votre être, quelque chose en vous meurt aussi. Bien sûr, il vous manquera, vous ressentirez un vide, c'est naturel. Mais le vide peut devenir une porte. Et la mort est une porte vers Dieu. La mort est le seul phénomène qui ne soit pas encore corrompu par l'homme. En dehors d'elle, l'homme a corrompu toute chose, pollué toute chose. Seule la mort est encore vierge, non corrompue, non touchée par la main de l'homme. L'homme est bien embarrassé par rapport à elle. Il ne peut la comprendre, il ne peut en faire une science ; c'est pourquoi elle n'est pas corrompue. C'est la seule chose pure qu'il reste maintenant dans le monde. »

L'idée de mort peut être totalement libératrice quand nous avons l'impression d'en avoir terminé avec la vie, même si une partie de nous aimerait rester encore dans le jardin de la Terre et jouer avec ses amis. Mais une fois que nous avons mis notre vie en ordre et achevé ce que nous étions venus accomplir, la mort n'est plus l'ennemie. Elle n'est que l'étape suivante dans cette aventure appelée vie.

Si nous pensons ne pas avoir réglé tous nos problèmes avec les personnes, les lieux et les choses de notre vie, il est important de prendre le temps de le faire. Moins nous aurons de bagages à porter au moment du passage, plus haut nous volerons.

Procédé

Un achèvement

Vous pouvez tous faire ce procédé, que vous croyiez ou non votre fin proche : nous mourrons tous un jour. Fermez les yeux un moment et pensez aux domaines de votre vie dans lesquels vous avez des choses à régler.

Les questions suivantes vous aideront à examiner votre vie et, d'une manière simple, à découvrir ce qu'il vous reste à faire pour avoir l'impression que tout est en ordre. Il n'est jamais trop tard pour dire à quelqu'un que vous appréciez ce qu'il vous a apporté ou bien que vous lui pardonnez. Il n'est jamais trop tard pour ouvrir votre cœur et vivre dans l'amour, la compassion et le respect envers vous-même et envers les autres.

Notez dans votre journal vos réponses à chacune des questions. C'est un procédé très personnel donc, là encore. Installez-vous dans un endroit où vous ne serez pas dérangé. Après avoir terminé le questionnaire, voyez simplement ce qu'il vous reste à faire pour tout régler. Non seulement votre passage de l'autre côté, le moment venu, sera plus paisible, mais les jours qui vous restent à vivre s'enrichiront de plus d'amour et de compassion.

1. Ai-je vécu pleinement ?

2. Maintenant que je sais que je vais mourir, quelles sont mes priorités ? (Rappelez-vous que nous mourrons tous un jour ou l'autre.)

3. De qui et de quoi ai-je reçu des leçons ?

4. Que reste-t-il d'inachevé dans ma vie en ce qui concerne :

   (a) mes relations ?

   (b) mon travail ?

   (c) ma solitude ?

5. Quelles sont les personnes à qui je n'ai pas encore pardonné ? Que dois-je faire pour régler ce problème avec elles ?

6. Qu'est-ce que je pense de moi en ce moment ?

7. Si j'essaie d'avoir une vue d'ensemble de ma vie, quel était mon but ici-bas ?

8. Une fois ma vie achevée, pour quoi suis-je reconnaissant ?

9. Quand je regarde en arrière, je me remercie pour...

Epilogue

Ma compréhension du sida

Plutôt qu'une âme dans un corps, deviens un corps dans une âme. Cherche à atteindre ton âme. Va même au-delà.

Gary Zukav
Le Siège de l'Ame

Lorsque j'entendis parler du sida pour la première fois, c'était une chose qui arrivait à d'autres, très loin de moi. Evidemment, il n'y avait pas moyen d'échapper à la terrible atmosphère de panique et de condamnation créée par les médias et renforcée par les masses, puisqu'elle pénétrait l'air même que nous respirions. Mais mon attitude était l'attitude commune d'évitement : « ça n'arrive qu'aux autres ».

Même si je me considérais comme « spirituellement évoluée » et croyais consacrer ma vie à changer le monde, j'étais seulement aussi lâche que n'importe qui d'autre. Je ne voulais ni voir l'impact d'une telle épidémie au niveau de la société tout entière, ni confronter mes peurs et mes jugements personnels sur la maladie et la mort. Je ne me doutais pas du tout que le sida allait devenir mon plus grand maître.

A l'échelle supérieure, le sida est une véritable bombe amorcée dans les profondeurs de la société, avec ses peurs et ses jugements collectifs. Je n'ai rencontré personne qui soit resté indifférent au problème. Certains jugent, sont effrayés ou se justifient, d'autres sont ouverts, pleins de compassion et font sincèrement ce qu'ils peuvent pour aider ; mais, d'une manière ou d'une autre, tout le monde réagit. Le sida a créé une nouvelle impulsion ; il a touché tous les niveaux de notre société. C'est l'amorce d'un changement drastique nécessaire sur notre planète.

Celle-ci, la Mère terrestre, souffre elle-même du sida. Son souffle (notre air), son sang (notre eau) et sa chair (notre terre) ont été pollués par de petits parasites appelés êtres humains. Son système immunitaire a été sévèrement détérioré par des années de mauvais traitements, de négligence et d'exploitation. La minuterie de la bombe à retardement est enclenchée et l'heure de notre appel au réveil est venue.

D'après moi, le sida est l'instrument de transformation le plus puissant qui ait jamais été mis à notre disposition au niveau collectif. Il nous force à réévaluer tous les fondements de la vie telle que nous la connaissons. Il secoue la communauté médicale et les industries qui lui sont liées, il touche les systèmes éducatif et judiciaire. Il nous force à remettre en question nos valeurs, notre morale et notre identité. C'est un défi nous incitant à traiter nos frères humains avec compassion et compréhension. Le message du sida est là.

La lenteur et l'incompétence avec lesquelles nos établissements politiques et médicaux ont répondu à la crise du sida indiquent clairement que notre culture collective est malade. Dans les jungles urbaines d'aujourd'hui, la survie du plus adapté - selon Darwin - n'a jamais été aussi évidente que dans la manière dont les gens ont réagi à cette crise humaine. Nous participons tous à la peur et à la panique allumées par les médias, avec leur utilisation irresponsable de l'histoire et leur recherche dangereuse du sensationnel. Nous sommes tous responsables de la discrimination haineuse envers les personnes atteintes de cette maladie.

Alors que nous savions encore très peu de choses sur la transmission du sida, de nombreux éléments contribuèrent, à un certain niveau, à la souffrance émotionnelle et à la mort prématurée de nombreux malades : le manque de compassion et de considération de la part du personnel soignant, qui refusait d'apporter la nourriture dans les chambres des patients ; des chauffeurs d'ambulance qui refusaient de transporter les personnes atteintes ; et des familles qui refusaient de rendre visite aux leurs à l'article de la mort. Toutes ces attitudes trahissent une société malade.

En regardant Nado s'étioler et mourir, j'ai juré de faire mon possible pour transformer la panique et le désespoir des gens face au sida en ouverture et pour montrer que cette crise est une opportunité de guérison pour tous ceux qu'elle touche. Je suis sûre que beaucoup d'autres personnes affectées par la souffrance et la mort de ceux qu'elles aiment ont fait le même vœu. En fait, ce sont ces mêmes personnes, par leur travail bénévole principalement, qui sont devenues le pivot des services de soutien vitaux pour les malades. J'aimerais témoigner ici de mon admiration et de mon respect pour tous ces gens qui ont été assez courageux pour transcender l'hystérie initiale et offrir un service d'amour de qualité à leurs patients, leurs familles et leurs amis.

A l'heure où j'écris ce livre, je remarque avec satisfaction que le vent a tourné et que le sida n'est plus considéré comme fatal à cent pour cent. Il est maintenant classé parmi les maladies chroniques et des centaines de survivants à long terme mènent une vie intéressante, bien remplie et valant la peine d'être vécue.

Globalement, je pense que le sida contribue à l'évolution de l'humanité sur cette planète. Une grande guérison est en train de se produire à un niveau collectif, même si elle paraît n'être qu'individuelle. Chaque être humain qui guérit aide à guérir la planète. Comme une fourmi qui accomplit sa tâche au sein d'un tout plus grand, chacun participe à sa manière à l'évolution de l'humanité.

Gary Zukav explique notre évolution dans son livre, *Le Siège de l'Ame* : espèce recherchant jusque-là le pouvoir extérieur basé sur les cinq sens, l'humanité tend maintenant à privilégier un pouvoir authentique basé sur une conscience multisensorielle. Cette nouvelle conscience est plus étroitement en accord avec l'énergie de l'âme. Elle n'est pas meilleure que l'ancienne, mais elle correspond simplement à la prochaine étape dans l'évolution de l'humanité.

Je peux affirmer, par expérience personnelle, que l'autoguérison est le résultat direct d'une bascule vers cette nouvelle approche multisensorielle de la vie. Celle-ci inclut nos cinq sens, mais ne s'y limite pas. Elle s'élargit pour englober l'intuition et la relation avec Dieu, une Puissance supérieure ou le Divin, quel que soit le nom qu'on lui donne.

Pendant que j'écrivais ce livre, j'ai travaillé avec des centaines de malades du sida. Ces individus merveilleux, ainsi que de nombreux autres, sont à l'avant-garde de ce changement de la conscience humaine. Ils contribuent à donner une nouvelle forme à notre conscience collective, nous rapprochant de l'énergie de l'Ame.

Nos échanges m'ont permis de découvrir en chacun d'eux un très haut niveau d'intégrité, qu'ils soient des privilégiés de la société ou des paumés des ghettos. Quand je leur demande pourquoi ils sont sur terre, leur réponse est invariablement la même : « Je suis ici pour servir. » Je citerai comme exemples de cette consécration au service tous les survivants à long terme que j'ai rencontrés et avec qui j'ai travaillé.

Chacun d'eux consacre en effet une grande partie de son temps et de son énergie à travailler bénévolement pour des organisations s'occupant du sida, à encadrer des groupes de soutien, à dénoncer la politique du gouvernement et les liens de la FDA (Food and Drug Administration) avec l'industrie pharmaceutique, ou simplement à être là en tant qu'ami, pour soutenir et écouter. J'aimerais insister sur ce fait : ils considèrent tous leur volonté de servir comme un élément majeur de leur survie à long terme, ainsi, bien sûr, que leur combativité, leur collaboration créative avec les médecins et leur travail de conscience quotidien (bonne alimentation, exercice, méditation, visualisation, réduction du stress, attitude positive et acceptation de leur voyage). Tous ont fait le saut au-delà de la logique, au-delà de leur défi physique, et mènent une vie des plus pleines. Ils contribuent ainsi largement à transformer le monde qui les entoure.

Par mon travail, j'ai le privilège d'assister à la transformation quotidienne qui se produit chez mes clients lorsqu'ils acceptent leur état et le considèrent comme une occasion de se réveiller et de vivre guidés par la sagesse supérieure de leur âme. Leur cœur s'ouvre, leur amour déborde et touche les gens qui les entourent, dont il ouvre aussi le cœur, et ainsi de suite...

Vous voyez, je l'espère, qu'en nous transformant nous-mêmes, nous transformons notre planète. La vie nous a lancé un appel au réveil puissant, même si parfois nous souhaiterions qu'il soit différent. Mais les voies de Dieu sont impénétrables et la manière dont nous évoluons l'est tout autant.

Laissez donc votre cœur s'ouvrir et être guidé par ce que vous êtes - par ce que *nous* sommes - et voyez ce qui se passe.

Etes-vous prêt ? Osez-vous dire oui à l'expérience dans sa totalité ?

Allez-y.

Lectures suggérées en français

COUSINS, Norman :
La volonté de guérir, éd. du Seuil
FERGUSON, Marilyn :
Les enfants du Verseau, éd. Calmann-Lévy
GAWAIN, Shakti :
Techniques de visualisation créatrice, éd. Vivez Soleil
GRIFFITHS, Mark :
Sida, l'apprentissage (20 route du Vallon, CH-1225 Genève)
HAY, Louise L. :
L'amour sans condition, une méthode de guérison, éd. Vivez Soleil
HAY, Louise L. :
Transformez votre vie, éd. Vivez Soleil
OWEN, Bob :
Du sida à la santé, éd. Vivez Soleil
RAJNEESH, Bhagwan Shree (Osho) :
Le livre orange, éd. Ronan Denniel
SCHALLER, Docteur Christian Tal :
Un système immunitaire à toute épreuve (casssette audio), éd. Vivez Soleil
SIEGEL, Docteur Bernie :
L'amour, la médecine et les miracles, éd. Robert Laffont
SIMONTON, Docteur Carl, MATTHEWS-SIMONTON Stephanie et CREIGHTON, James L. :
Guérir envers et contre tout, éd. Epi
SOLEIL, Docteur :
Agir pour se guérir, éd. Vivez Soleil
SOLEIL, Docteur :
Sida espoir, éd. Vivez Soleil

Niro Markoff Asistent est thérapeute à New York et fondatrice - directrice de SHARE (Fondation pour l'Expérimentation de l'Autoguérison en rapport avec le Sida). Elle voyage beaucoup pour donner des conférences et organiser des séminaires.

Paul Duffy est écrivain et conseiller auprès des personnes atteintes de maladies graves.

Pour de plus amples informations :
Niro Asistent
Box 255
East Hampton, NY 11937, USA

LES EDITIONS VIVEZ SOLEIL

Nous sommes de plus en plus nombreux à désirer nous rapprocher de la nature, donner une part plus grande à la créativité personnelle et vivre pleinement dans un monde en changement constant. Pour cela, il nous faut découvrir les principes de santé et d'harmonie nous permettant d'améliorer notre relation avec nous-mêmes, nos proches et le monde dont nous faisons partie.

Les méthodes de santé sont actuellement multiples et variées. Qu'elles soient issues des traditions anciennes ou des études scientifiques modernes, il est important de percevoir leur complémentarité pour faire ensuite librement ses choix et agir en se prenant en charge.

Les EDITIONS VIVEZ SOLEIL présentent des chemins possibles, montrent des directions, en se situant au-delà des querelles d'école et en respectant les convictions et préférences de chacun. D'un livre à l'autre se multiplient les occasions de prise de conscience et de compréhension. Si les expériences proposées nous attirent, nous sommes invités à *vivre toujours plus au pays du bien-être :* favoriser notre santé et notre épanouissement, développer nos ressources personnelles et notre connaissance de nous-mêmes dans une approche globale tenant compte de toutes les dimensions de l'être humain : physique, émotionnelle, mentale et spirituelle.

Les livres signés « Docteur Soleil » sont le fruit du travail d'équipe de personnes de tous horizons pour réaliser des synthèses dans un langage simple et pédagogique. Ils s'appuient sur la documentation fournie par la FONDATION SOLEIL de Genève dans les domaines de la santé et du bien-être.

Les livres, les cassettes audio et les cassettes vidéo que nous publions sont sélectionnés pour la qualité de leur information ou la beauté de leur message. Tous visent à nous permettre d'entrer dans une conscience de la vie plus large, plus joyeuse et plus libre.

Nos publications
dans la collection
DEVELOPPEMENT PERSONNEL

* **Techniques de Visualisation créatrice** - Shakti Gawain

Utilisez votre imagination pour atteindre ces buts

Un best-seller dont vous serez heureux de connaître les techniques d'une efficacité étonnante pour mieux vivre.

* **Transformez votre Vie** - Louise L. Hay

Nous avons le pouvoir d'agir sur nos pensées et ainsi de transformer notre vie. Un livre qui tient ses promesses !

* **L'Amour sans Condition** - Louise L. Hay

L'auteur explique l'approche positive de la vie et de la santé, ainsi que la manière de gérer les multiples difficultés posées par des situations très difficiles.

* **Vaincre par la Sophrologie** - Dr R. Abrezol

Améliorez vos performances et vos états de conscience par la sophrologie. Une technique qui garantit le succès.

* **Réussir par la Sophrologie** - Dr R. Abrezol

Des exercices de sophrologie permettant d'agir soi-même sur des problèmes physiques ou psychologiques à partir de l'état de conscience induit par cette méthode puissante.

* **Bonjour Bonheur** - Ken Keyes Jr

Créer un monde dans lequel le bonheur fleurit à chaque pas ! Un programme de transformation en douze étapes.

* **Le Guerrier pacifique** - Dan Millman

Victoire sur les peurs et les illusions

Plébiscité par les jeunes, ce livre ne manque pas d'humour pour nous aiguiller sur le chemin de la Sagesse.

* **N'enseignez que l'Amour** - Dr Gerald Jampolsky

Ce livre expose les principes de la guérison des attitudes, qui consiste à ne garder que les pensées d'amour, à ne plus nous percevoir séparés les uns des autres, à cesser d'interpréter et de juger.

Nos publications
dans la collection
ALIMENTATION SAINE

* **Guide des régimes** - Dr Soleil

Recherchez l'alimentation qui vous convient avec divers régimes. Ce livre unique vous présente leurs avantages, leurs inconvénients et leurs effets sur la santé.

* **Apprendre à se nourrir** - Dr Soleil

Faites l'apprentissage des nouvelles façons de vous nourrir en explorant les ressources de la nature tout en évaluant les aliments selon leur degré de vitalité.

* **Manger Soleil** - Dr Soleil

Ce livre illustré vous propose des recettes variées à base de graines germées, de jeunes pousses, de fruits et légumes crus qui regorgent de vitalité.

* **Graines germées, jeunes pousses** - Dr Soleil

Une révolution dans l'alimentation

Les ressources prodigieuses de supers-aliments qui font entrer la nature chez vous. Rien de plus simple que de les produire soi-même.

* **Alimentation vivante : le miracle de la vie**
Michelle Karén Werner

Dans ce livre, l'auteur revèle ses recettes d'alimentation vivante, ses secrets de santé et de beauté, clés d'un nouvel art de vivre.

* **Nutrition spirituelle** - Dr Gabriel Cousens

Dépassant le concept matérialiste, l'auteur propose une compréhension énergétique de l'alimentation évaluant le rapport entre l'énergie des aliments et la nôtre. Un livre de grande valeur pour notre futur.

* **Viande et santé** - Dr John Schaffenberg

Des évidences scientifiques pour se délivrer du "Mythe des protéïnes animales".

Nos publications dans la collection SANTE

* **Agir pour se Guérir** - Dr Soleil

24 témoignages de personnes atteintes de maladies graves. En recourant aux méthodes alternatives les plus diverses, elles ont changé leur destin et donnent le courage de suivre leur exemple.

* **Le Cancer apprivoisé** - Léon Renard

Les ressources insoupçonnées de l'être humain

Le seul livre en français présentant les théories du Dr Hamer, ainsi que les dernières recherches scientifiques étayant l'idée que le cancer est une maladie incluant le physique et le psychique.

* **Hygiène intestinale, clé de la grande forme** - Dr Soleil

Une technique de santé simple, gratuite et extraordinairement efficace dont les résultats se manifestent très vite.

* **Les Dents-Lumière** - Dr Yves Gauthier

Vers la santé par la médecine dentaire holistique.

Comment ne plus souffrir de maladies bucco-dentaires ? Comment minéraliser son corps ? Quelles sont les conséquences des amalgames ? Et bien d'autres réponses qui garantissent une belle dentition, reflet d'une bonne santé.

* **Rire, c'est la Santé** - Dr Christian Tal Schaller

Les bienfaits du rire enseignés par l'auteur dans cet ouvrage original, illustré à chaque page de dessins humoristiques, sont expliqués, tout comme les causes de la maladie et les moyens qui permettent de devenir un "milliardaire" de la santé.

* **Mes secrets de Santé-Soleil** - Dr Christian Tal Schaller

Depuis 25 ans, l'auteur pratique et enseigne toutes les méthodes de santé. Le livre foisonne de conseils pratiques et d'explications précieuses pour mettre le bien-être au programme de chaque jour.

D'autres ouvrages sur le thème du sida

Livres :

Sida-Espoir - Dr Soleil

Ce livre est original dans sa conception.

Au lieu de dire : "Voilà LA vérité", les auteurs présentent DES vérités. Ils exposent un panorama de toutes les idées concernant le sida. "Sida-Espoir" relate aussi l'aventure de ceux qui ont cessé d'être des victimes de cette maladie pour en devenir les vainqueurs.

Du Sida à la Santé - Bob Owen

C'est l'histoire authentique d'un médecin américain découvrant qu'il est atteint du sida. Il refuse le pronostic officiel qui le condamne à mourir et demande à l'un de ses amis, médecin comme lui, de l'aider à triompher de la maladie. En acceptant de relever le défi, ce dernier ne se doute pas que ses conceptions médicales seront bientôt bouleversées.

Nature contre Sida - Bruno Comby

Découvrez dans ce livre les rapports étroits qui existent entre l'immunité, ses déficiences et une alimentation 100 % naturelle. Une étonnante théorie du virus utile... L'application de cette théorie a permis à des malades de voir leur état s'améliorer de façon spectaculaire.

Cassettes audio :

Un système immunitaire à toute épreuve
Dr Christian Tal Schaller

Soignez votre immunité... C'est le meilleur "préservatif" contre le sida !

Sida - Louise H. Hay

Des moyens simples pour renforcer le système immunitaire de ceux qui sont atteints de maladie grave.

Cassette vidéo :

Les survivants du sida - Dr Christian Tal Schaller

L'aventure passionnante de ceux qui ont cessé d'être des victimes pour devenir des vainqueurs.

Nos lecteurs trouveront dorénavant nos ouvrages sous le nom "Editions Vivez Soleil". Toutefois, certaines de nos anciennes publications sont encore disponibles sous le nom "Editions Soleil".

Achevé d'imprimer
sur les presses de la
S N I Jacques et Demontrond
25220 Thise/Besançon
en août 1992

Imprimé en France